教育部人文社会科学研究规划基金项目
“基于乡愁记忆的乡村文旅融合发展研究”
（项目批准号：23YJA760094）成果

基于乡愁记忆的
乡村文旅融合发展理论与实践

魏正聪 / 著

化学工业出版社
·北京·

内 容 简 介

本书立足于乡村文旅融合的现实需求和问题，按照“理论逻辑推导—构建理论框架—创作和传播实践—核验与反馈”的技术路线，展开理论与实践相结合的多学科交叉研究，通过8章内容，深入剖析乡村文旅融合发展的动力来源和内在逻辑，探索基于乡愁记忆的乡村文旅融合发展的理论体系和实践路径。书中重点分析了乡愁与文旅发展的价值耦合、我国乡村文旅融合发展的现状、世界“最佳旅游乡村”发展经验、乡愁文化在文旅融合中的创新转化、文旅融合发展的典型案例。书后附旅游资源基本类型释义、评价赋分标准、评价等级与图例。

本书适用于乡村文旅融合发展研究者、决策者，文化和旅游部门管理者，文化艺术行业从业者，高校艺术设计、文化旅游相关专业师生。

图书在版编目（CIP）数据

基于乡愁记忆的乡村文旅融合发展理论与实践 / 魏正聪著. -- 北京 : 化学工业出版社，2025. 11.
ISBN 978-7-122-48894-7

Ⅰ. F592.3

中国国家版本馆CIP数据核字第2025PR8969号

责任编辑：张　阳　李彦玲　　文字编辑：谢晓馨　刘　璐
责任校对：李雨晴　　装帧设计：张　辉

出版发行：化学工业出版社
（北京市东城区青年湖南街13号　邮政编码100011）
印　　装：中煤（北京）印务有限公司
710mm×1000mm　1/16　印张 16　字数 310千字
2026年1月北京第1版第1次印刷

购书咨询：010-64518888　　售后服务：010-64518899
网　　址：http://www.cip.com.cn
凡购买本书，如有缺损质量问题，本社销售中心负责调换。

定　　价：**89.00元**

前言

乡愁是连接个体记忆与集体情感的精神纽带，更是照亮乡村过去与未来的文化灯火。在当代乡村发展与文旅融合的进程中，这份醇厚的情感不仅承载着人们对故土的眷恋，更成为破解发展困境、激活产业动能的关键力量。本书以教育部人文社会科学研究规划基金项目“基于乡愁记忆的乡村文旅融合发展研究”为依托，紧扣“乡愁记忆”主线，系统探究乡村文旅融合发展的内在逻辑与实践路径。

理论建构层面，本书细致梳理乡愁的研究脉络与演进趋势，深入解析现代化进程中乡愁的内涵拓展和价值变迁，并从时间、空间、功能三个维度构建乡愁赋能乡村文旅发展的理论模型。实践研究层面，既立足国内，通过政策演化、市场态势及典型样本分析，全景呈现国内乡愁文旅发展的实践图景；又放眼国际，以联合国世界“最佳旅游乡村”为样本，剖析西班牙、秘鲁、日本等国的特色模式与开发经验，为我国提供镜鉴。应用转化层面，本书创新性地提出“乡愁文化基因谱系”转化框架，归纳总结了乡愁元素在品牌IP打造、文旅场景沉浸式营造、特色空间规划及文创产品开发等领域的具体转化路径，并以湖北鄂州梁子岛景区为样本展开实践验证，形成可落地、可复制的推广方案。

在乡村全面振兴、文旅融合成为发展新动能的背景下，本书聚焦三大核心问题：哪些乡愁记忆具有传承价值且值得系统性留存？如何通过机制创新激发本土村民的主体性，使其从文化的持有者转变为乡愁的主动守护者与创新传承者？采取何种路径能让游客深度介入乡村生活场景，从而真实感知并共情于乡愁记忆的精神内核？通过针对性回应这些实践层面的现实痛点，精准对接国家“留住乡愁”“推动乡村文旅融合”的政策导向。书中构建的乡愁记忆评价指标体系、村民多元参与实施路径、游客感知强化策略，以及基于梁子岛案例形成的操作性方案，可为乡村文旅开发者与地方治理部门提供兼具理论依据与实践可行性的具体参照。

本书在研究与撰写中形成了鲜明特色：其一，理论与实践深度交融，既以多学科理论为基础构建系统框架，又坚持“把论文写在大地上”，将80%的调研精力投入田间地头，用一手素材支撑理论创新；其二，案例鲜活且具有典型性，从江西篁岭的“晒秋”文化到梁子岛的渔家记忆，案例研究包含丰富的村民口述史、游客体验笔记，让理论分析深深扎根于充满烟火气的具体实践；其三，表达兼具学术性与可读性，既保持“乡愁文化基因谱系”等概念的学术严谨，又善用“老槐树的年轮”“外婆的灶台”等意象化表达，让专业论述充满人文温度；其四，图文互证增强感染力，书中穿插数十幅实地拍摄的乡村影像与设计图稿，使抽象理论与具象场景形成呼应，为读者提供直观认知。

乡愁是一条流动的记忆长河，乡村是我们永远生长的精神家园。愿本书的探索，能为留住“乡愁之根”、激活“文旅之力”、绘就“乡村之美”贡献一份力量。因编者研究水平有限，书中难免存在疏漏之处，敬请学界同仁与读者批评指正。

魏正聪

2025年5月

目录

1

乡愁研究：背景与缘起

党的十九大以来，乡村振兴和文旅融合发展被提升到国家战略高度。2022年3月21日，文化和旅游部、教育部等六部门联合印发《关于推动文化产业赋能乡村振兴的意见》，明确了文旅融合等乡村振兴八大产业领域。党的二十大报告进一步作出重要战略部署，要求以文塑旅、以旅彰文，推动文化和旅游在更深层次、更高水平上深度融合。

涵养乡愁是乡村文旅融合发展的应有之义。乡愁是乡村特色文化的组成部分，凝结着人们的集体记忆，是乡村旅游的最大卖点。习近平总书记曾在多个场合提到“乡愁”问题，2013年12月，习近平总书记在中央城镇化工作会议上指出，乡村建设要“望得见山、看得见水、记得住乡愁”。2018年9月中共中央、国务院印发的《乡村振兴战略规划（2018—2022年）》再次强调“留住乡愁记忆”“重现原生田园风光和原本乡情乡愁”。这一系列发展理念的提出，充分彰显了乡愁与乡村旅游融合发展的重要意义。

涵养乡愁是乡村旅游发展的现实需要。2022年3月1日，农业农村部召开全国推进乡村产业高质量发展视频会，指出到2025年，乡村休闲旅游年接待游客人数超过40亿人次，经营收入超过1.2万亿元。面对这个超大“蛋糕”，各种乡村旅游项目纷纷上马，一些共性问题也开始出现，诸如千村一面、定位趋同；过度依赖政府扶持，缺乏内生动力；业态单一，产业链纵深不足。因此，亟待创新思路，探索新发展路径。

本书采用跨学科研究视角，将艺术学、社会学、传播学、市场学等理论交叉融合，试图将植根于中华民族五千多年的特色农耕文化贯穿于乡村旅游全领域和全产业链，以此为乡村文旅融合寻求新的路径，更好践行“望得见山、看得见水、记得住乡愁”的发展理念。

1.1 国内研究现状

近十年来，文旅融合发展成为国家重要政策导向。刘玉堂（2020）、傅才武（2020）等学者提出“文旅融合是从国家层面上的顶层设计”。在这种新形势与新需求下，“文旅融合”成为学界研究热点。

关于文旅融合的定义：学者们从不同学科展开探索，形成了“文化+”“旅游+”“文旅+”等视阈。以“文化+”为导向，卢璐（2021）等提出将文化融入旅游发展各要素，形成乡村特色景点。以“旅游+”为导向，张红梅（2016）等提出构建“旅游+互联网”“旅游+康养”等模式。以“文旅+”为导向，学者们提出了“文旅+博物馆”“文旅+研学”等思路。总体来说，文旅融合是旅游业发展的最佳方向，也是乡村振兴和文化创新的重要途径。

关于国内乡村文旅融合发展面临的主要问题：一是乡村文化的断层。刘红英（2020）认为乡村正面临《乡土中国》所提及的“乡土性”匮乏问题；高晓琴（2020）重点探讨了乡村文化在“国家治理逻辑与乡村社会内生治理逻辑”双重逻辑下消解的现状。二是乡村旅游定位缺失，主要体现在乡村文化特色不够、开发模式单一、产品缺乏创意等方面。三是乡村旅游缺乏营销意识，市场竞争力不足。程倩（2020）、孔凯（2020）认为乡村文旅融合发展普遍缺乏系统性，产品链条单一，未能形成高端业态营销的格局，导致产业融合缺乏效力。

关于乡村文旅融合发展的对策建议：针对以上问题，刘长江（2019）指出乡村文旅融合发展要培植特色产业、打造文化产业品牌；安玉青（2020）提出了“特色乡镇、美丽乡村、乡村社区”构想；张玉蓉（2021）总结出“政府、生态、营销、产品”四位一体框架；马建云（2022）立足现代数字技术，提出了数字赋能乡村文旅的策略。

归纳起来，学者们认为乡村文旅融合发展大致可以采取四种典型模式：①政府推动型，以政府为主导，引入上下游企业，以推动文旅融合；②文化依托型，以文化为核心，推动“文化+旅游”“旅游+文化”“文旅+其他”，实现全产业链一体化发展；③产业依托型，通过建设乡村产业园，发展创意农业、民宿业、手工艺产业，促进多产业融合；④科技发展型，基于现代信息技术，推动文化与科技的融合，构建乡村数字旅游空间。

总的来说，国内对乡村文旅融合发展的现状、问题、模式研究以定性为主，为实践发展提供了有力指导。鉴于不同乡村存在较大差异，乡村文旅融合不仅需要深刻的理论探索，也需要立足乡村实际，进行脚踏实地的调查研究；需要以乡村原生文化为基点，构建符合乡村实际的特色发展模式，形成“一村一特”应对方略。

1.2 国外研究现状

日本、欧美等国家一直非常重视乡村文化保护，形成了以文化带动乡村旅游的成熟路径。早在20世纪70年代，日本就开启了轰轰烈烈的“造村运动”，将乡村文化与旅游结合，形成了“一村一品”发展雏形。日本特色旅游产品和体验项目激增，推动旅游经济快速发展，从而引发众多国家效仿。美国一些乡村开始成立“乡村文化中心”，系统规划文化形态，探索乡村文化在旅游业发展中的创造性转化。

德国对乡土文化的利用则经历了一个拨乱反正阶段。20世纪50年代，受片面追求景观效果的理念影响，德国采取大拆大建方式，忽视乡土资源保护，致使乡村失去特色。随后，受欧洲文化遗产保护运动的影响，德国逐渐将工作重心转到乡村传统建筑研究方向，制定法律法规保护传统乡村文化。目前，德国保存了大量乡村历史建筑和原生态风貌，吸引世界各地游客慕名前来，实现了文化传承和旅游发展的双赢目标。

世界其他国家的乡村文旅发展历程和探索为我国乡村文旅融合发展提供了良好借鉴。

1.3

研究趋势

立足我国乡村实际，借鉴国外经验，我们可对乡村文旅融合研究做出如下展望：

第一，乡村文旅融合发展需要保持乡土文化原真性。乡村建设者需要围绕乡村振兴的战略目标和实现要求，深入实地调研，梳理乡村特色文化资源，打造富有特色的乡村旅游品牌，实现“一村一特”，为游客提供特色文化和旅游体验。

第二，乡村文旅融合发展需要着眼于乡村文化的创造性转化。乡村旅游业的发展需要坚持需求和问题导向，与现代技术融合，与受众情感共通，与美好生活需求呼应。同时，形成符合中国乡村旅游真理的理论阐释，提升研究对象的丰富性和研究视野的开阔性，从理论和实践层面推动我国乡村文旅融合研究的新发展。

2

乡愁演化：乡愁的哲学意蕴和现实关切

2.1 乡愁理论的发展渊源和历史流变

乡愁是人类普遍存在的、共同而永恒的情感。从《诗经》中记载的经典诗句“昔我往矣，杨柳依依。今我来思，雨雪霏霏”，到现代诗人余光中对人生不同阶段的乡愁的描述，思乡、恋乡、怀乡情感一直深深印刻在中华儿女的心底。然而，作为学术概念的“乡愁”最早出现于1688年。瑞士医学院学生约翰内斯·霍夫（Johannes Hofer）在其学位论文中将之描述为“思乡病”——“the pain a sick person feels because he is not in his native land，or fears never to see it again”[1]，即个人因为离开家乡或害怕再也看不到它而产生的痛苦之情。约翰内斯·霍夫认为乡愁作为一种疾病，具有非常严重的负面效果，甚至可能导致死亡，因此需要及时干预。随着工业化的发展和城市化进程的加速，乡愁从个体现象向集体情绪蔓延，引发心理学、社会学、哲学等不同领域的关注，其内涵和外延日益丰富和完善。

2.1.1 国外乡愁研究历程

在西方社会，“乡愁”和“怀旧”基本上是同义词。国外对于乡愁的研究，一般认为是从病理学开始，进而向心理学、哲学、社会学扩散，直至全学科领域的关注。王新歌等学者将之概括为三个阶段：单纯的生理病症阶段（17世纪至18世纪早期）、复杂心理学现象阶段（18世纪中期至19世纪初期）、普遍的现代化反思阶段（19世纪以来）[2]。参考以上研究，结合不同学科的介入情况，我们可以将国外乡愁的研究历程大致做如下概括（表2.1）。

表2.1　国外乡愁研究的历程

阶段	时间	对乡愁的理解
以病理学为主导的乡愁研究阶段	17世纪至19世纪中期	乡愁是人们由于远离祖国、亲人而产生的强烈思乡病，是一种生理上的病症

[1] Hofer J H. Dissertatio medica de nostalgia[J]. Bulletin of the History of Medicine，1688（2）：376-391.

[2] 王新歌，陈田，林明水，等. 国内外乡愁相关研究进展及启示[J]. 人文地理，2018，33（05）：1-11.

续表

阶段	时间	对乡愁的理解
以心理学为主导的乡愁研究阶段	19世纪中期至20世纪初	乡愁是人们对于过去的一种含有情感的记忆与回望，蕴含着强烈的怀旧情绪。特别是工业化与都市化发展造成了人口的大规模迁移，流动的人群普遍怀念曾经的稳定生活，乡愁随之由个人思乡扩大为一种集体心理情绪，代表了特定时代语境下人们对家乡、故土的思恋情怀
多元学科介入的乡愁研究阶段	20世纪中期以来	经济和科技发展带来了巨大的社会变迁，现代乡愁文化思潮崛起；社会学、哲学、文化学等多元学科的介入，使乡愁不仅包含回归精神家园的冲动，也含有对未来秩序重构的反思

(1) 17世纪至19世纪中期：以病理学为主导的乡愁研究阶段

1688年，瑞士医学院学生约翰内斯·霍夫通过调查发现，瑞士士兵在离开家乡后，会出现精神不振、食欲不佳、哭泣等现象，严重者甚至试图自杀。他将这些现象概括为“乡愁”，并写进了学位论文中，引发了医学界的关注。在17世纪至18世纪早期，学者们普遍认为“乡愁”是生理疾病，即由于想念家乡的情绪产生的一种身体不适反应，概括为“情感—身体行为”。在该解释框架下，乡愁被认为是可治愈的。医学思想和理论学派还提出一套强制治疗理论，指出如果患者不能立刻回到故土，那就打消他们想返回故乡的念头，从而进行治疗[1]。直到19世纪初期，乡愁和思乡病一直是医学关注的焦点。

(2) 19世纪中期至20世纪初：以心理学为主导的乡愁研究阶段

从19世纪中期开始，伴随着认知神经学、精神病学的发展，西方许多精神分析学家开始关注“乡愁”问题。尤其是伴随着城市化和现代化进程，人口流动和迁移趋于频繁，越来越多的普通人如出海的水手、进城的工人都开始处于“漂泊”的状态。脱离了以往的熟悉环境，他们和背井离乡的瑞士士兵一样，都出现了不同程度的思乡“症状”。乡愁由此成为特定时代进程中的集体情绪表征，折射出特定历史语境下人群的漂泊状态。借用弗雷德·戴维斯的描述，集体乡愁“具有高度共同的、广泛共享的和熟悉的特性，那些来自

[1] 王新歌，陈田，林明水，等.国内外乡愁相关研究进展及启示[J].人文地理，2018，33（05）：1-11.

过去的符号资源……可以在千百万人中同时激起一浪高过一浪的怀旧情绪”❶。医学研究者也开始对乡愁的可治愈性产生了怀疑，“因为即便回到故乡，此时的故乡已经不是自己头脑中怀念的自己离开时的故乡，只会让自己陷入更加怀念故乡的情绪状态中去”❷。由此，乡愁开始被视为一种心理症状，而非单纯生理上的疾病。

（3）20世纪中期以来：多元学科介入的乡愁研究阶段

20世纪50年代以来，西方社会的经济和科学技术飞速发展，导致现代社会开始遭遇堪称有史以来最大的变迁。这种变迁不仅仅体现在赖以生存的家园和物理空间的改变，而且传统的生活习惯、价值观、消费观念等，都面临巨大的断裂风险。一种作为思想运动的所谓现代乡土社会思潮悄然兴起，并越来越引起人们的重视。如美国学者罗兰·罗伯森所指出的：“全球性变迁的变动不居，本身便招致对世俗形式的‘世界秩序’的怀旧，以及对作为家园的世界的某种前望式（projective）乡愁。”❸乡愁研究由此突破病理学、心理学藩篱，向更广泛的社会学、哲学和文化学领域扩散。回望与前瞻形成了现代乡愁对立统一的辩证关系。

2.1.2 我国乡愁内涵及其理论化

在中国，“乡愁”有着悠久的历史，一般是指漂泊在外的游子对家乡、故土的思恋情怀。文学和美学领域，有关“乡愁”的表达已经形成了一套丰富而又复杂的机制。学者陆邵明通过对1912—2014年间的相关文献检索发现，近一百年来，乡愁已经成为唤起中国人情感的最有效的媒介之一，构成了中华民族最大公约数的文化共同体；乡愁的发生主体也发生了质变，从少数转向多数，从上层转向底层，从海外转向国内（表2.2）❹。

表2.2　中国百年乡愁的发生背景与主体比较一览表

时间	1912—1949年	1949—1999年	2000—2014年
社会背景	西方文化的影响；战争内乱	社会主义初级阶段的建设，改革开放，两岸关系	经济文化的全球化、现代化；城市化进程

❶ 罗兰·罗伯森. 全球化社会理论和全球文化[M]. 梁光严，译. 上海：上海人民出版社，2000：230.

❷ 王新歌，陈田，林明水，等. 国内外乡愁相关研究进展及启示[J]. 人文地理，2018，33（05）：1-11.

❸ 罗兰·罗伯森. 全球化社会理论和全球文化[M]. 梁光严，译. 上海：上海人民出版社，2000：232.

❹ 陆邵明. 乡愁的时空意象及其对城镇人文复兴的启示[J]. 现代城市研究，2016（08）：2-10.

续表

时间	1912—1949年	1949—1999年	2000—2014年
乡愁主体	知识分子、文化精英	海外华侨与游子	大众群体（社会精英）
乡愁诱因	考察，游学，流亡	侨居异乡	搬迁新居或者迁居他乡
情感倾向	乡土情	爱国情	家园情
关键词	游、情爱、困境	台湾、故土、文化乡愁	意象、精神家园、文化、传统、现代性、身份、认同、城镇化

在加快推进农业农村现代化、城乡融合发展的新时代背景下，现代乡愁研究融合了文学、美学、文化地理学和社会学等不同学科视野，成为一个综合性的理论命题。

（1）文学和美学范畴的乡愁研究

在中国传统文学范畴中，乡愁是生生不息的文化母题。从先秦时期的《诗经》《楚辞》，到唐诗宋词中的经典名作，各朝各代都有文人墨客关于乡愁的记载，诸如“少小离家老大回，乡音未改鬓毛衰”“悠悠天宇旷，切切故乡情”。近现代以来，华文文学中以乡愁为主题的作品更是蔚为大观，涌现出了鲁迅、沈从文、萧红等乡土文学代表作家。20世纪八九十年代以来，莫言、贾平凹等作家聚焦乡土的书写，引领了“寻根文学”的出场，乡愁重新在当代文学中蔓延。文学角度的乡愁研究侧重于对乡愁情感内涵和发生机理的解析。“众多的直接或间接关于乡愁的文学作品中将乡愁视为个人生命体的一种柔软、美好而自然的情感流露，同时也赋予了乡愁以美学的意境”❶。这种乡愁美也由此构成了一种艺术现象，“在互为主体的美学建构中彰显了一种对家园的审美观照，而滋生了一种乡愁美学的意绪”❷。如王一川所言，由于时代的变化，乡愁“一般是指身在现代都市的人对于飘逝的往昔乡村生活的伤感或痛苦的回忆，这种回忆往往伴随或多或少的浪漫愁绪”❸。

（2）文化地理学视域下的乡愁研究

“乡愁”的发生往往指向特定的地理空间，如故乡的溪流水塘、儿时居住玩耍的田

❶ 李华胤.理解中国现代乡愁：理论与方法[M].南京：江苏人民出版社，2023：17.
❷ 范玉刚.乡村文化复兴视野中的乡愁美学生成[J].南京社会科学，2020（01）：12-19.
❸ 王一川.断零体验、乡愁与现代中国的身份认同[J].甘肃社会科学，2002（01）：7-10.

野村舍等，且与人的情感密切关联。“故园的每一处场所早已幻化为一种精神乌托邦之地，寄寓着他们孤独疲惫的灵魂，是他们‘弃甲归田’、精神归宿的诗意栖居地。”[1]以美籍华裔地理学家段义孚（Yifu Tuan）为代表的文化地理学者将之概括为“恋地情结”，认为它“是研究人与环境之间爱与依恋关系的一个有效概念”，体现了“人类对地方的爱”[2]。由此，乡愁成为文化地理学的重要研究内容。

在理论层面，文化地理学者对于“乡愁”的内涵、产生机理、评价标准、分析框架等进行了探索，如成志芬等（2015）采用经验主义的方法，尝试建立乡愁研究的文化地理学分析框架，提出“用尺度、距离、移动性刻画乡愁的空间性；用身体感知、情感记忆和文化建构及认同分析乡愁的地方性；用对自己、对他者、对自然的三个道德评价维度，评判‘留住乡愁’的空间实践是否成功”[3]；周尚意等（2015）从空间和地方两个维度分析乡愁背后的道德，并列举了较为成功的乡愁实践案例[4]。在实证研究层面，陈永林等（2017）通过分析江西白鹭村客家水井文化景观的空间布局特点及其与人居环境的关系，认为白鹭村水井蕴含了平民文化、儒家思想和移民文化；对水井空间进行重新规划与设计，旨在为人们找回乡愁。[5]赵李娜（2019）提出要将“乡愁”置于“人地关系”的三个层面和维度进行审视，获得“记住乡愁”的操作框架与处理模式，注重“乡”的重塑与修复，以发挥乡愁在新时期“中国梦”语境下应有的精神功效[6]。马凌等（2021）以“珠江夜游——后珠三角景观”艺术展为例，对后城市景观中的乡愁呈现进行了批判，并对人地关系失调的环境进行反思[7]。

（3）社会学视域下的乡愁研究

如前所述，乡愁的发生与社会现代化进程相伴相生。城镇化和市场化导致大量农村人口流向城市。对于作为主体的人而言，只要他对一定空间产生了“家”的感受与认同，并在某些条件下（如离开或文化碰撞）产生对于“家”的思念，“就足以认为主体产生了

---

[1] 徐汉晖. 空间、地方感与恋地情结的文学抒写[J]. 湖北社会科学，2017（11）：119-125.

[2] 刘苏. 段义孚《恋地情结》理念论思想探析[J]. 人文地理，2017，32（03）：44-52.

[3] 成志芬，周尚意，张宝秀. “乡愁”研究的文化地理学视角[J]. 北京联合大学学报（人文社会科学版），2015，13（04）：64-70.

[4] 周尚意，成志芬. 关于“乡愁”的空间道德和地方道德评价[J]. 人文地理，2015，30（06）：1-6.

[5] 陈永林，张爱明，柴超前，等. 客家聚落水井的文化地理学诠释——以赣县白鹭村为例[J]. 赣南师范大学学报，2017，38（04）：33-39.

[6] 赵李娜. 中国乡愁文化的历史脉络与现实依归[J]. 云南师范大学学报（哲学社会科学版），2019，51（03）：149-156.

[7] 马凌，陈浩然，朱竑. 后城市景观中的乡愁与地方批判：基于“珠江夜游”艺术展的图像分析[J]. 地理研究，2021，40（06）：1637-1651.

对于这一特定空间的乡愁”[1]。社会学视域关注乡愁在新型城镇化建设中的积极作用。美国著名的城市理论家刘易斯·芒福德（Lewis Mumfopd）说：“当研究到今天这个时代，我们就会发现，城市社会已经发展到了一个分岔路口。这时，如果对历史有深刻的了解，对那些至今依然控制着人类的古老决定有了高度的自知，我们就有能力正视如今人类面临的迫切抉择：这一抉择无论如何将改造人类，即说，人类或者全力以赴发展自己最丰富的人性，或者俯首听命，任凭被人类自己发动起来的各种自动化力量所支配，最后沦落到丧失人性的地步……”[2]因此，在新型城镇化中，“应重新对乡村进行价值定位，以凸显乡愁的人文理念。这样，才能在有效统筹当前需要与前瞻谋划长远发展中记得住乡愁”[3]。

以乡愁助推乡村振兴成为学界的共识。从党的十九大首次提出实施乡村振兴战略，到党的二十大提出全面推进乡村振兴，中国特色社会主义乡村振兴道路已然形成。王怡涵等认为，“乡村振兴涉及多个目标和多方面的内容，留住美好乡愁不仅是乡村振兴的基本要求，更是其重要依托与价值目标。它对于更好地实现乡村振兴战略具有重要价值”[4]。夏振鹏探索了乡愁视角下民宿旅游驱动乡村振兴的具体路径，指出“通过发展有乡土、乡情、民俗风物等可体现乡村灵魂和血脉、可寄托乡愁的民宿旅游，带动乡村旅游，让绿水青山变成金山银山”[5]。黄振华等基于云南大理的探索，认为“乡愁文化”可以作为平衡现代和传统的基本尺度，“通过在乡村产业发展中融入乡愁元素，能够有效增加产品附加值，拓展产业发展空间”[6]。

---

❶ 张勇，冯健. 村落终结：快速城镇化进程中村庄的空心化与乡村性演化[J]. 城市发展研究，2017，24（09）：98-108.

❷ 路易斯·芒福德. 城市发展史（起源演变和前景）[M]. 宋俊岭，倪文彦，译. 北京：中国建筑工业出版社，2005.

❸ 周兵.“乡愁”文化与新型城镇化[J]. 学术探索，2015（04）：85-91.

❹ 王怡涵，何得桂. 在乡村振兴中“留住乡愁”：价值、困境与路径[J]. 理论月刊，2022（10）：56-64.

❺ 夏振鹏，王国莲，秦存强. 乡愁视角下民宿旅游驱动乡村振兴的内在逻辑与实现路径[J]. 科学发展，2022（11）：106-113.

❻ 黄振华，陈梓清. 记得住乡愁：乡村振兴的路径选择——基于云南大理的实践与思考[J]. 党政研究，2022（02）：93-100.

2.2 现代化进程中的乡愁表述及内涵

在现代化发展进程中，乡愁已不仅仅是单纯的个体情感现象，而是成为时代命题，得到党和国家的高度关注，多次被写进中央及部委文件。与传统乡愁指向的思乡怀旧情感相比，现代乡愁由此具有了更深厚的内涵。

2.2.1 从情感到政策文件：乡愁命题的国家化

2013年，习近平总书记在中央城镇化工作会议上指出，城镇建设要“体现尊重自然、顺应自然、天人合一的理念，依托现有山水脉络等独特风光，让城市融入大自然，让居民望得见山、看得见水、记得住乡愁”[1]。“乡愁”也由此第一次被写进政府会议公报。2015年1月，习近平总书记在云南考察时强调：“新农村建设一定要走符合农村实际的路子，遵循乡村自身发展规律，充分体现农村特点，注意乡土味道，保留乡村风貌，留得住青山绿水，记得住乡愁。”[2]2018年10月，习近平总书记在广州永庆坊考察时再次强调：“城市规划和建设要高度重视历史文化保护，不急功近利，不大拆大建。要突出地方特色，注重人居环境改善，更多采用微改造这种‘绣花’功夫，注重文明传承、文化延续，让城市留下记忆，让人们记住乡愁。”[3]

2021年，中共中央办公厅、国务院办公厅共同印发《农村人居环境整治提升五年行动方案（2021—2025年）》，文件两次提到“乡愁”，一是在工作原则中强调坚持立足农村，突出乡土特色，要“遵循乡村发展规律，体现乡村特点，注重乡土味道，保留乡村风貌，留住田园乡愁。坚持农业农村联动、生产生活生态融合，推进农村生活污水垃圾减量化、资源化、循环利用”；二是在具体工作机制中，要求“以乡情乡愁为纽带吸引个人、企业、社会组织等，通过捐资捐物、结对帮扶等形式支持改善农村人居环境”[4]。

此外，《民政部关于开展“乡村著名行动”助力乡村振兴的通知》，财政部《关于

[1] 王晔. 中央城镇化工作会议在北京举行[N/OL]. 新华社，2013-12-14[2024-12-12]. https：//www. gov. cn/ldhd/2013-12/14/content_2547880. htm.

[2] 鞠鹏. 习近平在云南考察工作时强调：坚决打好扶贫开发攻坚战[N/OL]. 新华社，2015-01-21[2024-12-12].

[3] 谢环驰. 习近平在广东考察[N/OL]. 新华社，2018-10-25[2024-12-12].

[4] 中共中央办公厅，国务院办公厅.《农村人居环境整治提升五年行动方案（2021—2025年）[N/OL]. 新华社，2021-12-05[2024-12-12].

做好2023年农村综合性改革试点试验有关工作的通知》，国家乡村振兴局、中央组织部、国家发展改革委、民政部、自然资源部、住房城乡建设部、农业农村部关于印发《农民参与乡村建设指南（试行）》的通知，国家文物局、文化和旅游部、国家发展改革委《关于开展中国文物主题游径建设工作的通知》等文件都频频提及“乡愁”。在政策文件里，“乡愁”已超越了生活化、私人化的情感层面，而跃升到国家发展的政策高度，直指面向现实和未来的城乡现代化建设命题（表2.3）。

表2.3 有关“乡愁”的中央及部委文件

时间/年	发文单位	文件名称	具体内容
2013	中共中央、国务院	《中央城镇化工作会议公报》	让城市融入大自然，让居民望得见山、看得见水、记得住乡愁
2015	国务院办公厅	《关于进一步促进旅游投资和消费的若干意见》	建设一批特色景观旅游村镇，让游客看得见山水、记得住乡愁、留得住乡情
2015	中共中央、国务院	《关于加大改革创新力度加快农业现代化建设的若干意见》	以乡情乡愁为纽带吸引和凝聚各方人士支持家乡建设
2017	中共中央、国务院	《中央城市工作会议公报》	城市建设，要让居民望得见山、看得见水、记得住乡愁
2017	中共中央、国务院	《中央农村工作会议公报》	“乡情牌”“乡愁牌”打好了，对乡村振兴将会产生很大作用
2017	中共中央、国务院	《关于实施中华优秀传统文化传承发展工程的意见》	提升乡土文化内涵，形成良性文化生态，让子孙后代记得住乡愁
2017	国务院办公厅	《兴边富民行动“十三五”规划》	把沿边村寨建设成为卫生整洁、生态优良、留得住乡愁的美丽村寨
2018	中共中央、国务院	《关于实施乡村振兴战略的意见》	以乡情乡愁为纽带，吸引支持企业家……服务乡村振兴事业

续表

时间/年	发文单位	文件名称	具体内容
2018	中共中央、国务院	《农村人居环境整治三年行动方案》	注重保护、留住乡愁，以乡情乡愁为纽带吸引和凝聚各方人士
2018	住房城乡建设部	《关于进一步做好城市既有建筑保留利用和更新改造工作的通知》	延续城市历史文脉，保护中华文化基因，留住居民乡愁记忆
2018	农业农村部	《关于开展休闲农业和乡村旅游升级行动的通知》	建设有温度的美丽乡村，书写记得住的动人乡愁
2018	住房城乡建设部	《关于学习贯彻习近平总书记广东考察时重要讲话精神进一步加强历史文化保护工作的通知》	注重文明传承、文化延续，让城市留下记忆，让人们记住乡愁
2018	教育部、农业农村部等	《关于加强农科教结合实施卓越农林人才教育培养计划2.0的意见》	引导学生把论文写在祖国大地上，把乡情乡愁融入血脉中
2019	国家林业和草原局	《乡村绿化美化行动方案》	保护优先、留住乡愁，突出乡村特色和田园风光
2021	文化和旅游部、国家发展改革委	《关于开展旅游休闲街区有关工作的通知》	突出地方文化特色，让城市留下记忆，让人们记住乡愁
2021	财政部	《关于进一步做好国家级田园综合体建设试点工作的通知》	以“望得见山，看得见水，记得住乡愁”为基本要求，推进农业农村生态功能产业化
2021	国家发展改革委	《关于推广支持农民工等人员返乡创业试点经验的通知》	以乡情、乡愁为纽带，引导返乡人员抱团发展、集群创业
2021	农业农村部	《关于拓展农业多种功能 促进乡村产业高质量发展的指导意见》	开发“忆乡愁”产品，讲好乡村故事，吸引居民望山见水忆乡愁

续表

时间/年	发文单位	文件名称	具体内容
2021	中共中央、国务院	《农村人居环境整治提升五年行动方案（2021—2025年）》	注重乡土味道，保留乡村风貌，留住田园乡愁。以乡情乡愁为纽带吸引个人、企业、社会组织
2022	文化和旅游部、公安部等	《关于促进乡村民宿高质量发展的指导意见》	推出一批有故事、有体验、有品位、有乡愁的乡村民宿
2022	国家林业和草原局、农业农村部等	《“十四五”乡村绿化美化行动方案》	注重乡土味道，保留乡村风貌，留住田园乡愁
2023	国家乡村振兴局、中央组织部等	《农民参与乡村建设指南（试行）》	以乡情乡愁为纽带吸引凝聚各方人士支持家乡建设
2023	财政部、住房城乡建设部等	《关于组织申报2023年传统村落集中连片保护利用示范的通知》	坚定文化自信，留住乡亲、护住乡土、记住乡愁。重点支持建设宜居宜业和美乡村，推动留住乡风乡韵乡愁
2023	财政部	《关于做好2023年农村综合性改革试点试验有关工作的通知》	以乡情乡愁为纽带，吸引各类城市人才服务乡村振兴事业
2023	国家文物局、文化和旅游部、国家发展改革委	《关于开展中国文物主题游径建设工作的通知》	鼓励将文物主题游纳入当地促进消费政策范围，吸引人民群众走进古迹，感悟历史，留住乡愁
2023	民政部	《关于开展“乡村著名行动”助力乡村振兴的通知》	打造有影响力的乡村地名文化项目品牌，让地名成为乡愁乡忆的特色文化符号
2024	农业农村部、中国文联	《“大地流彩—全国乡村文化振兴在行动”工作方案》	实施乡村记忆工程。采用大数据、人工智能等技术开发沉浸式文化体验产品。拍摄以乡愁记忆为主题的系列纪录片
2024	财政部、住房城乡建设部	《关于组织申报2024年传统村落集中连片保护利用示范的通知》	坚定文化自信，留住乡亲、护住乡土、记住乡愁

系列文件的出台，充分昭示了现代乡愁已经从单纯的个体情感上升到了国家、民族、社会发展的总体层面，成为中国式现代化进程中的一个重要时代命题。只有从中国式现代化总体视野的角度去审视乡愁、理解乡愁，才能更好地挖掘乡愁的多种功能，使承载着中国五千年文明的广袤乡村成为生态文明时代百姓多元生活的新型空间和精神归依。

2.2.2 冲突与平衡：现代乡愁的深层内涵

现代化是一个塑造现代性的过程。在国家现代化建设的历史新征程中，人们的乡愁情感也经历了从传统乡愁到现代乡愁的演化，其实质上隐喻了人与人、人与自然关系的冲突和演变。“留住乡愁、记住乡愁”，其深层次内涵就是为了追求人与自然、人与人关系的双重和解，在城乡一体化中实现传统与现代的有机联结，进而达成传统与现代的统一。

（1）现代乡愁：“两个关系”的冲突

作为社会发展命题的“乡愁”，折射出现代社会语境下人与自然的关系冲突。正如马克思所言，“自然界，就它本身不是人的身体而言，是人无机的身体”[1]。自然界是人类赖以繁衍生息的物质基础，也是人类社会从原始社会迈向现代工业文明的实践基础。进入现代社会之后，人类社会对自然界的利用规模和力度越来越大，围湖填海、矿产开发、植被破坏、生活污水和工业废水的大肆排放，造成人与自然的关系失衡。1962年，美国生物学家蕾切尔·卡逊发表了《寂静的春天》一书，用触目惊心的案例、生动的语言阐述了大量使用杀虫剂对人与环境产生的危害，敲响了工业社会环境危机的警钟。1972年，由科学家、经济学家和企业家组成的民间学术组织——罗马俱乐部发表了《增长的极限》研究报告，尽管该报告中的观点有些片面和悲观，但是其中提出的自然界的资源供给与环境容量无法满足外延式经济增长模式的观点，依然警示了人们。恰如吉登斯所说：“现代性以前所未有的方式，把我们抛离了所有类型的社会秩序的轨道，从而形成了其生活形态。在外延和内涵两方面，现代性卷入的变革比过往时代的绝大多数变迁特性都更加意义深远。在外延方面，它们确立了跨越全球的联系方式；在内涵方面，它们正在改变我们日常生活中最熟悉和最带个人色彩的领域”[2]。处在喧嚣、嘈杂闹市中的人们，很容易勾起对“夕阳西下，炊烟袅袅”田园生活的怀念和向往。

---

[1] 马克思，恩格斯. 马克思恩格斯全集（第42卷）[M]. 北京：人民出版社，1979：95.

[2] 安东尼.吉登斯. 现代性的后果. 田禾，译[M]. 南京：译林出版社，2000：4.

作为社会发展命题的“乡愁”，同样也折射出现代社会语境下人与人之间的关系冲突。传统村庄环境中，人与人之间具有稳定而日常化的交往模式。在田间空地、井口河边、祠堂戏台，村庄成员因为相对统一的血缘和地缘关系，构成了具有道德认同和内部凝聚力的共同体。伴随着工业化水平的提高和城市化进程的加速，传统村庄日渐式微，村庄成员形成共同记忆的物理空间和物质基础被削弱。特别是对于背井离乡在城市中落户的“新市民”而言，他们原有的生活方式和生活节奏被打乱，传统的人际关系被瓦解。另一方面，现代化导致的贫富差距，不仅加深了人们的失落和孤独感，也进一步加重了人们的戒备心理。总之，主体的空间位移将导致乡愁情感随之发生空间位移，而“社会流动的多维性、交叉性则塑造了人们乡愁的复杂性、多样性”[1]。

（2）留住乡愁：“两个关系”的平衡

留住乡愁的本质是回归美好的田园生态。悠久的农耕文明成就了中华儿女根深蒂固的乡土情结。无论是“暧暧远人村，依依墟里烟。狗吠深巷中，鸡鸣桑树颠”，还是“日隐桑柘外，河明闾井间。牧童望村去，猎犬随人还”，人们的乡愁情感总是与恬淡闲适的乡村自然风光关联在一起。正如习近平总书记所指出：“我们这代人的记忆中，小时候的农村呈现的是河里游泳、溪里捉虾、池塘洗菜的景象。才过去几十年，现在一些农村变成什么样了，大家心里都有数。”[2]留住乡愁，首要之义就是要尊重自然，实现人与自然的和谐相处。2016年4月，习近平总书记在农村改革座谈会上强调：“建设社会主义新农村，要规划先行，遵循乡村自身发展规律，补农村短板，扬农村长处，注意乡土味道，保留乡村风貌，留住田园乡愁。要因地制宜搞好农村人居环境综合整治，创造干净整洁的农村生活环境。”

以“绿水青山就是金山银山”理念为引领，我国相继出台《关于加快推进生态文明建设的意见》《生态文明体制改革总体方案》等战略方案，生态文明建设取得了明显成效。2022年，全国重点城市PM2.5平均浓度下降57%，实现十连降；累计完成造林超10亿亩；全国地表水优良水体比例达87.9%。昔日的荒草滩——西藏雅尼国家湿地公园，如今碧波荡漾、鸟掠芳洲；浙江安吉县余村早已从发展“石头经济”的“秃头山”“酱油水”之地，成为山清水秀的好地方；三江源、大熊猫、海南热带雨林等一批国家公园正式设立；河北塞罕坝林场、浙江“千村示范、万村整治”工程先后荣获联合国环保最高荣誉“地球卫士奖”……人们在畅游各地美景中切身感受到，生态保护与全民共享相

---

❶ 李华胤.理解中国现代乡愁[M].南京：江苏人民出版社，2023：120-121.

❷ 习近平.论坚持全面深化改革[M].北京：中央文献出版社，2018：403.

得益彰，美丽中国跃然眼前。

2024年1月，《奋斗》杂志刊发习近平总书记的署名文章《以美丽中国建设全面推进人与自然和谐共生的现代化》，进一步强调："今后5年是美丽中国建设的重要时期，要深入贯彻习近平新时代中国特色社会主义思想和生态文明思想，坚持以人民为中心，牢固树立和践行绿水青山就是金山银山的理念，把建设美丽中国摆在强国建设、民族复兴的突出位置，推动城乡人居环境明显改善、美丽中国建设取得显著成效，以高品质生态环境支撑高质量发展。"[1]

留住乡愁的目的是创造更美好的生活。党的十九大报告指出："中国特色社会主义进入新时代，我国社会主要矛盾已经转化为人民日益增长的美好生活需要和不平衡不充分的发展之间的矛盾。"这是党的十九大根据中国特色社会主义进入新时代这个我国发展新的历史方位作出的重大政治论断。留住乡愁既是社会文明之要，也是满足城乡居民对美好生活向往的重要路径。在工业化和城镇化飞速发展的进程中，很多乡村遭遇粗暴的挥霍式开发，导致村庄空心化、乡村文化边缘化。离开家乡的人们处于"逃离"和"眷恋"的两难，既不能很好地融入城市，又不愿意回到乡村。中共中央、国务院印发的《乡村振兴战略规划（2018—2022年）》提出：充分维护原生态村居风貌，保留乡村景观特色，保护自然和人文环境，注重融入时代感、现代性，强化空间利用的人性化、多样化，着力构建便捷的生活圈、完善的服务圈、繁荣的商业圈，让乡村居民过上更舒适的生活。

党的十九大以来，党和国家以"留住乡愁"为引领，持续开展农村人居环境整治行动，以农村厕所革命、生活污水垃圾治理、村容村貌提升为重点，巩固拓展农村人居环境，扭转了农村长期以来存在的脏乱差局面，村庄环境基本实现干净整洁有序，农民群众环境卫生观念发生可喜变化，生活质量普遍提高，为全面建成小康社会提供了有力支撑。中共中央办公厅、国务院办公厅印发《农村人居环境整治提升五年行动方案（2021—2025年）》进一步明确："遵循乡村发展规律，体现乡村特点，注重乡土味道，保留乡村风貌，留住田园乡愁。坚持农业农村联动、生产生活生态融合，推进农村生活污水垃圾减量化、资源化、循环利用。"擦亮美丽中国、美丽乡村的绿色底色，可以为广大农民提供一个良好的生产生活环境，促进生态优势转化为经济优势，加快农业农村现代化。

---

[1] 习近平. 以美丽中国建设全面推进人与自然和谐共生的现代化[J]. 奋斗，2024（01）：4-9.

2.3

乡愁在现代化发展中的多重价值

党的十九大对我国社会的主要矛盾进行了新的历史定位，标志着我国社会发展进入了一个新的阶段。在加快推进农业农村现代化、城乡融合发展的新时代背景下，重提乡愁具有非凡的意义。乡愁是国家和社会的文化之根，是乡村振兴的资源要素和助推器，也是连接传统与现代、城市与乡村的情感黏合剂。让地方发展 “留住乡愁”，既是对现代乡愁折射出来的反思意义的回应，也是党和国家团结带领全国人民追求美好生活的重要举措。

2.3.1 乡愁是国家和社会的文化之根

（1）乡愁与农耕文化的一致性

乡愁发端于农耕文化。源远流长的农耕文化不但铸造了中华民族光辉灿烂的历史，书写了中国人的伟大与自豪，而且广泛渗透于乡村生活的方方面面。从乡愁的发生来看，承载乡愁情感的农耕文化主要有农事生产、民俗信仰、道德礼仪三类。

一是农事生产文化。在中国古代，农业是民众衣食之源，因此耗费在农业生产上的时间也就占有最为重要的地位。人们的生产生活也基本都是按照自然节律和农业生产周期而安排。现存最早的一部记录农事的历书《夏小正》（一般认为成书时间为战国、两汉之间），已把天象、物候、气象和相应的农事活动列在一起便于民间掌握。书中还记载了农耕、渔猎、采集、蚕桑、畜牧等生产事项。我国第一部诗歌总集《诗经》中，也有不少关于人们顺应节气进行不同农事生产的记载。如《豳风・七月》：“七月流火，八月萑苇。蚕月条桑，取彼斧斨，以伐远扬，猗彼女桑。七月鸣鵙，八月载绩。载玄载黄，我朱孔阳，为公子裳。”“六月食郁及薁，七月亨葵及菽，八月剥枣，十月获稻，为此春酒，以介眉寿。七月食瓜，八月断壶，九月叔苴，采荼薪樗，食我农夫。”

不仅是《诗经》，中国古代有很多诗歌都带有农耕文化的烙印，反映农业生产的方方面面。如唐代诗人刘禹锡的《西山兰若试茶歌》：“山僧后檐茶数丛，春来映竹抽新茸。宛然为客振衣起，自傍芳丛摘鹰嘴。斯须炒成满室香，便酌砌下金沙水。骤雨松声入鼎来，白云满碗花徘徊。”清朝萧雄的《纺织》：“木棉花下女郎多，摘得新花细马驮。手转轴轳丝乙乙，不将粗布换轻罗。”大量的田园诗、劝农诗、渔具诗、农具诗、耕织图诗、竹枝词等，不仅成为文人志士“哀民生之多艰”、积极入世的自我表白，也构成了当代人思乡之情的具象化表达。

二是民俗信仰文化。民俗信仰在我国有着悠久的历史渊源和深厚的社会基础。就目前考古学和民俗学的研究成果来看，民俗信仰缘由有：源于古老的“有灵崇拜”即“万物有灵”；源于民间对未知世界的敬畏、对自然界的感恩、对祖先伟人等创业与庇护的感恩；源于困境中祈求神灵的保佑、磨难中的精神寄托；还源于对美好生活的憧憬与向往，以及其他一些类似的情结[1]。在自然崇拜的原始宗教时期，干旱、洪涝、雹雨、病虫是农业生产的最大威胁，先民们由此将日月风雷、洪水闪电等自然体、自然物和自然力视为有神灵的事物，敬畏之、膜拜之，并建造了各种土地庙、龙王庙、雷神殿等建筑以祭拜它们，从而在农业生产劳作中形成了各种神灵崇拜。还有一些民俗信仰则与民众生活、节庆活动紧密结合在一起，显示出极强的入世性，对民众的生活有着实实在在的影响。

比如，每年春节期间，全国各地都会举行一系列民俗活动，如贴春联、放鞭炮、舞龙舞狮、打糍粑、逛庙会、走亲戚、扫墓祭祖等，寓意着驱邪避凶、欢庆新年、祈福纳祥、阖家幸福等。这种对家的眷恋和心灵的寄托，正是春节民俗活动所承载的文化内涵。清明节期间，民间也有扫墓、烧纸、献花、植树等传统习俗，在这一天，人们纷纷回到故土，祭拜先祖，表达对逝去亲人的思念之情。每年农历五月初五的端午节，除了吃粽子、赛龙舟等耳熟能详的活动外，各地还有诸如挂艾草、饮雄黄酒等富有地方特色的民俗。其他少数民族的重大节日民俗活动，如苗族的苗年节、傣族的泼水节、彝族的火把节、摩梭族的篝火晚会（图2.1），也是中华民族民俗活动的重要组成部分。它们不仅是一种传统习俗的传承，更是民族文化的魅力所在。

图2.1　泸沽湖摩梭族篝火晚会

[1] 王存奎，孙先伟. 民俗信仰与社会控制[J]. 民俗研究，2005（04）：5-15.

三是道德礼仪文化。在农耕社会中，道德礼仪是维系人际关系、规范行为准则的关键纽带，其内容广泛，涵盖日常交往、家庭伦理、社群公共礼仪等多个层面。以日常交往中的邻里礼仪为例，农忙时节，邻里间相互帮工有着既定的默契与礼节。这种互助不仅解决了农忙时人力短缺的实际问题，更在潜移默化中增进了邻里感情。同样，在家庭生活中，晨昏问安的细节、子女赡养老人的义务以及教育子女的规范等，对维系家庭内部和谐稳定起到重要作用，共同保障了家庭生产生活的有序进行。此外，村落公共事务中的礼仪规范，也有助于维护社群秩序、增强社群凝聚力。这些道德礼仪既源于农耕生产对协作与稳定的内在需求，也承载着人们对和睦人际关系的深切追求，成为乡愁中“人情味”的重要源头。

（2）乡愁与城市文脉的一致性

乡村有乡愁，城邦、城市同样也是乡愁记忆的载体。每座城市都有自己的发展历史，都蕴含着丰富的历史记忆。城市文化如一条源远流长的河流，有其所来的源头，也有其所去的方向。如德国规划师葛德·阿尔伯斯所言：“城市好像一张欧洲古代用作书写的羊皮纸，人们将它不断刷洗再用，但总留下旧有的痕迹。”中国五千年的历史孕育出了一些因深厚的文化底蕴和发生过重大历史事件而青史留名的城市。这些城市，有的曾是王朝都城，有的曾是当时的政治、经济重镇，有的曾是重大历史事件的发生地，有的因为拥有珍贵的文物遗迹而享有盛名，有的则因为出产精美的工艺品而著称于世。城市本土居民在城市化的过程中目睹家乡的剧变，由此滋生了“不离地的乡愁”[1]。1982年2月，为了保护那些曾经是古代政治、经济、文化中心或近代革命运动和重大历史事件发生地的重要城市及其文物古迹免受破坏，“历史文化名城”的概念被正式提出。根据《中华人民共和国文物保护法》，“历史文化名城”是指保存文物特别丰富并且具有重大历史价值或者革命纪念意义的城镇、街道、村庄。从行政区划看，历史文化名城并非一定是“市”，也可能是“县”或“区”。截至2023年10月，全国已有国家历史文化名城142座、中国历史文化名镇312个、中国历史文化名村487个，形成了传承中华优秀传统文化最综合、最完整、最系统的载体[2]（图2.2）。

---

❶ 马凌，陈浩然，朱竑. 后城市景观中的乡愁与地方批判：基于“珠江夜游”艺术展的图像分析[J]. 地理研究，2021，40（06）：1637-1651.

❷ 杨绍功，王优玲. 住房和城乡建设部：历史建筑保护利用坚决防止大拆大建、拆真建假[N/OL]. 新华社，2023-10-27[2024-12-12]. https：//www. gov. cn/lianbo/bumen/202310/content_6912435. htm.

图2.2 湖北省武汉市黄陂区木兰乡双泉村大余湾村
（名列第一批中国传统村落、第二批国家历史文化名村）

留住乡愁，也需要保留城市记忆。老街旧巷承载着城市发展史，一砖一瓦写满故事，一品一物镌刻时代印迹，这些都是附有城市文化记忆的重要载体（图2.3）。在城市向外扩张、兼并发展的进程中，即使身处“大拆大建”之后的高楼大厦和繁华商业街区，人们仍会深深怀念城市中的那些老房子、老街巷、老地名。2018年10月，习近平总书记在广州荔湾历史文化街区永庆坊考察时强调：“城市规划和建设要高度重视历史文化保护，不急功近利，不大拆大建。要突出地方特色，注重人居环境改善，更多采用微改造这种‘绣花’功夫，注重文明传承、文化延续，让城市留下记忆，让人们记住乡愁。”[1]

图2.3 湖北赤壁羊楼洞古镇明清石板街

2024年2月，住房城乡建设部办公厅、国家发展改革委办公厅印发《历史文化名城和

[1] 刘磊，等. 习近平总书记广东考察重要讲话引发热烈反响[N/OL]. 人民日报，2018-10-29[2024-12-12]. https：//www. gov. cn/xinwen/2018-10/29/content_5335277. htm.

街区等保护提升项目建设指南（试行）》的通知，明确要求项目建设应按照应保尽保、延续文脉、合理利用、改善民生、经济实用、安全美观的原则。做到“六不”：一是不大规模、成片集中拆除现状建筑；二是不大规模新增建设规模，不增加资源环境承载压力；三是不大规模、强制性搬迁居民，不改变社会结构，不割断人、地和文化的关系；四是不随意迁移、拆除历史建筑和具有保护价值的老建筑，历史建筑不脱管失修、修而不用、长期闲置；五是不破坏传统格局和街巷肌理，不随意拉直拓宽道路，不修大马路、建大广场；六是不破坏地形地貌，不伐移老树和有乡土特点的现有树木，不挖山填湖，不随意改变或侵占河湖水系，不随意改建具有历史价值的公园，不随意更改老地名。

（3）乡愁与社会主义精神文明的一致性

乡愁的内核是中华优秀传统文化。乡愁是一种情感，更是一种文化。在世界各大文明中，中华民族可能是最具历史感和原乡意识的民族。乡愁情感之所以一直保有活力，一个根本原因就在于乡愁从时间、空间以及精神维度延续了中华优秀传统文化的特质。

从时间维度看，乡愁文化具有独特的“时间感应性”，传统节日就是这一特性最好的体现。在上下五千年的历史长河中，节日记载了中国人的喜怒哀乐和时光流转。无论是春节的辞旧迎新、清明的踏青扫墓，还是中秋的团圆赏月、重阳的登高敬老，这些传统节日无声地浸润着每一位中华儿女的心灵，更是中华民族博大精深的人文精神与时代发展互映互动、绵延不绝的明证。

从空间维度看，乡愁文化的发生具有特殊的“记忆生发场”。这些场域可能与有形的实体空间相关，比如自然山水、建筑遗迹、民居村落、古街古井等；也可能与非物质空间相关，比如特定生活场景、手工艺生产、民俗表演等。“十里不同风，百里不同俗，千里不同情”，不同空间演变滋生了不同的乡愁情愫，乡愁由此成为中华民族集体文化形态的重要组成部分，是人们一致性认同和归依的文化情感。

从精神维度看，乡愁体现了中华民族的民族性格和文化性情。“中华民族在长期实践中培育和形成了独特的思想理念和道德规范，有崇仁爱、重民本、守诚信、讲辩证、尚和合、求大同等思想，有自强不息、敬业乐群、扶正扬善、扶危济困、见义勇为、孝老爱亲等传统美德。中华优秀传统文化中很多思想理念和道德规范，不论过去还是现在，都有其永不褪色的价值。”[1]乡愁与中华优秀传统文化同根同源，从某种程度上而言，恰恰是由于乡土文化对社会情感诉求的重要意义，才使得传统文化能够在时间的流转与空间的跨

---

[1] 习近平. 坚定文化自信，建设社会主义文化强国[N/OL]. 中国政府网，2019-06-15[2024-12-12]. https：//www. gov. cn/xinwen/2019-06/15/content_5400577. htm.

越中不断呈现出新的内涵与价值，以此保持文化发展动力源源不断。

留住乡愁是社会主义精神文明建设的应有之义。乡村振兴不但需要物质富裕，而且需要精神富有，乡村的发展只有坚持经济与文化“两条腿”走路，才能更加全面协调可持续发展。习近平总书记指出，“全面建设社会主义现代化国家，扎实推进共同富裕，最艰巨最繁重的任务仍然在农村，必须逐步缩小城乡差距”，并强调要“加强农村精神文明建设，培育文明乡风”。这一重要论断为新时代新征程上加强农村精神文明建设指明了前进方向、提供了根本遵循。《中共中央、国务院关于实施乡村振兴战略的意见》强调，要“传承发展提升农村优秀传统文化。立足乡村文明，吸取城市文明及外来文化优秀成果，在保护传承的基础上，创造性转化、创新性发展，不断赋予时代内涵、丰富表现形式。切实保护好优秀农耕文化遗产，推动优秀农耕文化遗产合理适度利用。深入挖掘农耕文化蕴含的优秀思想观念、人文精神、道德规范，充分发挥其在凝聚人心、教化群众、淳化民风中的重要作用”。总体而言，乡愁文化具有与生俱来的中国传统文化基因，“有着中华文化与众不同的特色，蕴含着天人合一的哲学理念、家国天下的人文素养、礼仪谦和的处世之道、自强不息的奋斗精神”[1]，为构建社会主义精神文明提供了核心动力和不竭源泉。

2.3.2 乡愁是乡村振兴的资源要素和助推器

乡愁具有内生的经济价值，可以成为乡村经济发展的资源要素和催化剂。

（1）作为资源要素的乡愁

乡愁奠定了乡村发展的物质基础和文化基因。在我国，很多传统村落拥有数百年乃至逾千年历史，它们不仅留存着历史“现场”，还接续着文化传统，形成了丰富的自然资源和文化资源沉淀。早在20年前，时任浙江省委书记的习近平同志在浙江“千万工程”启动会上强调，要正确处理保护历史文化与村庄建设的关系，对有价值的古村落、古民居和山水风光进行保护、整治和科学合理的开发利用，切实保护好名人故居、古代建筑和历史文化遗迹，做到传承历史文化与融入现代文明的有机统一[2]。

以云南省大理白族自治州湾桥镇古生村为例。作为一座有着千年历史的白族聚居村落，古生村拥有古戏台、古树、古桥等多种文化遗存。近年来，古生村坚持“修旧如旧”的原则，对村里的凤鸣桥、古戏台等文物古迹进行提升修缮，对有浓厚历史和民族文化底蕴的白族民居古院落实施挂牌保护，守住了千年古村的风貌和历史文脉。2015年1月20

---

[1] 胡海晓，王艳贞. 基于乡愁文化的中国特色社会主义文化自信探究[J]. 产业与科技论坛，2022，21（03）：7-8.

[2] 何兰生，等. 使命如山——“千万工程”二十年记（中）[N]. 农民日报，2023-05-30（1）.

日，习近平总书记来到古生村考察调研。看到这里环境整洁，又保持着古朴形态，总书记不由感慨："看到你们的生活，我颇为羡慕，舍不得离开。"海南省五指山市水满乡黎族聚居村落毛纳村则将当地的黎族织锦、特色农产品、藤编等文化元素挖掘出来，进行系统化展示，吸引更多的人前来寻味乡愁、感受乡愁。统计显示，2022年，毛纳村累计接待游客5.88万人次，同比增长245.31%；旅游收入294.21万元，同比增长245.48%；村民人均可支配收入达17681元。[1]

截至2023年3月，全国已有8155个传统村落列入国家级保护名录、实施挂牌保护制度，53.9万栋历史建筑和传统民居得到保护，4789项省级以上非物质文化遗产得到传承和发展。我国形成了世界上规模最大、内容和价值最丰富、保护最完整、活态传承的农耕文明遗产保护群[2]（图2.4）。

图2.4　石磨、烟馆、大戏台（摄于黄陂大余湾村）

乡愁情感可以为乡村发展提供精神动力和主体条件。乡村振兴，人才是关键。在我国广大乡村，一直以来广泛存在中青年和优质人才外流现象。进入新发展阶段，在全面推进乡村振兴的历史进程中，乡村人才供求矛盾进一步凸显。国家统计局第七次全国人口普查数据显示，2020年，流向城镇的流动人口为3.31亿人，占整个流动人口的比重达到88.12%，比2010年提高了3.85个百分点。其中从乡村流向城镇的人口为2.49亿人，较2010年增加1.06亿人。这10年间增加了1亿人。人才总量不足、素质偏低、结构失衡，导致乡村人才总体发展水平与乡村振兴的要求之间存在较大差距。

乡愁是人与家乡、与故居、与家乡的人之间因为"生于斯长于斯"而形成的特殊情感，背后折射出浓厚的乡村归属感和文化认同感。它可以衍生出积极的乡建情怀，成为人才返回家乡、建设家乡、回报家乡的情感动力。"这种情感动力不仅是个体对家乡的思念

[1] 袁晴. 乡村之美 | 记得住乡愁[N/OL]. 光明网，2023-07-06[2024-12-12]. https：//politics. gmw. cn/2023-07/06/content_36678984. htm.

[2] 丁怡婷. 全国已有8155个传统村落列入国家级保护名录[N/OL]. 中国共产党新闻网，2023-03-22[2024-12-12]. http：//cpc. people. com. cn/n1/2023/0322/c64387-32648912. html.

或怀旧，而且具有浓厚的家国情怀，是个体与集体、小家与大家、个人与国家的价值关联，是传统乡愁文化与时代价值相结合的产物。”[1]以乡愁为情感纽带，可以激发乡村内外多元主体的能动性，让更多文化巧匠、时代乡贤、农业技术、企业经营等方面的人才回归乡村，为推进乡村全面振兴凝聚新力量、积聚新动能。中共中央办公厅、国务院办公厅印发的《农村人居环境整治提升五年行动方案（2021—2025年）》明确提出，“以乡情乡愁为纽带吸引个人、企业、社会组织等，通过捐资捐物、结对帮扶等形式支持改善农村人居环境”。从“乡愁”到“乡建”，是家国情怀与时代发展在乡村振兴中的交融，也是实现乡村全面振兴的重要思想引领和方向指南。

（2）作为消费形态的乡愁

新乡愁时代的到来，有效带动了乡村特色农产品的销售。京东大数据显示，农特产品消费人群增长迅猛，主力消费地域为一线、二线城市；主要消费人群来自东部及沿海发达地区，年龄在26～45岁之间，从事白领或一般职员工作。富含乡愁原汁原味的特色地域农产品为村民打开了致富路。湖北鄂州梁子湖是全国十大名湖之一，更是驰名中外的“武昌鱼故乡”。该村充分发挥临湖优势，做大“鱼生意”。每年秋冬季节，渔民在街道两旁晾晒鱼干和鱼片，成为一道特色风景（图2.5）。

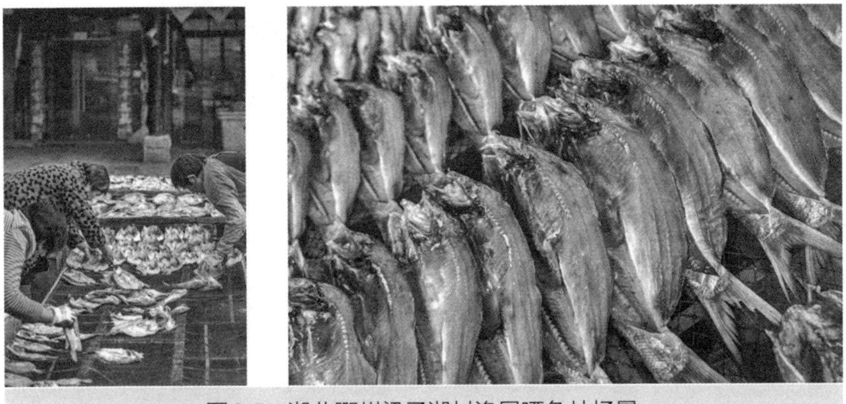

图2.5　湖北鄂州梁子湖村渔民晒鱼片场景

四川广元四新村选取当地原生态粮食猪，做大做强腊肉腊肠产业。每年9月份，当地就开始有序赶制排骨、香肠等腊味产品，为年货做准备。自然风干、古法熏制的传统方式，独具特色的风味，伴随着袅袅炊烟氤氲散开的烟火气息，很好地满足了离家在外的游

[1] 邱星，董帅兵. 新时代的乡愁与乡村振兴[J]. 西北农林科技大学学报（社会科学版），2022，22（03）：11-22.

子味蕾。借助“农户+农场”的经营模式，该村把零散的传统手艺制作规范化，扩大经营范围，打造了曾家山腊肉香肠系列产品，并将团队业务在线下线上纵深发展，经营范围从本地走向了全国各地。年产值达到300万元左右；旺季收购生猪和成品腊肉带动周边农户50余户增收。[1]

浙江丽水缙云村则着力构建“两黄、两白、一灰、一红、一黑”五彩农业发展体系，把烧饼、茭白、黄茶等曾经不起眼的“小营生”做成了助农增收的大产业。2020年缙云烧饼（图2.6）实现年产值24亿元，增长9%；缙云茭白产值4.5亿元，增长7.1%，亩产值最高达3.5万元，全产业链产值15亿元；缙云黄茶年产量35吨、产值9450万元，分别增长37.25%、7.88%；缙云爽面、麻鸭、菜干、蜜蜂及渔业产业等均平稳增长。[2]

图2.6　缙云烧饼（“缙云文旅”公众号）

农文旅融合开启乡愁经济新纪元。农文旅融合是以农业为核心，利用乡村独特的资源，促进农业、文化和旅游业的多元融合，实现乡村资源价值最大化。在生态文明理念的引导下，农文旅产业融合已然是做大乡愁经济、推进乡村振兴的有力手段。位于大理白族自治州喜洲古镇喜洲村（图2.7），是电影《五朵金花》的拍摄地，居住着白、汉、回、纳西、傣、彝等14个民族。该村日照充足、土壤肥沃，适合多种农业发展。千百年来，各族人民对于劝农、兴农、祈农的愿景，孕育了喜洲村“稻田作画布，秧苗作颜料”的田园风光，以及安居、乐居的农耕文化思想。

---

❶ 刘彦谷.“乡愁”产业 闯出富民新路[N/OL]. 封面新闻，2023-12-19[2024-12-12].

❷ 张李杨.“乡愁产业”释放的时代魅力[N/OL]. 丽水网，2021-04-15[2024-12-12]. http://www.lishui. gov. cn/art/2021/4/15/art_1229218391_57318262. html.

图2.7　大理白族自治州喜洲古镇喜洲村

在国家乡村振兴战略的指引下，该村将农耕文化、田园风光、娱乐休闲业有机融合作为总体导向，集约式发展了3300多亩“水稻—油菜”“水稻—麦类”等绿色农业，以及白族扎染、甲马、羊毛毡等非遗手工制作工艺。这不仅帮助当地各族群众扩大农业生产，还能拉动旅游服务业的增长，提高村民在旅游住宿、餐饮、非遗表演等方面的财产性收入。农耕文化与大理历史文化的碰撞，诞生了“喜米”“喜油”“喜酒”为代表的“喜”文化农副产品。每年清明前夕，云南大理洱海之畔大片的麦田泛着绿色的浪花，与远处的苍山、古朴的村落相映成画，吸引了大批市民和游客（图2.8）。麦田里还设置了秋千、火车车厢等景观，供游客打卡拍照。美丽田园风光已经成为喜洲村“农旅融合”助推乡村振兴的新动力。

图2.8　大理白族自治州喜洲古镇喜洲村“有风麦田”

无独有偶，湖北省黄冈市黄梅县大河镇永安村以“稻田主题”为核心，打造新型农场“袁夫稻田”（图2.9）。农场集精品民宿、绿皮火车餐厅、稻梦空间西式咖啡厅、木工坊、萌宠岛、儿童乐园等“游、食、住、赏”于一体。针对不同年龄层消费者，农场推出丰富多彩的农旅主题活动，如插秧体验、稻田婚礼、农事教育、农夫集市等，以此吸引“00后”“90后”进行网红地打卡；“70后”“80后”前来追忆怀旧，用田园情怀实现农场空间、农耕文化和消费者心理的多维链接。农场通过图文、视频及直播的方式在微信、抖音、小红书等平台予以推广，累计积累粉丝及会员30余万个，获得了较高的美誉度和影响力，并获评“湖北十大最美民宿”，跻身抖音平台“中国最美休闲农场”前10名。作为三产融合的标杆性项目，合作社也得到了各级政府部门的认可和支持，先后被评为“湖北省休闲农业示范点”“全国农村一、二、三产业融合先导区”。袁夫稻田逐渐形成了集生态种植、观光游览、生活体验、产品展销等为一体的旅游景区，率先成为黄梅三产融合的典范，年游客量20余万人次，收入数千万元。[1]

图2.9　湖北黄梅县大河镇永安村“袁夫稻田”

乡村旅游已逐渐成长为万亿级收入规模的新兴产业。全国乡村旅游数据监测中心数据显示，2024年“五一”假期，全国乡村旅游接待总人次达1.72亿，实现乡村旅游总收入518.17亿元，分别同比增加8.9%和12.3%。乡村旅游蓬勃发展的缩影里，承载着人民群众对美好田园生活的向往，寄托着浓郁乡愁[2]。

[1] 王梁. 黄梅：农文旅融合谱写强县工程新篇章[N/OL]. 黄冈市人民政府网. 2023-12-20[2024-12-12]. https：//www. hg. gov. cn/zwxw/xsxw/9325875. html.

[2] 吴阳. 中国旅游新发展：农文旅深融合 田园美乡村兴[N/OL]. 中国网，2024-05-14[2024-12-12]. http：//travel. china. com. cn/txt/2024-05/14/content_117187607. shtml.

3

乡愁赋能：乡愁与文旅发展的价值耦合

3.1 乡村文旅融合发展的内在逻辑

文旅融合是文化业和旅游业发展到一定阶段的产物。旅游产业和文化产业之间具有一定的相似性，这是二者融合发展的前提条件。在此基础上，两大产业突破各自的边界，通过资源、功能、服务等要素的相互渗透和有机融合，形成共生体，并产生较强的叠加效应。其基本逻辑包括系统动力逻辑、产业创新逻辑和共生发展逻辑。

3.1.1 乡村文旅融合的系统动力逻辑

根据系统理论，系统的存在本质上是一个动态的过程，而系统结构正是这一动态过程的外部表现。文旅融合发展的系统主要由需求系统、供给系统和环境系统构成。它们所产生的外生拉动力、内在驱动力和环境支持力，构成了文化和旅游产业融合的三大动力类型（图3.1）。不同类型的动力要素交互作用，释放了程度不一的融合驱动力。

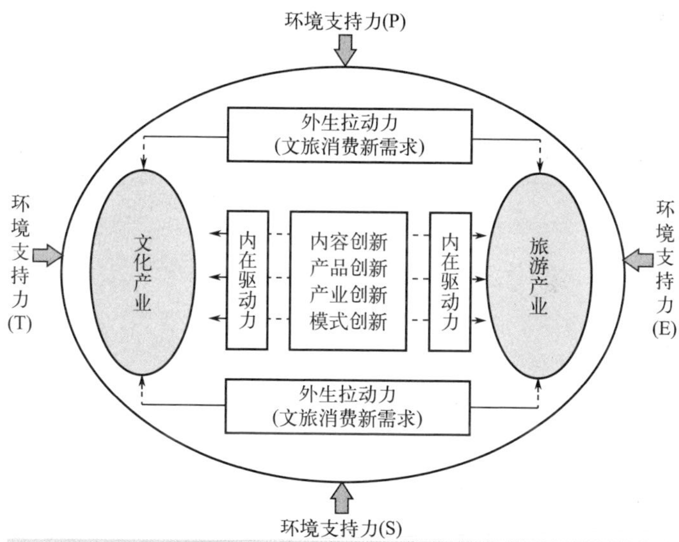

图3.1　文旅融合的系统动力逻辑

（1）外生拉动力系统

传统旅游消费主要体现在游客与各式热门“地标”合影，依靠照片记录旅行的美好回忆。随着人们的可支配收入和时间越来越多，游客更加注重文化体验和精神消费。如今的旅游消费已不再局限于打卡“地标”，可以是观看一场沉浸式表演，参与一次民间手工艺制作，也可以是静静地品尝当地的一道特色小吃，感悟当地的特色民俗。那些缺少文化内涵的旅游产品和服务难以适应公众个性化、多样化的旅游新需求，迫切需要通过加大优质旅游产品和服务供给，进一步释放旅游消费潜力。文旅融合发展可以提高旅游消费的层次和品质，满足人们的多元消费需求，恰好回应了公众对美好生活的向往。

（2）内在驱动力系统

两大产业融合发展的内在驱动力就是文化产业和旅游产业转型升级和高质量发展的迫切需求。对于文化产业发展来说，内容生产是产业的核心要求，也是推动社会文明进步和国民经济全面发展的重要动力。通过文旅融合方式，可以彰显文化魅力，激活文化活力，从而增强文化认同和文化自信。对于旅游业发展来说，优质的文旅产品既是文旅融合发展的逻辑起点，也是连接整个文化旅游产业链的核心纽带。通过文旅融合，可以丰富产品内涵和体验，提升产业附加值和竞争力，拓宽旅游市场的边界。因此，内容生产是文化产业发展的核心，也是文旅融合发展的基础动力，是文旅产业高质量发展的重要引擎。

（3）环境支持力系统

文旅融合发展离不开整个社会的外部大环境。它主要包括政治（politics）、经济（economy）、社会（society）、技术（technology）等要素，统称为“PEST”系统。政治要素主要包括政府宏观决策、地方管理和行业管理三个层面，它们通过战略规划、金融政策等影响和刺激文旅融合发展；经济要素主要包括供给成本、市场机制、市场需求、市场竞争等；社会要素主要包括人口环境和文化背景；技术要素主要是指与市场发展有关的新技术、新工艺、新材料的出现和发展趋势。在文化和旅游市场，技术创新和消费需求是激发文化产业和旅游产业融合意向的基础。技术创新可以打破产业边界，通过产品开发重组产业链，创造新的商业运营模式。特别是在信息技术飞速发展的今天，技术进步不仅丰富了文旅产品的呈现形式和形态，也为文化和旅游资源的渗透融合提供了多种可能。

3.1.2 乡村文旅融合的产业创新逻辑

创新在企业层面属于企业创新，在产业层面体现为产业创新。1912年，美籍奥地利著名经济学者约瑟夫·阿罗斯·熊彼特（Joseph Alois Schumpeter，1883—1950）在《经济发展理论》一书中，首先提出了“创新”的基本概念，认为创新就是建立一种新的生产函数，包括五方面内容：引进新产品；开辟新市场；引用新技术；引用新的原材料；实现企业本身的新组合。总的来说，就是“实现生产要素的新组合”[1]。英国经济学者克里斯托夫・弗里曼（Christopher Freeman）在熊彼特思想的基础上，越来越多地关注到制度环境在创新和经济中所扮演的重要角色。弗里曼认为，经济发展必须借助政府力量优化资源配置，将技术创新、社会创新和组织创新结合起来，构建适合企业创新的生态系统[2]。

文化和旅游业的创新研究开始于20世纪90年代。20世纪中后期，服务业占发达国家GDP比重的份额逐渐上升。1996年美国服务业就业人口占总就业人口的73.3%，服务业产值占GDP份额729%；英国的相关数据分别为70.6%和61.3%[3]。越来越多的研究者和政策制定者正以全新的眼光来审视服务部门的创新活动。桑德博（Sundbo）和加卢伊（Gallouj）将创新系统理论运用到服务业，将创新动力划分为外部因素和内部因素，前者为社会发展趋势和其他主体行为者的表现，后者包括公司管理层的战略制定、公司员工和公司制度[4]，构建了较为系统的服务业创新动力模型。此后，国内外关于旅游产业创新发展的研究逐渐增多，代表成果有：邹慧萍（1998）等关于旅游生产ATSS（Agile Tourism Servise System）服务系统的构想[5]；李春景等（2006）基于知识密集型服务活动的服务创新系统研究[6]；蒋婷婷等（2014）基于软创新理论的文化创意产业创新系统研究[7]；宋瑞等（2023）关于服务业创新视角下的定制旅游研究——一个拓展性分析框架的提出与应用[8]。总体来看，文旅融合的创新发展有技术创新、制度创新、产业创新三个研究逻辑脉络。

（1）文旅融合的技术创新逻辑

技术创新一般被理解为科技成果的商业化应用。发达国家发展历程表明，技术创新与社会体制、经济模式、教育与人才、国际合作等有密切联系，描述一个国家的发达程

---

[1] 唐岳驹. 熊彼特和他的“创新理论”[J]. 世界经济，1981（09）：76-77.

[2] 李江波，陈劲，周正达，等. 创新经济学大师弗里曼的学术思想与贡献研究[J]. 科学学研究，2023，41（04）：603-614+633.

[3] 李春景，曾国屏. 基于知识密集型服务活动的服务创新系统研究[J]. 自然辩证法研究，2006（07）：102-106.

[4] 宋瑞，张琴悦. 服务业创新视角下的定制旅游研究——一个拓展性分析框架的提出与应用[J]. 杭州师范大学学报（社会科学版），2023，45（04）：97-110.

[5] 邹慧萍，汪应洛. 建立灵活快速反应的旅游服务系统[J]. 管理工程学报，1996（02）：109-116.

[6] 李春景，曾国屏. 基于知识密集型服务活动的服务创新系统研究[J]. 自然辩证法研究，2006（07）：102-106.

[7] 蒋婷婷，谢富纪，张言，等. 基于软创新理论的文化创意产业创新系统研究[J]. 中国科技论坛，2014（09）：34-39.

[8] 宋瑞，张琴悦. 服务业创新视角下的定制旅游研究——一个拓展性分析框架的提出与应用[J]. 杭州师范大学学报（社会科学版），2023，45（04）：97-110.

度，技术创新是一个相当有用的参照系。国务院发展研究中心研究员邓寿鹏从全社会的角度来观察创新过程，将技术创新概括为“观念”“运作”“实效”三个阶段（图3.2）[1]。其中，创新观念包括创新战略、策略、组织、制度、科研、设计等；创新运作包括有效地运用新的工艺、装备、材料、原料、能源、人力等；创新实效包括开发新的产品、服务、市场和人才等。

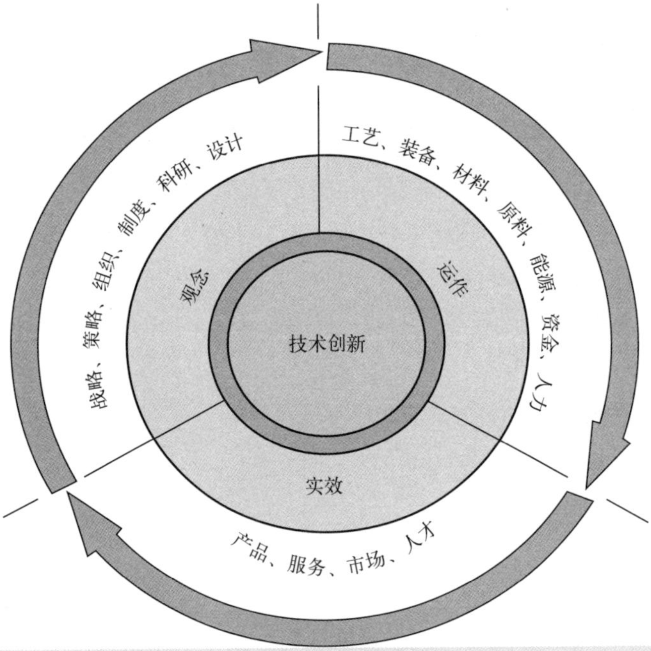

图3.2　技术创新的三个阶段

目前大数据、虚拟现实技术、5G技术日益普及，为文旅融合提供了多种可能。充分运用文旅大数据分析，可以准确捕捉消费者的行为偏好，实现市场需求与文旅供给的精准匹配；健全文旅融合大数据平台，有助于提高资源配置效率；将增强现实、虚拟现实、人工智能、虚拟仿真技术嵌入文旅发展的各个环节，创新场景空间设计和互动体验方式，可以让文旅消费变得更可观、更可品、更好玩，营造更丰富、更多元的文旅消费体验。

（2）文旅融合的制度创新逻辑

制度创新概念比较完整的表述最早出现在戴维斯和诺思（1971）《制度变迁与美国经济增长》一书，“一个社会的制度的主要功能在于建立一个人们交往的稳定的（但不一

[1] 邓寿鹏. 技术创新与政策环境[J]. 中外管理导报，1989（03）：17-22.

定是有效率的）结构来减少不确定性。但制度的稳定性绝不意味着它们不会发生变化……所有这些制度不断地演进着，从而不断地改变着对我们来说可行的选择”[1]。制度创新的主角往往由组织决策者扮演，即政治领导或企业家。他们的主观洞察决定了组织的制度安排，比如政策指向、组织制度、管理制度等。对于文旅产业来说，政府宏观层面的战略导向彰显了对文旅融合发展的积极扶持与大力推动的态度，由此推出的税收政策、融资政策，有助于减轻文旅企业经济压力，助力文旅企业的新业态项目培育，保障文旅新业态行业可持续发展。

（3）文旅融合的产业创新逻辑

产业创新可分为微观和宏观两个层面。微观层面的产业创新就是企业开发新产品和服务的能力；宏观层面的产业创新则是一个系统概念，“是技术创新、产品创新、市场创新等的系统集成，是企业创新的最高层次和归属，是企业突破已结构化的产业的约束，运用技术创新、产品创新、市场创新或组合创新等来改变现有产业结构或创造全新产业的过程”[2]，它“既包括了一种新兴产业的形成，也包括了对原先产业的改进”（Freeman，1997）[3]。文旅融合发展的产业创新逻辑，一是体现在以数据挖掘为基础，培植产业新质生产力。数据具有流动快、渗透强、传播广、可增值等特点，能实现信息资源集聚、整合和互联共享，成为全新的生产要素。在相关技术和网络平台的支持下，能有效建立文旅新模式和新业态，从而改变甚至是颠覆传统文旅产业的要素结构、生产流程、产品形态和商业模式。二是在新的数据逻辑和数字技术支撑下，打造“创意内容＋技术赋能＋特色体验”为一体的文旅消费新产品，催生文旅消费新业态。三是延伸产业链条，形成数字驱动的新型价值链，推动文旅产业链、供应链和价值链的多链协同，推动产业跨界融合和文旅服务与管理融合，创造更高水平的产业综合价值。

3.1.3　乡村文旅融合的共生发展逻辑

（1）和谐共生是社会发展的理想模式

“共生”（symbiosis）一词原为生物名词，“系指两种生物互不侵害，互相需要，

---

[1] 殷德生. 制度创新的一般理论：逻辑、模型与扩展[J]. 经济评论，2003（06）：33-36.

[2] 陆国庆. 产业创新：超越传统创新理论的新范式[J]. 江汉论坛，2003（02）：10-13.

[3] 王凌，徐敏. 产业创新理论研究综述[C]//Hong Kong Education Society. Proceedings of 2013 International Conference on Management Innovation and Business Innovation（ICMIBI 2013 V16）. Singapore Management and Sports Science Institute，2013：6.

彼此共存的状态”[1]，其最早发端于生物学。1879年德国植物学家安东·德巴里（Anton deBary）指出“共生是不同生物密切生活在一起”[2]，并围绕不同生物的共生、寄生、腐生问题展开分析，描绘了生物间不同共生方式，引起了学界关注。20世纪60年代，丹麦卡伦堡创造出一种跨产业资源循环利用模式，即不同企业之间相互交换蒸汽、水、各种副产品以及工业废料。这种被当地发展部门称为“工业共生体系”[3]的模式，不仅给企业带来了经济效益，还推动了环境质量的改善，被誉为发展循环经济、实施区域循环经济的典范。在现代产业发展过程中，为了获取环境效益，提升竞争效益，一定区域内的不同产业主体间会通过人力资源、技术资源、物质资源的共享和交换，形成一种相对持久的关系，由此形成现代组织的一种创新模式——“产业共生”。作为生物共生理论在经济领域的重要应用，“产业共生”最重要的特点是形成了相对稳定的股权、正式或非正式的契约（合同）等共生内生媒介[4]。企业之间既分享利益，又互相贡献，围绕主导产业开展分工合作，发挥各自的专业和技术优势，以产生最大化的经济价值和社会价值。这种共生机制促进了生产要素的高效流动，“互惠关系产生能量，且新能量在共生单元之间分配，存在着双向的利益交流机制”[5]，通过联动效应形成产业结构升级的内生动力，推动资源循环利用和社会经济的可持续发展。这对于缓解日益严重的环境危机不啻为一种理想的选择。

（2）和谐共生是乡村文旅融合发展的必然路径

文旅融合是旅游与文化产业相互融合、相互促进、相互发展的一种模式，共生发展是其发展的内在机理。从共生视角看，文旅融合发展首先需要与区域资源禀赋相结合，挖掘自身丰富的自然风景资源和人文景观资源，以此作为文旅融合的先决条件。其次，挖掘两大产业的优势要素，实现文化产业和旅游产业多维度、全方位的融合，使之通过融合进行功能创新和价值再造，建设新型文旅产业价值链，推动文旅转型升级。文旅新业态的有序发展能够改善旅游乱象、升级旅游产品生产环境、留存当地民俗资源、活化绿色旅游生态。文旅新业态产品与服务有利于优化生态环境，提升文旅资源的留存率和传承率，进一步壮大文旅融合的市场需求，促进新文化景观的生成与创新。再次，突破文旅产业边界，实现文旅产业与其他产业跨界融合等，延伸产业链，构筑多元化立体化的融合空间。同时，大力推进生态文明建设与文旅产业的协同发展，充分发挥文化旅游和生态环境相辅相

[1] 柳冠中.共生美学观——对当代设计与艺术哲学的初探[J].装饰，1986（4）：36-38.
[2] 洪黎民.共生概念发展的历史、现状及展望[J].中国微生态学杂志，1996，4（4）：50-54.
[3] 佚名.丹麦卡伦堡——工业共生的生态之城[J].福建质量技术监督，2017（4）：59-59.
[4] 陈凤先，夏训峰.浅析“产业共生”[J].工业技术经济，2007，4（1）：54-56.
[5] 冯德连.中小企业与大企业共生模式的分析[J].财经研究，2000，4（6）：35-42.

成的优势，探索将“绿水青山”转化为“金山银山”的有效途径，促进社会经济转型和可持续发展。

3.2 乡愁赋能乡村文旅发展的表现和机制

3.2.1 乡愁赋能乡村文旅发展的多维表现

（1）乡愁推动乡村文化空间重构

乡愁具有唤醒和重建空间记忆的功能。乡愁往往与特定的空间记忆相关联，这些记忆可能是一座老屋、一条小巷、一片田野或者一座小桥。当这些乡愁元素被挖掘和重塑时，它们不仅唤醒了人们对过去的美好回忆，还在现实空间中得以重建和再现。这种重建不仅是对物质空间的复原，更是对乡村文化和历史记忆的传承。

在重构乡村文化空间的过程中，乡愁可以作为一种重要的文化资源，将传统的乡村文化元素进行整合和创新。例如，通过对古建筑、传统手工艺、民俗活动等乡愁元素的挖掘和再利用，可以创造出新的文化景观和空间节点，从而丰富乡村文化空间的层次和内涵。

随着时代的发展和人们生活方式的改变，一些传统的乡村空间可能已经失去了原有的功能。然而，通过融入乡愁元素，这些空间可以实现功能的转型和升级。例如，将废弃的老屋改造成民宿或文化中心，将古老的祠堂转变为村史馆或文化活动场所等，不仅保留了乡村的历史风貌，还为其注入了新的活力和功能。

同时，乡愁作为一种共同的情感纽带，可以激发乡村居民的社区参与意识和归属感。在重构乡村文化空间的过程中，通过引导和组织乡村居民参与空间的规划和建设，不仅可以增强他们对乡村文化的认同感和自豪感，还能促进乡村社区的凝聚力和向心力。

（2）乡愁推动乡村旅游体验重塑

旅游的目的就是获得不一样的体验。1999年，美国学者约瑟夫・派恩（B.Joseph Pine Ⅱ）与詹姆斯・吉尔摩（James H.Gilmore）在《哈佛商业评论》双月刊上发文，指出体验“就是企业以服务为舞台，以商品为道具，围绕着消费者，创造出消费者回忆的活动”[1]。而体验经济就是继农业经济、工业经济、服务经济之后的第四个经济发展阶段，包括娱乐体验、教育体验、美食体验、美学体验等不同类型。

乡愁是一种对故乡的深深思念和向往，它包含了对家乡的记忆、人情风俗、建筑风貌以及熟悉的乡土味道等方面的情感体验。在乡村旅游中，通过挖掘和展示乡村的原始风情、民俗文化和乡土特色，可以引发游客的乡愁情怀，从而增强旅游的吸引力。同时，在乡村旅游中融入乡愁元素，通过参与农耕、采摘、制作乡村美食等，游客可以亲身感受乡村生活的魅力，同时也可以更好地了解和体验乡村的传统文化和民俗风情。通过打造具有乡愁特色的乡村旅游产品，也可以提升乡村旅游的品质和知名度。总体而言，将乡愁元素植入乡村旅游“食、住、行、游、购、娱”各环节，围绕满足游客审美和愉悦等精神享受的价值核心设计和提供旅游产品，“是多重体验价值的追加过程，同时也是一种成本追加过程”[2]（图3.3）。在此过程中，随着旅游产品经营成本的追加，游客获得的体验效用（即满足感）也会随之提升。

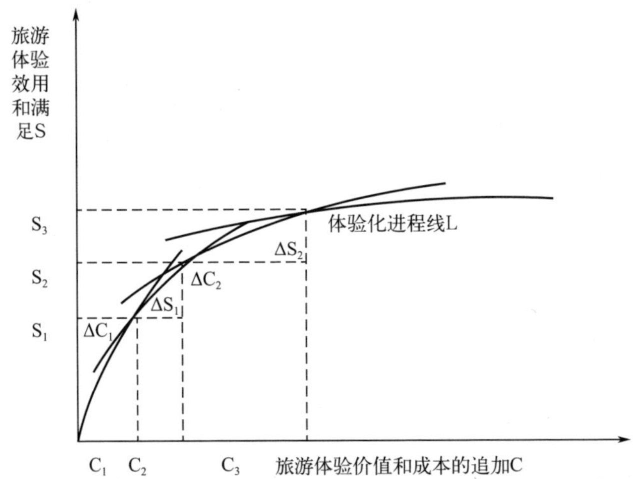

图3.3 旅游体验设计进程分析图

以陕西省咸阳市礼泉县烟霞镇袁家村为例。该村以关中民俗和农村生活为核心内容，以关中传统老建筑、老作坊、老物件等物质文化和非物质文化遗产所代表的关中民俗文化为内涵，充分挖掘发挥陕西小吃、饮食文化等核心竞争力。小吃街是袁家村最“出圈”的招牌（图3.4）。2007年，村内修建了一条50米长的民俗文化街，鼓励村民在家办

[1] 言文. 西方企业管理新理念[J]. 企业管理，1999（01）：50-51.

[2] 吴文智，庄志民. 体验经济时代下旅游产品的设计与创新——以古村落旅游产品体验化开发为例[J]. 旅游学刊，2003（06）：66-70.

农家乐。凉皮、泡馍、甑糕、桂花醪糟、粉汤羊血……为避免业态的同质化，规定“一店一品、绝不重样”。每当夜幕降临，创意酒吧、民谣伴唱集聚的酒吧就挤满了留宿的游客。“月光下的袁家村”让人感受到了浓浓的烟火气。这里有精品民宿108家，星级酒店2家，各类风格酒吧、夜间集市297家，各类创客平台成为“大众创业，万众创新”的典范。2021年袁家村游客接待量达600万人次，旅游综合收入超过10亿元，村民人均纯收入10万元以上，吸纳就业3000多人，带动周边万余名农民增收。2023年世界旅游联盟与中国国际扶贫中心共同发布了《2022世界旅游联盟——旅游助力乡村振兴案例》，“陕西咸阳市礼泉县袁家村：关中印象体验地4A级旅游景区助力乡村振兴”成功入选。[1]

图3.4　袁家村小吃一条街

（3）乡愁推动乡村文化传承与活化

乡愁有助于推动乡村文化传承。乡愁是人们对故乡的深深眷恋，它包含了对家乡的记忆、人情风俗、建筑风貌等的情感体验。这种情感能够激发人们对乡村文化的认同感和归属感，从而促使他们更加珍视和传承乡村文化。在实践过程中，乡愁促使人们关注乡村的历史遗迹和文物，推动对这些文物的保护和修复工作。这不仅有助于保存乡村文化的物质载体，还能让人们通过文物了解乡村的历史和文化，进一步加深对乡村文化的认识和理解。

乡愁也是乡村文化活化的触媒。乡愁让人们更加关注乡村的传统技艺和民俗活动，

[1] 李卫. 陕西两案例入选旅游助力乡村振兴案例[N/OL]. 陕西省人民政府网，2023-03-31[2024-12-12]. http：//www. shaanxi. gov. cn/xw/sxyw/202303/t20230331_2280605. html.

如手工艺、农耕文化、节庆活动等。传承这些技艺和民俗，可以让乡村文化在新时代焕发出新的生机与活力。乡愁并不意味着固守传统，它同样可以激发人们对乡村文化的创新思考。在乡愁的驱动下，人们会寻求将传统文化与现代元素相结合，创造出具有新时代特色的文化产品和服务，从而活化乡村文化，使其更加贴近现代生活，更具吸引力。

以枝江布鞋为例。湖北枝江有制作手工布鞋的习俗，枝江布鞋几乎贯穿所有人生礼仪，如小孩出生送“祝米鞋”、年轻人订婚送“定情鞋”、祝寿送“长寿鞋”等。2020年，枝江打造布鞋非遗工坊，以“非遗+旅游”为主线，集传统技艺研究、生产制作、技师培训、产品销售、非遗体验等一体，采取“非遗+旅游”的活态传承模式，改变布鞋过时、土气的古板印象，让非遗“潮起来”。目前枝江非遗布鞋在天猫、淘宝、京东、拼多多平台上均开设旗舰店；在抖音、视频号、小红书平台上拥有10万多粉丝，年营收突破2000万元；打造传统布鞋制作技艺体验核心景点，年接待12万游客；打造中小学生研学旅行基地，传播枝江布鞋制作技艺文化，2021年接待中小学生研学8300人次；创编《传茶鞋》《纳鞋歌》等民俗情景剧，实景演绎非遗文化。2023年2月，文化和旅游部、人力资源和社会保障部、国家乡村振兴局发布《关于公布2022年“非遗工坊典型案例”的通知》，确定66个2022年“非遗工坊典型案例”，枝江布鞋非遗工坊案例入选（图3.5）。

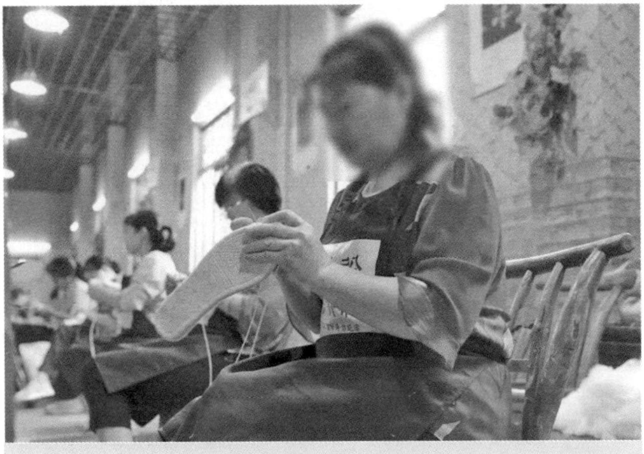

图3.5　枝江布鞋（图片来源：“步步升布鞋文化村”公众号）

3.2.2　乡愁赋能乡村文旅发展的作用机制

乡愁文化价值转化的内在机理，就是以乡愁为切入点，通过文旅主题、设施、产品、情境的营造，实现乡村旅游载体与游客之间的“唤醒”“沉浸”“索引”“凝视”体验，从而达到主体与客体的互动与共振。

（1）乡愁的“唤醒”功能

20世纪60年代，英国行为主义心理学家丹尼尔·贝里尼通过对人的心理感觉的新奇性进行研究时发现，如何激发、唤醒接受者的审美欲望、审美情感，达到心理的审美愉悦，是文艺审美心理活动的一个重要环节。在他看来，文化的唤醒机制主要有两种——“渐进式唤醒”和“亢奋式唤醒”。前者利用人们熟悉的范式进行导入，通过步步登高、渐进强化，最终达到情感的高潮；后者则“以奇制胜”，采取令人惊诧的、异于寻常的样式促成情感突发，人们在强烈的刺激中被唤醒，进而获得一种解除或释放的愉悦。

在乡村文旅融合发展过程中，乡愁文化的注入是唤醒游客的重要诱因。正如《福州古厝》序言中表述的那样，“当我们来到戚公祠（图3.6），似乎可以感受到它正气宇轩昂地向我们介绍戚将军带领着戚家军杀得倭寇丢盔弃甲的战史。当我们来到马尾昭忠祠，它正语气凝重地向我们叙谈福建水师遭到法国军舰突袭奋起反抗的悲壮历史……”那些被视为乡村文化符号独特象征的各类遗存，不仅镌刻着时代印记，也是生于斯长于斯的村民们绵延不绝、代代传承的思乡之情的源头和基础。

图3.6 戚公祠

（2）乡愁的“沉浸”功能

“沉浸”是唤醒的高级阶段，是人们因对某物或某事感兴趣，从而全身心投入以至忘却周围环境和时间存在的一种心理状态。沉浸理论最初是由芝加哥大学的心理学教授米哈里·契克森米哈赖（Mihaly Csikszentmihalyi）提出的，他将沉浸定义为“快乐最重要的部分”和“人们在所在情境中完全投入的状态”[1]。在文化旅游过程中，沉浸体验普遍存在。其原因之一在于旅游是游客的一种主动选择行为。游客出行一般会有明确的目标和行程安排；在旅游过程中，游客会处于一种身心放松的状态，对其他事情往往无暇顾及，专注于旅游目标吸引物，会出现暂时的自我意识的弱化或消失。另一方面，随着5G时代的到来以及人工智能技术的成熟，各种虚拟现实技术、数字媒体技术开始在文旅领域得到广泛应用，沉浸式文旅消费体验变得越来越容易，“这种美学现实不再是艺术的预谋和距离带来的，而是艺术向第二级、向二次方的上升造成的，是代码的预先性和内在性造成的”[2]。

比如，江西婺源的山水实景演艺项目“梦里老家”（图3.7），立足厚重的古徽州文化和耕读文明，以一个漂泊游子跌宕起伏的人生和魂牵梦绕的乡愁为主线，在四季更迭中演绎了徽商创富的艰辛、爱情的坚贞不渝、功名进取的坚持以及淡泊归隐的境界。剧场以迷幻的星空月夜为幕布，舞台前方布满金黄的油菜花，山脚下溪水潺潺，各种特效灯光布满整个山林。地面、墙壁作为光影的投射屏幕，映出了绚丽多彩的动态效果；星空、明月、山水、花草与人完美交融，天人合一。置身于声、光、电、影的复合空间里，徽州往事、故园生活在如歌的画卷中逐一展现。观众的视觉和感官体验得到全方位刺激，如同大海中的鱼儿穿梭其中，在真实和虚幻的视听想象中遨游，不自觉地进入沉浸状态，获得身心的愉悦满足。

图3.7　婺源“梦里老家”实景演出

[1] 喻昕，许正良. 网络直播平台中弹幕用户信息参与行为研究——基于沉浸理论的视角[J]. 情报科学，2017，35（10）：147-151.

[2] 江凌. 论5G时代数字技术场景中的沉浸式艺术[J]. 山东大学学报（哲学社会科学版），2019（06）：47-57.

（3）乡愁的“索引”功能

旅游既是在场的审美体验，也是诗意的对话，旅游者在旅游审美中应像欣赏诗一样由“在场”洞见“不在场”[1]。客观存在的“地点”，对游客构建文化记忆具有索引（即指示坐标）的意义，这“不仅因为它们能够通过把回忆固定在某一地点的土地之上，使其得到固定和证实，它们还体现了一种持久的延续，这种持久性比起个人的和甚至以人造物为具体形态的时代的文化的短暂回忆来说都更加长久”[2]。受人生阅历、受教育程度、审美态度、心理状态等因素影响，不同游客会对文旅消费持有不同的理解和期待，并主动选择和连接不同的旅游目的地，从而形成不同的“索引”大纲。比如，万里长城代表了中国古代高超的建筑技艺和智慧，是中华民族悠久历史和多元文化发展的象征；长江三峡融合了险峻与秀美，交织了古老与现代，是大自然鬼斧神工造就的山水画廊；而上海作为一座国际化大都市，则以其独特的历史文化和现代都市风貌吸引了来自世界各地的游客。

在乡村文旅融合发展过程中，乡村真实存在的特定地点和场域，甚至是一砖一瓦、一草一木，不仅是破译乡村文化生命体的密码，也是引导消费者（旅游者）开展文旅体验的“指示标”。当人们“重返离开数年的童年故地，释放压抑的记忆和希望，它们如洪水决堤般淹没那个地方”[3]，在熟悉的场域中，主体与外界的关联得到重新建立，既往认知结构和乡愁体验得到重新确认（图3.8）。较之单纯的休闲娱乐活动，植入了乡愁记忆的文化旅游活动和项目更容易唤起观众的深层记忆，因而具有记忆重组功能。

图3.8 “索引”功能

（4）乡愁的“凝视”功能

1990年，英国社会学家厄里（Urry）将福柯（Foucault）的“医学凝视”概念延伸到现代旅游，提出了“游客凝视”（tourist gaze）的概念，认为旅游凝视“指向自然风光和

[1] 曹诗图，孙天胜，周德清. 旅游审美是诗意的对话——兼论中西哲学思想中的审美观[J]. 旅游论坛，2011，4（02）：115-118.

[2] 阿莱达·阿斯曼. 回忆空间：文化记忆的形式与变迁[M]. 潘璐，译. 北京：北京大学出版社，2016：299.

[3] 杜威. 艺术即经验[M]. 赵红，译. 北京：新华出版社，2005：27.

城市景观的特征，这些特征把它们与日常的经验区分开来。这些东西之所以被观看，是因为它们在某种意义上被视为非同寻常”[1]。

乡愁文化元素一方面能够引发旅游者的“凝视体验”，另一方面其所蕴含的价值必须依赖旅游者的主体性参与而展现。游客对乡村景观、场域有“凝视”的欲望，乡愁的呈现和传播才是有效的。萨特将这一主体性参与创造过程定义为见证，这是对旅游凝视独特作用的另一种表达：“这个风景，如果我们弃之不顾，它就失去见证者，停滞在永恒的默默无闻的状态之中。至少它将停滞在那里；没有那么疯狂的人会相信它将要消失。将要消失的是我们自己，而大地将停留在麻痹状态中直到有另一个意识来唤醒它。”[2]正是在这种审美过程中，游客的凝视体验和乡愁体验达到了内在一致，游客也由此完成了对自身身份的观照（图3.9）。

图3.9　游客“凝视”稻田

3.3

乡愁与乡村文旅融合发展的耦合原则

景观生态学“斑块—廊道—基质”理论认为，斑块、廊道、基质共同构成了景观的空间格局（图3.10）。其中斑块是与周围环境不同的、相对均质性的非线性的区域；廊道是不同于两侧相邻土地的带状要素，有“蓝道”（Blue Way，如河流、水道等）、“绿道”（Green Way，如林荫道等）、“灰道”（Gray Way，如街道、公路等）等不同类型；基质又称衬质或模地，是景观镶嵌内的背景生态系统或土地利用类型，包括自然基质、母体建筑等，是景观中最广泛连接的部分[3]。

---

[1] 厄里. 游客凝视[M]. 杨慧，等译. 桂林：广西师范大学出版社，2009：5.

[2] 柳鸣九. 萨特研究[M]. 北京：中国社会科学出版社，1981：3.

[3] 翟辉.“斑块·边界·基质·廊道”与城市的断想[J]. 华中建筑，2001（03）：59-60.

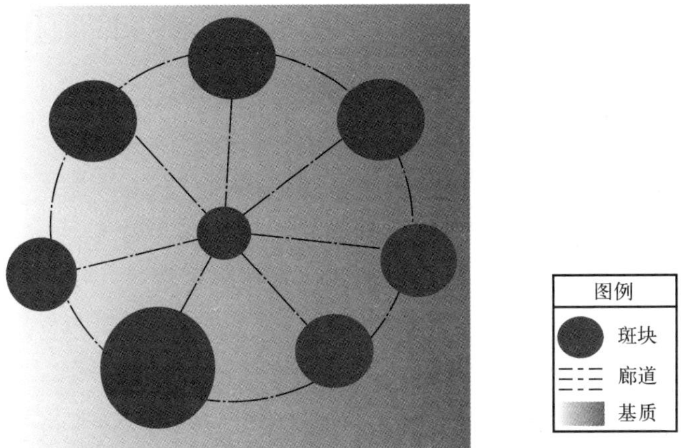

图3.10 景观生态学“斑块—廊道—基质”理论

乡村文旅融合发展的本质是给旅游者提供一个富有乡愁特色的文化空间。基于景观生态学原理和文化空间生产的演化机理，结合国内外乡村旅游的具体实践，要实现乡愁记忆与乡村旅游的融合共生，需要以建构乡愁文化空间为目标，从时间、空间和功能三个维度，打造乡愁文化节点、乡愁文化轴线、乡愁文化场和乡愁文化域面相互支撑的文旅景观系统，推动乡村文化、产业和生活的融合共生（图3.11）。

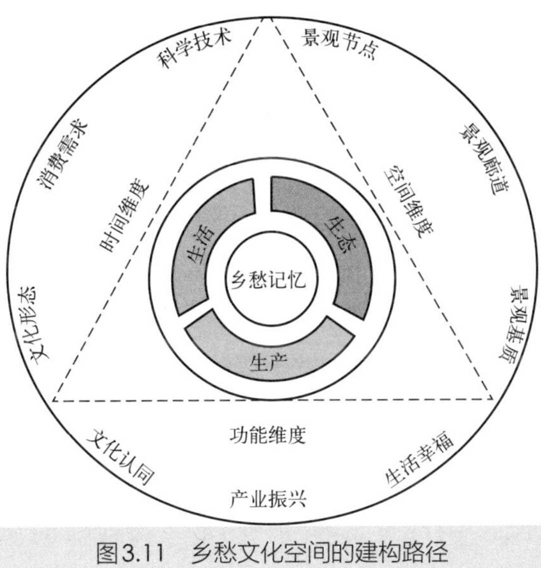

图3.11 乡愁文化空间的建构路径

3.3.1 时间维度：留住乡愁要与乡村历史演变同频共振

（1）乡村发展是一个动态演变过程

乡村发展是一个时态的演变过程。传统农业时代，乡村经济主要依赖耕作、畜牧和渔业等传统农业生产，乡村社区以家庭为单位，自给自足，与外界的交流相对较少。随着科技的进步和工业化的推动，农业现代化开始兴起，新品种、新型肥料、现代化机械耕作模式等显著提高了农业生产力，乡村社区与外界的联系开始加强。乡村经济模式也逐步走向多元化，乡村旅游、手工艺品制作、生态农业等新兴产业出现。乡村社区开始注重环境保护和可持续发展，推动乡村文化与自然景观的融合。时至今日，城乡之间的交通、通信等基础设施日益完善，城乡发展进入一体化时代。城市近郊的乡村开始吸引城市资本、技术和人才等资源，推动乡村经济转型升级。

（2）乡愁文化植入要体现活态性

乡愁文化的形成与发展，根植于特定的乡村场域。离开这个特定场域和环境，脱离原文化创造主体，乡愁的内涵和外延也将发生改变。另一方面，游客外出旅游，本意是希望寻求一个区别于自己常驻空间的异质空间，这个异质空间因文化时间的孕育与延伸，可以让游客感到新奇、放松与愉悦。因此，乡愁文化植入乡村旅游空间要坚持活态性原则。乡愁文化的融入过程要体现参与性和体验感，为游客提供一个可以深入了解和感受当地文化的平台。这种参与性不仅体现在观看和欣赏上，更包括与当地居民、文化传承者的互动和交流。同时，基于乡村发展是一个不断演变的过程，除了当地特有的历史、文化、风俗等，也会有城市及外来流行元素的涌入。新旧元素的交替、传统和现代杂糅，形成了乡村多元化的文化景观。因此，乡愁文化空间的建设和发展要注重文化的活化，既要坚持对本地环境和文化资源的保护，以确保文化传承的延续性，又要围绕当下的旅游需求和发展趋势，考虑到未来世代的需求，在空间布局和形态上也呈现出动态变化的特点，打造充满生机和活力、具有可持续性的文化生态系统。

3.3.2 空间维度：留住乡愁要与乡村景观营造情景交融

从空间维度看，乡村文化空间的打造，需要将乡愁文化融入不同的文化节点、文化轴线、文化场景以及文化域面，实现乡愁记忆与乡村景观营造的情景交融（表3.1）。

表3.1 乡愁文化空间形态及表现形式

空间形态	内涵释义	表现形式
乡愁文化节点	在乡村生产与生活过程中形成的、具有旅游功能的物质和精神文化景观	古村落、历史遗址、祠堂、古戏台、村史馆、博物馆、民俗馆等
乡愁文化轴线	由多个文化节点连接而成的具有一定乡愁文化主题的线状通道	自然景观轴线、生活体验轴线、历史记忆轴线、文化传承轴线等
乡愁文化场景	在文化节点和文化轴线上，供游客参与生产、体验和消费等活动而形成的具有感染力与吸引力的氛围与意义空间	乡村风光场景、农耕体验场景、手工艺研学场景、沉浸式剧场等
乡愁文化域面	乡愁文化节点、文化轴线和文化场景共同影响的范围	圆形域面、扇形域面、环形域面、放射形域面等

（1）打造乡愁文化节点

文化节点是旅游地文化空间结构中最基本的空间形态，包括文化景观和文化展演活动。不同的文化节点可以服务于游客的不同消费时段和不同心理需求。打造乡愁文化节点，一是修复和维护古老建筑，针对具有历史价值的老建筑进行建筑外观和内部结构的修复，保持其原始风貌，防止进一步损坏；二是活化利用历史空间，将传统村落中的公共空间（如祠堂、戏台等）进行功能更新，使其既能作为文化展示的场所，也能成为村民和游客交流互动的空间；三是建立乡土文化博物馆或展览馆，集中展示乡村的历史变迁、农耕文化、民俗风情等，通过实物、图片、影像等多种形式，让参观者能够亲身体验乡村文化的魅力。不同节点吸引力大小、重要程度存在差异，在空间上也具有等级层次性。

（2）树立乡愁文化轴线

乡愁文化轴线是由不同文化节点连接而成的，为游客获取乡愁体验、重拾乡愁记忆而形成的具有一定文化主题的通道与线索，也是乡村对外传播文化和辐射的通道。文化轴线的形成源于文化节点的分布，同时结合游客消费行为与审美需求。根据乡村文化的特质，乡愁文化轴线可以大致分成自然景观轴线、生活体验轴线、历史记忆轴线、文化传承轴线等不同类型。

自然景观轴线以乡村的自然风光和生态环境为特色，包括稻田、麦浪、花海等乡村田园风光观赏，山林、溪流、湖泊等山水风景探访等，通过展现乡村独特的自然风貌，引发游客对乡村生活的怀念。

生活体验轴线着重于让游客参与乡村的日常生活，如参与农耕活动、品尝乡村美食、体验乡村民宿。通过这条轴线，游客可以深入体验乡村生活的点点滴滴。

历史记忆轴线主要通过展现乡村的历史变迁和重要事件，来唤起人们的乡愁情感。它可能包括古建筑、古遗址的参观路线，如古老的庙宇、祠堂、传统民居等，或者是历史事件或人物纪念碑、纪念馆的游览路线。通过这些历史遗迹和纪念设施的串联，游客可以沿着这条轴线追溯乡村的历史脉络，感受厚重的历史乡愁。

文化传承轴线侧重于展示乡村的非物质文化遗产和传统文化活动，包括传统手工艺体验路线，如剪纸、陶艺、编织等民间手工艺作坊的参观与体验；民俗文化活动场所的游览，如庙会、传统节日庆典等。文化传承轴线让游客能够亲身体验乡村的传统文化和习俗，从而激发对乡愁的共鸣。不同的文化轴线具有不同的侧重点，每种类型都有其独特的魅力和表现形式，共同构成丰富多样的乡愁文化体验之旅。

（3）营造乡愁文化场景

乡愁文化场景是人们在乡愁文化节点和文化轴线上进行具体体验活动而形成的具有感染力的氛围与场景，是乡愁文化活态化的具体体现。没有文化场景，乡愁就会因失去活力沦为静态的文化表象。

营造乡愁文化场景，可以通过科技手段或实际布置，刺激视觉、听觉、触觉等感官，使游客仿佛置身于一个真实的乡村生活场景中。游客可以参与到故事情节中，与环境进行充分互动，产生身体、情感和认知上的共鸣。

一是通过光影设备、全息技术等，实现艺术手法和科技智能相融合，将乡村的自然风光、历史文化和民俗风情以更生动、立体的方式展现出来，打造沉浸式景观；二是让游客亲身参与到农耕活动中，体验石磨面粉、石臼舂米、风车挑米、手工脱粒等农事乐趣，同时，结合现代农业技术，展示农业科技的魅力，以此营造沉浸式农耕体验；三是通过场景布置、小品摆放以及互动活动开发沉浸式文化研学，设立手工艺制作区，让游客亲手制作传统手工艺品，感受乡村文化的独特魅力；四是乡村度假产品中融入沉浸式元素，打造特色民宿、提供农耕体验餐等，让游客在度假过程中全方位体验乡村生活。

（4）建构乡愁文化域面

文化域面是旅游地文化节点、文化轴线、文化场景等赖以依存或辐射的空间基础，也是游客感观所及的地理区域。其空间范围和文化集聚程度会随着文化节点、文化轴线和文化场景的相互作用和影响而发生变化，进而呈现出圆形、扇形、环形、放射形等不同域面结构。

建构乡愁文化域面是一个系统工程，需要立足乡村自然风光、人文景观和乡土文化，全面整合区域内的自然、人文及社会资源。一是制定乡村全域旅游发展规划，明确各区域的功能定位和发展方向，确保旅游资源的合理利用；二是加强基础设施建设，提升从业人员的服务意识和专业技能，为游客提供更加优质的服务体验；三是加强市场营销和推广，通过线上平台如旅游网站、社交媒体等进行广泛宣传，提高乡村知名度，吸引更多游客前来体验；四是加强与乡村社区的合作与沟通，鼓励村民参与乡村旅游的开发与运营，共享旅游发展成果。通过科学合理地规划和实施，推动乡村全域旅游的发展。

3.3.3　功能维度：留住乡愁要与乡村全面振兴融合互生

（1）乡愁复兴要着眼于推动乡村文化认同

复兴乡愁首先要着眼于激发村民的文化认同。乡愁本质上是一种文化情感，它深植于人们对家乡的记忆、传统、风俗以及历史故事的共同理解中。激发村民的文化认同，就是点燃他们对家乡文化的热爱和珍视，这是复兴乡愁的基石。村民的文化认同是他们与家乡之间的情感纽带。只有当村民深刻理解和认同自己的文化，他们才会积极参与到保护和传承这一文化的行动中来。这种认同感能够激发他们的主动性和创造性，为乡村的文化复兴贡献力量。

复兴乡愁也要着力实现游客的情感共鸣。文化认同是乡村旅游可持续发展的核心动力。当游客对乡愁文化产生浓厚兴趣时，他们将更愿意选择乡村旅游，并愿意为体验乡村文化而消费。这将直接推动乡村旅游的经济发展，提高当地居民的收入水平。游客的参与和交流也可以为乡愁的复兴注入新的活力。他们通过口碑传播和社交媒体分享，将乡村特色文化传播出去，可以唤起更多受众对乡村文化的关注和参与意识。

（2）乡愁复兴要带动乡村关联产业发展

复兴乡愁旨在通过发掘和利用乡愁资源，以乡村旅游为核心，激发农业、文化创意、交通与物流等不同产业的深度关联，实现“乡愁+”旅游核心产业链、“乡愁+”关联产业链以及“乡愁+”支持产业链的全面发展（图3.12）。

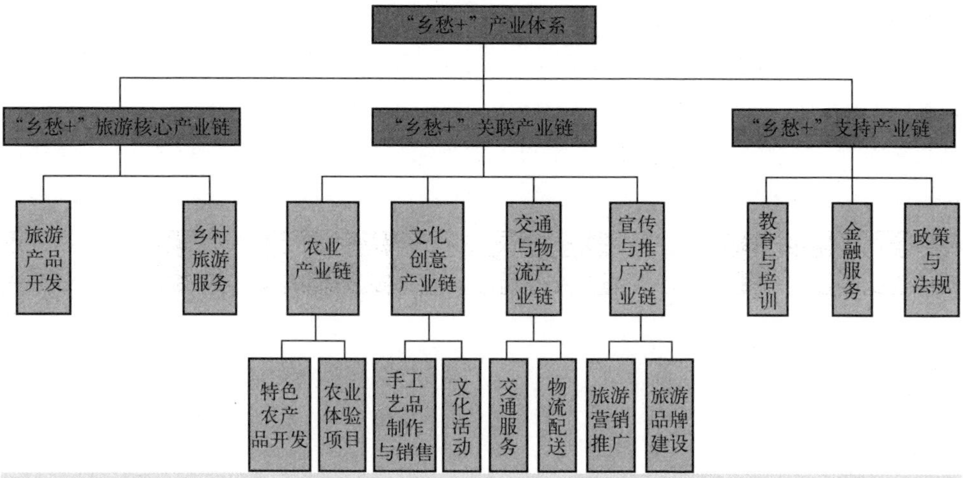

图3.12 "乡愁+"产业体系架构

"乡愁+"旅游核心产业链主要包括旅游产品开发和乡村旅游服务两大板块。依托乡村的自然景观、历史遗迹、民俗文化等乡愁资源，开发观光游览、文化体验、休闲度假等旅游产品；发展乡村民宿、农家乐等特色住宿和餐饮服务，确保游客在体验乡愁的同时，享受到舒适便捷的旅游服务。

"乡愁+"关联产业链涵盖农业产业链、文化创意产业链、交通与物流产业链、宣传与推广产业链等不同业态。其中，农业产业链包括开发有机蔬菜、特色水果等特色农产品，供游客品尝和购买；提供农耕体验、农作物采摘等农业体验项目，让游客亲身感受农业生产的乐趣。文化创意产业链包括旅游纪念品销售、举办传统节庆和民间艺术表演活动等。交通与物流产业链提供便捷的交通服务，确保游客能够顺利抵达乡村旅游目的地，同时建立高效的物流配送体系，方便游客购买和邮寄乡村特色产品。宣传与推广产业链旨在通过互联网、社交媒体等渠道宣传乡村旅游产品，吸引更多游客前来体验；同时打造具有乡愁特色的乡村旅游品牌，提升乡村旅游的知名度和美誉度。

"乡愁+"支持产业链包括：提供乡村旅游从业人员的教育与培训服务，提升他们的专业素质和服务水平；为乡村旅游产业及关联产业提供金融支持，如贷款、投资等，促进其持续发展；政府制定相关政策和法规，为乡村旅游产业及关联产业的发展提供支持和保障。

（3）乡愁复兴要致力于百姓美好生活建设

复兴乡愁不仅关乎文化传承和旅游发展，更应当有助于提升百姓的幸福感。乡愁是一种情感纽带，连接着人们与家乡的记忆和情感。复兴乡愁，可以增强人们对家乡的认同感和归属感，从而提升幸福感。

首先，复兴乡愁可以激发人们对家乡的热爱和自豪感。当人们看到自己的家乡文化得到传承和弘扬，会感受到一种深深的满足感。这种情感上的满足和自豪，无疑会增强百姓的幸福感。其次，复兴乡愁可以促进乡村经济的发展，带动就业和增加收入。随着乡村旅游的兴起，越来越多的人选择回到家乡创业或就业，从而改善家庭经济状况。经济收入的增加，会直接影响到百姓的生活质量，进而提升幸福感。再者，复兴乡愁可以加强社区凝聚力和社会互动。乡愁文化的传承和活动举办，为社区居民提供了交流和互动的平台。人们在参与文化活动的过程中，不仅增进了彼此的了解和友谊，还营造了一种和谐、积极的社区氛围，这无疑也会增强百姓的幸福感。最后，复兴乡愁还有助于提升乡村的整体形象和知名度，吸引外界更多的关注和资源投入。这不仅可以为乡村带来更多的发展机遇，还能让乡村居民感受到家乡的发展和进步，从而增强他们的幸福感。

综上所述，复兴乡愁对于提升百姓幸福感具有重要意义。它不仅关乎文化传承和旅游经济，更在于通过激发人们的家乡情感、促进经济发展、加强社区凝聚力和提升乡村形象等多方面的努力，让百姓切实感受到家乡的美好和进步，从而提升他们的幸福感。

4

乡愁中国：我国乡村文旅融合发展的现状分析

20世纪70年代，乡村旅游作为现代旅游文化中的一项新事物，在欧美、日本等国家迅速崛起。美国和澳大利亚以农庄和牧场为主体，配备设施齐全的旅馆，供游客留宿居住。每到瓜果成熟的季节，各农庄纷纷刊登报纸和电视广告，以招揽游客前往游玩。苏格兰乡村旅游以农舍为卖点，宽大的庭院、浓郁的田园气息、村民的质朴热情成为鲜明特色。日本乡村旅游则主打“民宿风”，原生态的自然环境，一尘不染的榻榻米、地板和窗户，新鲜打捞的生猛海鲜，各项服务堪与五星级酒店媲美。

受海内外市场和需求的推动，20世纪90年代我国也开始出现以休闲观光、瓜果采摘等为代表的传统乡村旅游方式。有学者将国内游客参加频率和重游率最高的乡村旅游项目概括为三类：一是以“住农家屋、吃农家饭、干农家活、享农家乐”为内容的民俗旅游；二是以收获各种农产品为主要内容的采摘旅游；三是以春节、元宵节、端午节、重阳节等民间传统的节庆活动为内容的乡俗节庆旅游[1]。随着消费升级及个性化需求的增加，我国乡村旅游与休闲农业已向观光、休闲、度假复合型转变，从观光式旅游过渡为度假式深度体验游，其产品逐渐向多样化、融合化和个性化方向发展。

4.1

我国乡村文旅融合发展的政策演化

2010年8月，《农业部、国家旅游局关于开展全国休闲农业与乡村旅游示范县和全国休闲农业示范点创建活动的意见》发布，要求加快培育一批生态环境优、产业优势大、发展势头好、示范带动能力强的全国休闲农业与乡村旅游示范县和一批发展产业化、经营特色化、管理规范化、产品品牌化、服务标准化的休闲农业示范点，引领全国休闲农业与乡村旅游持续健康发展。计划利用3年时间，培育100个全国休闲农业与乡村旅游示范县和300个全国休闲农业示范点。2014年3月，文化部关于贯彻落实《国务院关于推进文化创意和设计服务与相关产业融合发展的若干意见》的实施意见出台，鼓励文化创意和设计服务进入旅游业，支持建设富有文化特色与内涵的休闲街区、特色村镇、旅游度假区，加快培育文化旅游精品。

以“乡村文化旅游”“乡村旅游”“文化”为关键词，通过国务院政策文件库、中

---

[1] 王兵.从中外乡村旅游的现状对比看我国乡村旅游的未来[J].旅游学刊，1999（02）：38-42，79.

华人民共和国文化和旅游部网站以及“北大法宝”法律法规数据库，搜索标题中含有关键词或全文中关键词出现频率高的政策，并将效力级别较低的政策解读、建议提案答复、其他函件等予以删除，最终可以获得2013—2023年十一年间我国关于乡村文化旅游融合的243项政策样本（表4.1）。

对243项政策样本展开统计分析，可以梳理出2013—2023年乡村文旅融合政策的发布数量变化、文本结构、制发主体等总体情况。对文本标题和内容展开微词云分析，在分词基础上，将政策文本化句成词，统计词频，再进一步制作成词云图，可以直观呈现政策主题和热点内容的变化趋势。

表4.1 2013—2023年乡村文化旅游融合政策文本分类

政策分类	数量/个	政策分类	数量/个
法律	4	国务院规范性文件	18
行政法规	9	部门规范性文件	100
部门规章	19	部门工作文件	93

4.1.1 乡村文旅融合政策的“量变趋势”

（1）政策文本数量演变

基于收集的243项政策文本，可以绘制出2013—2023年乡村文化旅游融合相关政策文本的数量变化趋势图（图4.1）。

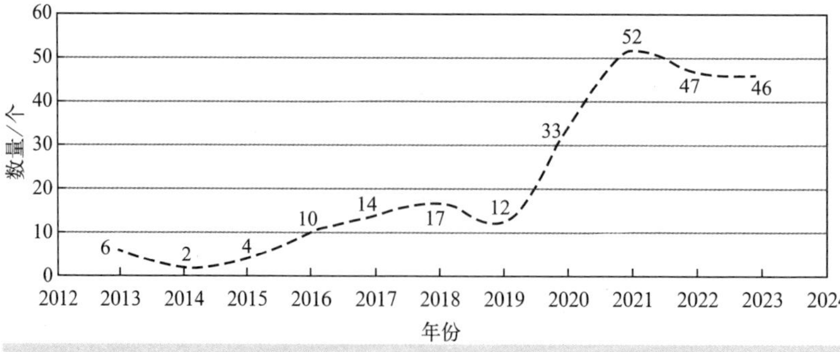

图4.1 2013—2023年乡村文化旅游融合政策文本数量变化

数据显示，党的十八大以来，党中央和国务院将乡村旅游纳入“三农”工作和乡村振兴战略总体布局之中，历年“中央一号文件”均对乡村旅游发展作出安排。近十年乡村旅游系列政策规划和举措密集出台，政策数量总体呈上升趋势。2014年11月，国家发展改革委、原国家旅游局等7部门发布《关于实施乡村旅游富民工程推进旅游扶贫工作的通知》；2015年11月，中共中央、国务院发布《关于打赢脱贫攻坚战的决定》，要求发展特色产业脱贫，“依托贫困地区特有的自然人文资源，深入实施乡村旅游扶贫工程”；2016年9月，原国家旅游局、国家发展改革委等12部门发布《乡村旅游扶贫工程行动方案》；2017年7月，国家发展和改革委员会等14部门联合印发《促进乡村旅游发展提质升级行动方案（2017年）》；2018年11月，文化和旅游部等17部门印发《关于促进乡村旅游可持续发展的指导意见》；2021年4月颁布《中华人民共和国乡村振兴促进法》。旅游与扶贫相结合，以旅游带动脱贫致富。系列政策措施对促进乡村旅游发展发挥了重要作用。

（2）政策类别结构

从政策类别看，规范性文件的数量最多，共118项，占总政策文本数量的48.6%。其中国务院规范性文件18项，占总政策文本数量的7.4%；部门规范性文件100项，占总政策文本数量的41.2%。另外部门工作文件93项，占比38.3%；部门规章19项，占比7.8%；行政法规9项，占比3.7%；法律4项，占比1.6%（图4.2）。

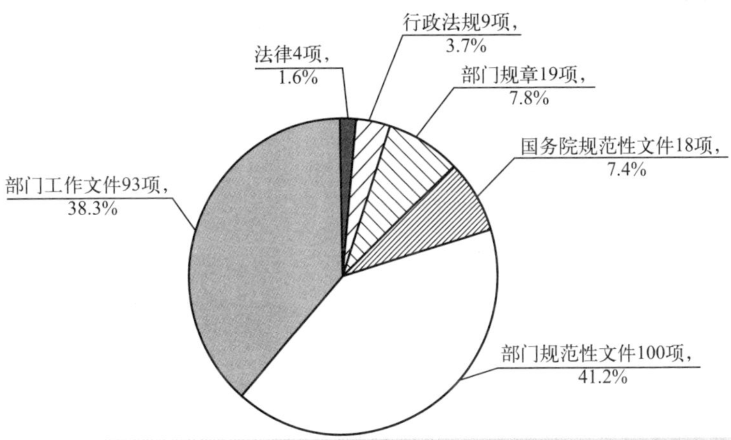

图4.2　2013—2023年乡村文化旅游融合不同类别政策文本数量

特别是自2020年以来，与文旅融合发展相关的部门规范性文件和工作文件总量明显增多。2020—2023年每年两类文件总和分别达到30项、47项、38项、42项。2021年《中华人民共和国乡村振兴促进法》《“十四五”文化和旅游发展规划》等法律和文件的出台，以及随后《关于做好2022年全面推进乡村振兴重点工作的意见》《关于开展文化产业赋能乡村振兴试点的通知》等重要文件的制发，使乡村文旅融合发展开始走上高位推进、规划先行的发展期。人才、资金、项目、消费等要素持续向乡村流动，乡村文旅发展活力不断增强，乡村振兴新动能日渐培育壮大。各地方政府紧跟中央步伐，出台文件、编制规划、健全机制，推动乡村文旅融合发展，形成了从全国到地方“一盘棋谋划、一体化推进”的良好工作局面（表4.2）。

表4.2　2023年国家和地方出台的推动乡村文旅融合发展的代表政策及内容

时间	文件名	政策内容
2023.01	中共中央、国务院《关于做好2023年全面推进乡村振兴重点工作的意见》	实施文化产业赋能乡村振兴计划，实施乡村休闲旅游精品工程
2023.01	文化和旅游部、教育部等5部门《关于开展文化产业赋能乡村振兴试点的通知》	2022—2025年，遴选两批试点县（市、区）共计100个左右，形成可复制可推广的典型经验做法
2023.05	文化和旅游部、农业农村部印发《乡村文化和旅游带头人支持项目实施方案（2023—2025年）》	2023年至2025年，每年培养支持500名左右的全国乡村文化和旅游带头人，各省级文化和旅游、农业农村部门根据实际情况培养支持一定数量的省级乡村文化和旅游带头人
2023.06	文化和旅游部、中国银行《关于金融支持乡村旅游高质量发展的通知》	从“加大信贷投放”“推进产品创新”“开展综合服务”等方面，加大对乡村旅游高质量发展的金融支持
2023.04	山东省文化和旅游厅、山东省发展和改革委员会等8部门联合印发《关于推进乡村旅游高质量发展的实施方案（2023—2025年）》	保护挖掘齐鲁大地农耕文化、民俗文化，加快观光旅游向休闲度假转变，打响“好客山东・乡村好时节”品牌，推动集聚化、精致化、特色化、时尚化发展
2023.06	湖南省文化和旅游厅等19部门联合印发《关于进一步推动文化和旅游赋能乡村振兴的若干措施》	发挥旅游带动作用，推动旅游富民，让人民群众共享文化和旅游发展成果
2023.09	湖北省出台《关于推动文旅深度融合加快新时代湖北旅游业高质量发展的意见》	推出旨在优化战略布局、提升文旅产品供给质量、培育市场主体、基础设施提档升级、擦亮文旅品牌等24条举措

续表

时间	文件名	政策内容
2023.11	广西壮族自治区人民政府办公厅印发《关于推进文化旅游业高质量发展的若干措施》	加快建设桂林世界级旅游城市和世界旅游目的地，打造文化旅游强区

（3）政策制发主体变迁

统计分析发现，2018年以前大部分政策由原文化部、原国家旅游局或原农业部单独或联合制发，制发主体涉及超过3个部门的很少。2018年3月，组建中华人民共和国农业农村部和中华人民共和国文化和旅游部。此后，虽然大部分乡村文旅融合的政策文件还是由文化和旅游部制定，但制发部门超过5个的重要文件相继出现。特别是从2018年开始，国家发展和改革委员会、工业和信息化部、教育部、财政部等多部门开始参与政策制定。如2018年11月，文化和旅游部、国家发展改革委、工业和信息化部等17部门联合印发《关于促进乡村旅游可持续发展的指导意见》的通知，要求实施乡村旅游精品工程，培育农村发展新动能，促进乡村旅游可持续发展；2021年3月，国家发展改革委、工信部等28部门出台关于印发《加快培育新型消费实施方案》，指出深入发展数字文化和旅游，加强文创商店、特色书店、小剧场、文化娱乐场所、艺术展览、沉浸式体验型项目等多种业态集合；2022年11月，文化和旅游部、中央文明办等14部门印发《关于推动露营旅游休闲健康有序发展的指导意见》，强调坚持绿色发展理念，倡导低碳环保、生态自然等绿色旅游发展模式，引导人民群众亲近自然，保护生态环境。2013—2023年乡村文化旅游融合多部门联合出台的重要政策如表4.3所示。

表4.3　2013—2023年乡村文化旅游融合多部门联合出台的重要政策

时间	发文机关	文件名
2018.04	文化和旅游部、外交部等10部门	《关于印发内蒙古满洲里、广西防城港边境旅游试验区建设实施方案的通知》
2018.11	文化和旅游部、国家发展改革委等17部门	《关于促进乡村旅游可持续发展的指导意见的通知》
2018.12	中央农办、农业农村部等8部门	《关于推进农村“厕所革命”专项行动的指导意见》

续表

时间	发文机关	文件名
2019.04	国家邮政局、国家发展改革委等7部门	《关于推进邮政业服务乡村振兴的意见》
2021.03	国家发展改革委、工信部等28部门	《加快培育新型消费实施方案》
2021.04	农业农村部、国家发展改革委等10部门	《关于推动脱贫地区特色产业可持续发展的指导意见》
2021.04	财政部、国家发展改革委等11个部门	《关于继续支持脱贫县统筹整合使用财政涉农资金工作的通知》
2021.08	交通运输部、公安部等9部门	《关于推动农村客运高质量发展的指导意见》
2021.08	文化和旅游部、中央宣传部等8部门	《关于进一步推动文化文物单位文化创意产品开发的若干措施》
2022.03	文化和旅游部、教育部等6部门	《关于推动文化产业赋能乡村振兴的意见》
2022.06	文化和旅游部、教育部等10部门	《关于推动传统工艺高质量传承发展的通知》
2022.07	文化和旅游部、公安部等10部门	《关于促进乡村民宿高质量发展的指导意见》
2022.11	文化和旅游部、中央文明办等14部门	《关于推动露营旅游休闲健康有序发展的指导意见》
2023.01	文化和旅游部、教育部等5部门	《关于开展文化产业赋能乡村振兴试点工作的通知》
2023.04	文化和旅游部、交通运输部等6部门	《关于开展交通运输与旅游融合发展典型案例推荐遴选工作的通知》
2023.10	中央宣传部、文化和旅游部等13部门	《关于加强文物科技创新的意见》

发布政策的部门数量在一定程度上能够表明该政策的重要性、政策涉及领域的广泛性。以上统计也侧面反映出乡村文化旅游融合综合性较强，需要多部门合力推动。政策的制定和执行需要与相关主体合作，广泛收集信息，建立有效的信息共享机制，强化政策的

可接受性和可执行力。

4.1.2 乡村文旅融合政策的“质变趋势”

将2013—2023年间乡村文化旅游融合的政策文本导入微词云，可以看出我国乡村文化旅游融合政策导向经历了从“旅游精准扶贫”到“培育特色产业旅游富民”再到“高质量发展”的演化路径。近年来，以“典型案例”“示范项目”“遴选活动”为抓手，培育“全国旅游服务质量标杆单位”和“标杆培育试点单位”，打造“中国乡村旅游创客示范基地”“中国优秀国际乡村旅游目的地”，推出全国乡村旅游重点村和全国乡村旅游重点镇（乡），实现品牌赋能，强化示范引领作用（图4.3）。

图4.3 2013—2023年乡村文化旅游融合政策文本词云

2023年2月，中共中央、国务院印发《关于做好2023年全面推进乡村振兴重点工作的意见》，要求实施文化产业赋能乡村振兴计划，实施乡村休闲旅游精品工程，推动乡村民宿提质升级。当下，农文旅融合发展已经成为推动乡村全面振兴的重要方向，为乡村发展注入了新动能。全国各地全面推进乡村文化和旅游提质升级，制定出台一系列政策措施，建设实施一批乡村文化和旅游重大项目，为持续推进文化和旅游赋能乡村振兴奠定了坚实基础。结合前文对2013—2023年间我国乡村文化旅游融合政策的分析，可以得出以下趋势。

（1）政策设定逐渐从宏观趋向微观

乡村文化旅游融合发展的政策设定逐渐从宏观向微观、从“面”的关注转向对具体工作的指导。随着《中华人民共和国旅游法》《中华人民共和国文物保护法》《中华人民共和国公共文化服务保障法》等法律的颁布，以及《旅游安全管理办法》《国家级文化生态保护区管理办法》《国家级非物质文化遗产代表性传承人认定与管理办法》等部门规章的出台，乡村文旅融合发展的各类规范性文件趋于完善。政府在财政、制度、优惠支持等方面的一系列协调操作，营造了乡村文旅融合发展的诸多利好和良好氛围。各种工作计划、资金扶持、遴选办法等与乡村发展实际结合得更为密切，强调可操作性和执行性。

（2）关注经验共享和模式总结

乡村文旅融合发展的模式总结和经验共享得到高位推进。2022年，国家乡村振兴局在全国开展乡村特色文化艺术典型案例征集，按照文化创意类、文化演出类、工艺美术类、数字产业类、文旅融合类、创新发展类和其他类型等7个类别遴选典型案例146个，并发挥中国文化艺术发展促进会作用，积极开展推介活动。2023年，国家乡村振兴局启动开展第二批典型案例征集，传承弘扬优秀农耕文化。文化和旅游部多次开展文旅融合赋能乡村振兴优秀案例遴选，发挥文旅融合赋能乡村振兴的“头雁”作用。为充分发挥浙江省推进共同富裕示范区建设的示范带动作用，2023年11月，文化和旅游部会同浙江省深入调研梳理，并发布《浙江文化和旅游赋能高质量发展建设共同富裕示范区第一批典型经验》的通知，为各地提供有益借鉴。

（3）强调品牌培树和文化挖掘

乡村文旅融合发展总体从供给侧改革走向需求侧改革，品牌培树和文化挖掘成为发力点。从国家旅游局《关于进一步做好当前旅游扶贫工作的通知》，文化和旅游部、国务院扶贫办、中国农业发展银行《关于印发全国金融支持旅游扶贫重点项目推荐名单的通知》，到全国乡村旅游重点村遴选、全国乡村旅游重点村镇建设、“非遗工坊典型案例”、首批文化产业赋能乡村振兴试点名单（表4.4），乡村文旅融合发展已经从最初的精准扶贫、旅游扶贫，走向主动造血、追求品牌和特色的高质量发展新阶段。目前大部分乡村已经完成了乡村道路、通信网络、水电卫生、民宿等旅游基础设施条件的建设。如何发挥文化赋能优势和旅游带动作用，促进文化产业和乡村旅游高质量发展，成为未来发展的工作重心和着力点。

表4.4　首批文化产业赋能乡村振兴试点名单（63个）

省（区、市）	文化产业赋能乡村振兴试点
北京市	平谷区、门头沟区
天津市	蓟州区
河北省	衡水市武强县、保定市阜平县、雄安新区雄县
山西省	晋城市泽州县
内蒙古自治区	赤峰市喀喇沁旗、鄂尔多斯市伊金霍洛旗
辽宁省	大连市旅顺口区
吉林省	白山市抚松县、白城市洮南市
黑龙江省	伊春市铁力市、双鸭山市宝清县
上海市	金山区、奉贤区
江苏省	南通市海门区、宿迁市宿城区
浙江省	丽水市松阳县、湖州市吴兴区
安徽省	安庆市潜山市、芜湖市湾沚区
福建省	龙岩市永定区、南平市建阳区
江西省	萍乡市湘东区、九江市武宁县
山东省	临沂市沂南县、潍坊市诸城市
河南省	洛阳市栾川县、信阳市光山县、焦作市修武县
湖北省	黄石市大冶市、十堰市丹江口市
湖南省	岳阳市平江县、株洲市炎陵县、湘西土家族苗族自治州凤凰县
广东省	佛山市南海区、广州市从化区
广西壮族自治区	桂林市龙胜各族自治县、河池市巴马瑶族自治县、柳州市三江侗族自治县
海南省	琼海市
重庆市	南川区、奉节县
四川省	绵阳市北川羌族自治县、阿坝藏族羌族自治州壤塘县
贵州省	黔东南苗族侗族自治州榕江县、遵义市正安县
云南省	大理白族自治州剑川县、丽江市永胜县
西藏自治区	昌都市卡若区、拉萨市达孜区
陕西省	西安市鄠邑区、汉中市留坝县、渭南市潼关县
甘肃省	张掖市甘州区、天水市麦积区
青海省	海东市互助土族自治县
宁夏回族自治区	固原市隆德县、中卫市沙坡头区
新疆维吾尔自治区	克拉玛依市乌尔禾区、巴音郭楞蒙古自治州库尔勒市
新疆生产建设兵团	第四师可克达拉市

截至2023年12月，文化和旅游部会同国家发展改革委联合开展全国乡村旅游重点村镇名录建设工作，先后推出共1399个全国乡村旅游重点村，298个全国乡村旅游重点镇（乡）；经各地推荐、专家评审和网上公示，公布100个县（市、区、旗）为2023年国家乡村振兴示范县创建单位和256个村落为2023年中国美丽休闲乡村，推广可复制的路径模式，引领带动同类地区乡村全面振兴。

4.2 我国乡村文旅融合发展的市场态势

在文旅融合政策引导下，近年来我国乡村旅游得到了快速发展，催生了一批全国乡村旅游重点村，例如以关中特色小吃为主打、沉浸体验关中生活方式的陕西袁家村，从深度贫困村蝶变为红色样板、主打苗族文化和民俗盛宴的湘西十八洞村，将艺术融入乡野、打造文化艺术新地标的成都明月村等。由此可见，政策是驱动乡村文化旅游融合的重要引擎。对近十年我国乡村文化旅游融合政策进行系统梳理，可以深度把握其演化逻辑及预测未来走向，为乡村文旅融合未来发展提供参考。

4.2.1 我国乡村旅游市场发展概况

（1）我国乡村旅游市场逐步回暖

数据显示，2011年至2019年国内旅游总收入呈稳步增长趋势。2020年国内旅游市场人次和收入有所下降。2021年国内“低迷”的旅游市场逐步“回暖”。2022年中国国内旅游人次总计25.3亿，国内旅游收入达到20444亿元。2023—2024年，随着管控不断优化，居民外出旅游消费欲望增强，国内旅游市场迎来复苏。2023年国内出游人次达到48.91亿，比上年同期增加23.61亿，同比增长93.3%；国内旅游收入达到4.91万亿元，比上年增加2.87万亿元，同比增长140.3%[1]（图4.4）。得益于政府出台的一系列关于推动旅游业发展的多项措施和政策，国内旅游市场活力正在逐步恢复。

---

[1] 文化和旅游部. 2023年国内旅游数据情况[N/OL]. 中国政府网，2024-02-10[2024-12-12]. https://www.gov.cn/lianbo/bumen/202402/content_6931178.htm.

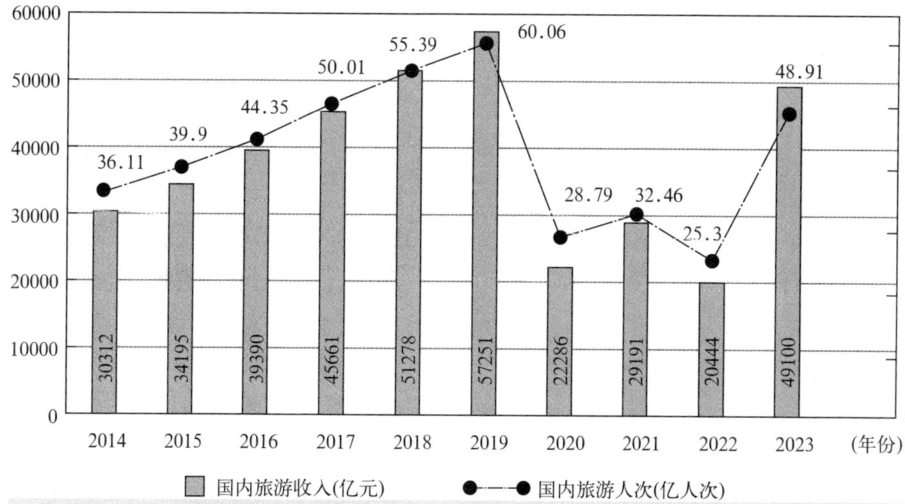

图4.4 2014—2023年中国国内旅游人次及旅游收入

（数据来源：中华人民共和国文化和旅游部公开数据）

（2）乡村旅游人均消费偏低

据iiMedia Research（艾媒咨询）调查统计，2023年超过七成的中国乡村旅游消费者人均消费在900元以内。其中，乡村旅游消费金额在300～600元之间的消费者占41.8%；601～900元之间的消费者占30.6%，另有3.9%的消费者花费金额低于300元（图4.5）。乡村旅游人均消费金额偏低，与旅途时间短有着直接的关系。从受众调查看，大多数乡村旅游消费者是“和家人同行”，旨在增进家庭成员之间的感情，或者是亲子主题教育和互动体验。因此，乡村旅游一般都属于短途旅行，消费者自驾去城市近郊或者省内特色乡村，

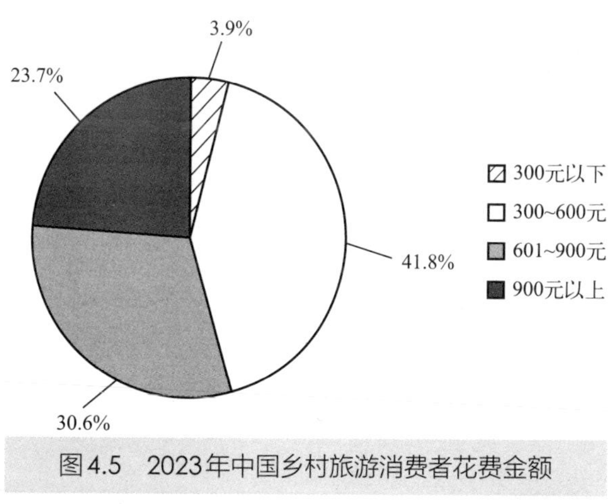

图4.5 2023年中国乡村旅游消费者花费金额

很多时候都是一天往返，或者在当地居住一夜后返程。从消费形态看，消费者乡村旅游消费主要用于吃和住，在文旅深度体验和文创产品购买方面的消费占比总体偏低，未来还有很大发展空间。

4.2.2 我国乡村旅游示范村建设

2019年7月25日，文化和旅游部、国家发展改革委联合印发《关于公布第一批全国乡村旅游重点村名单的通知》。按照《“十三五”旅游业发展规划》《国务院关于促进乡村产业振兴的指导意见》提出的建立乡村旅游重点村名录要求，在各地遴选推荐的基础上，经专家评审和公示，文化和旅游部、国家发展改革委决定将北京市怀柔区渤海镇北沟村等320个乡村列入全国乡村旅游重点村名录。列入名录的全国乡村旅游重点村将优先享受国家有关支持政策。随后，2020年8月、2021年8月、2022年12月先后公布了第二批、第三批和第四批乡村旅游重点村名单，并于2023年底发布了《关于做好第五批全国乡村旅游重点村镇遴选推荐和全国乡村旅游重点村考核评估工作的通知》，启动新一批全国乡村旅游重点村镇（以下简称“重点村镇”）遴选推荐工作，并对第一批全国乡村旅游重点村进行考核评估。

（1）我国乡村旅游重点村全面开花

截至2023年12月，文化和旅游部会同国家发展改革委联合开展全国乡村旅游重点村镇名录建设工作，先后推出共1399个全国乡村旅游重点村。从表4.5可以发现，全国乡村旅游重点村数量最多的省份为新疆维吾尔自治区及新疆生产建设兵团，总量达到78个。乡村旅游重点村数量超过50个的省份有：浙江54个、江苏53个、湖北52个、贵州52个、江西51个、云南50个。

表4.5 全国乡村旅游重点村省份分布

地区	第一批	第二批	第三批	第四批	合计
北京	9	23	6	6	44
天津	7	11	5	5	28
河北	11	24	7	7	49
山西	8	18	7	6	39
内蒙古	9	15	6	6	36
辽宁	9	21	5	6	41

续表

地区	第一批	第二批	第三批	第四批	合计
吉林	8	19	6	6	39
黑龙江	10	21	6	6	43
上海	6	11	5	5	27
江苏	13	26	7	7	53
浙江	14	26	7	7	54
安徽	12	22	7	6	47
福建	11	26	6	6	49
江西	12	25	7	7	51
山东	10	24	7	7	48
河南	10	21	7	7	45
湖北	11	27	7	7	52
湖南	11	23	7	7	48
广东	10	22	7	6	45
广西	11	22	7	7	47
海南	8	16	5	5	34
重庆	9	20	6	6	41
四川	12	23	7	7	49
贵州	12	26	7	7	52
云南	13	23	7	7	50
西藏	9	21	5	6	41
陕西	11	23	6	6	46
甘肃	12	20	6	6	44
青海	8	20	5	6	39
宁夏	9	20	5	6	40
新疆	15	41	11	11	78
合计	320	680	199	200	1399

（2）乡村旅游重点村空间分布差异明显

运用 ArcGIS10.7空间分析工具，绘制乡村旅游重点村核密度图，可见全国乡村旅游重点村整体呈现出“一极、一带、多核、连片”的空间分布特征。“一级”是新疆；“一带”是长江经济带，覆盖上海、江苏、浙江、安徽、江西、湖北、湖南、重庆、四川、云南、贵州等11个省市，这些城市人口众多，旅游市场需求旺盛，对乡村旅游发展具有较大促进作用；“多核”是以京津冀、黑龙江、渝西南、陕甘宁等为核心呈现连片趋势。丰富的历史遗存、粗犷雄浑的大漠风光、绚丽的民族风情孕育了多彩秀丽的乡村旅游资源。从整体看，北京、上海和天津作为经济发达的直辖市，其乡村旅游重点村分布稠密，总体发育程度好；山西、内蒙古、吉林、海南、青海等地因为海拔高，地广人稀，位置偏远，社会经济发展水平相对弱，乡村旅游重点村数量也偏少，乡村旅游发育程度有待进一步提升。

4.2.3 乡村旅游消费群体及偏好分析

（1）我国乡村旅游消费者以年轻群体为主

艾媒咨询《2023—2024年中国乡村旅游发展现状及旅游用户分析报告》显示，中国乡村旅游消费群体中19～35岁的消费者是主力，占比达64.8%；36～50岁的消费者位居第二梯队，占比达32.8%。从性别比例看，女性消费者为主，占比达62.8%。从职业分布看，乡村旅游消费者中企业职员占比超过一半，达到了56.4%（图4.6）。

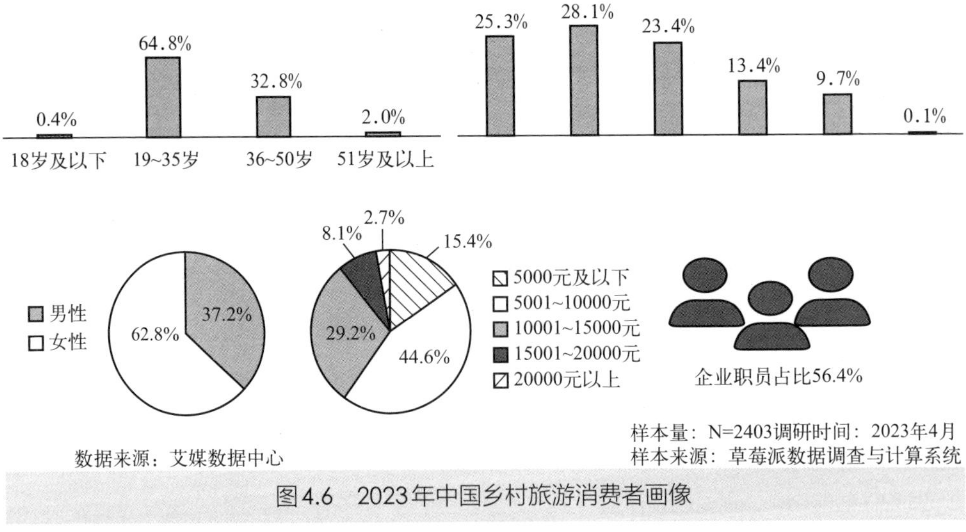

图4.6 2023年中国乡村旅游消费者画像

（2）乡村生态景观对游客构成足够吸引力

乡村旅游业态逐渐多样化，消费者逐渐从传统的农家乐向生态观光、健康养生转变。艾媒咨询数据显示，2023年，70.2%的游客选择了生态风光型乡村旅游产品，森林、河流、峡谷、花海、湿地、梯田等生态景观对他们构成了足够的吸引力；农家乐、牧场、农场、蔬果采摘园等乡村体验型产品位居第二，吸引了65.8%的游客；另有54.9%的游客选择了度假村、温泉、中医、康复疗养等健康养生型旅游（图4.7）。由此可见，随着乡村旅游的发展，单一的产品形态和旅游模式已无法满足游客多元化、个性化的需求。乡村旅游需要在创新体验上下功夫，打造更加丰富、有深度、有特色的旅游产品。

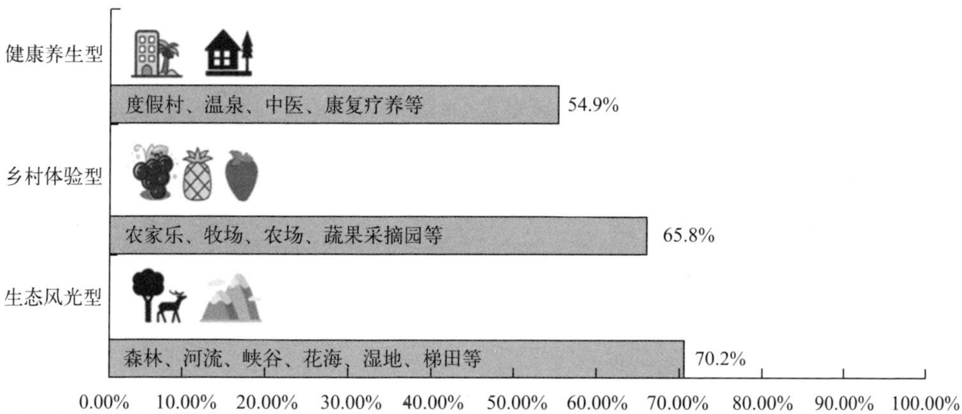

图4.7　2023年中国乡村旅游消费者选择旅游产品类别

（根据艾媒咨询《2023—2024年中国乡村旅游发展现状及旅游用户分析报告》数据整理绘制）

（3）乡村环境、文化和美食是游客注重的三大因素

乡村旅游过程中，“舒适的自然环境”是游客看重的首要因素，占比达到66.5%；“特色的民俗文化”和“独特的风味美食”处于第二阵营，分别占比56.7%和56.6%；同时，“合理的旅游价格”“多样化的体验服务”“便利的交通条件”也对游客起到重要影响（图4.8）。在乡村旅游发展如火如荼的今天，各地政府及乡村旅游开发商应关注消费者注重的因素，以保护当地优美的生态环境为前提，完善基础设施建设，为游客提供便利的交通和食宿服务，同时注重地域文化的挖掘和传承，凸显乡村特质，实现差异化竞争。

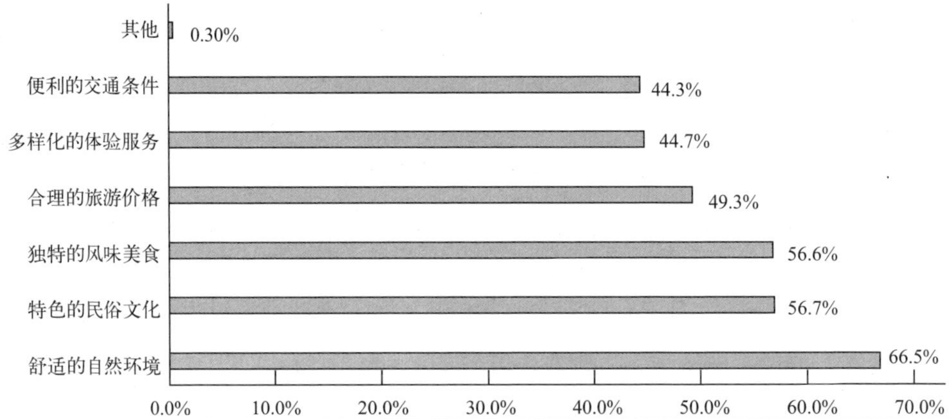

图4.8　2023年中国乡村旅游消费者注重因素

（根据艾媒咨询《2023—2024年中国乡村旅游发展现状及旅游用户分析报告》数据整理绘制）

4.3

乡愁记忆与乡村旅游融合的典型样本

4.3.1　内冲瑶族村：留住乡愁生态

湖北省咸宁市通城县大坪乡内冲瑶族村位于湘鄂两省交界的药姑山西南端、通城县大坪乡西北部，地处湖北赤壁、崇阳、通城和湖南临湘两省四县交界处，距通城县城25公里，距杭瑞高速北港出口、武深高速石南出口均在10公里左右，是一个古老的瑶族村寨，也是瑶族的发祥地（图4.9）。史料记载，约8000年前，瑶民的先人在江汉平原一带创造了长江中游的新石器文化。随后部分瑶民向北扩张，逐鹿中原，后因战争原因转而向南迁徙。《通城县志》记述：“元代前通城为汉瑶杂居地，后因战乱，瑶民渐入湖南。”南宋马子严撰的《岳阳甲志》载：“龙窖山（药姑山）在巴陵北，山实峻极，上有雷洞，有石门之洞，山徭居之，自耕而食，自织而衣。”2009年经县政府批准正式设立内冲瑶族村。

近年来，内冲瑶族村依托优良的生态资源和独特的历史文化资源，抢抓乡村振兴机遇，不仅让古瑶文化得到了传承和激活，也推动了当地经济发展和百姓增收。

图4.9　内冲瑶族村（“通城旅游”公众号）

（1）保护自然基因，厚植生态文明

坐落于药姑山麓的内冲瑶族村，共享药姑山的优良生态资源。药姑山属省级自然保护区，森林覆盖率高达90%，雨水四季丰沛，得天独厚的地理环境孕育了药姑山的生态资源禀赋，成就了“江南天然药库”的美誉。据说，明朝名医李时珍来到药姑山采集药材，不禁发出“药姑山上百草全，只缺甘草与黄连”的咏叹。内冲瑶族村采取了多种手段，对药姑山上千年古栗树、华山松、蕲蛇等珍稀动植物资源进行保护；对钩藤、黄精、七叶一枝花等野生中药材进行保护。

2018年，该村整合资源，打造了“瑶乡药谷”景区（图4.10），范围北至药姑山灵溪峡人工高山水坝，南至内冲村村庄，峡谷全长约1000米，总设计研究面积约8.63公顷。景区包含了“一轴三区十八景”，“一轴”是指瑶乡药谷轴，“三区”是入口服务区、瑶族文化体验区、药谷自然生态体验区。主要包含瑶乡图腾、百草园、古瑶遗址、当归桥、药谷三叠泉、东壁听溪等22个景点，水景规划为四滩五潭九叠瀑。全长2200米的游人步道由木板铺成，贯穿起古瑶村内各个大小景点。沿途风景秀丽、空气清新，满眼绿色，让人心旷神怡，每立方米空气中富含超过2万个负氧离子，堪称“鄂东南天然大氧吧”。漫步瑶乡药谷，可以远离城市喧嚣，听流水潺潺，闻鸟鸣啾啾，享山水之趣，忘世间烦忧。

图4.10　瑶乡药谷（“通城旅游”公众号）

村内核心区域于2022年成功创建为国家AAAA级旅游景区，并先后获得了中国传统村落、国家森林乡村、第三批全国乡村旅游重点村、中国古瑶文化传承展示基地、湖北省旅游名村、省级美丽乡村典型示范村、湖北省生态保护区、湖北省重点文物保护单位、湖北省瑶文化之乡、湖北省拍打舞艺术之乡、中国天然氧吧、文艺创作基地等多项荣誉。

（2）挖掘图腾文化，提炼景观符号

瑶族原始图腾中隐含文化基因，少数民族盛行各种图腾崇拜。瑶族村最醒目的标志还是牛头铜鼓。在瑶族的口头文学中，传说很久以前瑶族人民生活在穷山恶水中，刀耕火种，生活艰难，玉帝得知后就派牛王下凡来耕田。自从牛王来到人间后，瑶家人年年风调雨顺、五谷丰登。因此，牛崇拜也成为瑶族群众崇拜祖先、重视农耕和祈求丰产等文化的外在表现，铜鼓更是被瑶族群众视为具有生命意义的乐器与神物。内冲瑶族村将这些瑶族文化基因进行挖掘整理，村口门廊造型由巨石、牛头、铜鼓构成，路灯采用牛角造型。占地面积一万多平方米的“瑶望千年广场”上，两只高达15米的巨大牛角拱着一面直径近9米的巨大铜鼓，构成了古瑶村的文化地标。铜鼓又叫铓锣，卷边，中央有一拳头大小的凸点，是瑶民集会、战争、大型节日祭祀、庆典的响器，素有“铜鼓一响，全部到场”之说，常与牛角号配合使用。而牛角号是峒长联络龙窖山9洞主的信号，号音有十数种，汇众、敌情、紧急、呼唤等事项均有区别。

（3）梳理垒石文化，打造文化空间

药姑山古瑶村景区内留有大量的建筑遗存，包括瑶族石屋、石井、石坟、石祭祀台、石神庙、石门、石街、石桥等，它们都是瑶族先民的生活遗迹和原始文化遗址，具有极高的历史和文化价值（图4.11）。据不完全统计，药姑山目前有垒石屋场近200个，石

水渠20多公里长，被石头垒成的道路长40多公里，石井1300多个。这些“垒石遗存”散见于药姑山及周边地区。石神庙是瑶民们用来祭祀的场所，而这些庙也都是用石片垒砌而成的。目前鄂南药姑山还残存有数十个石神庙。民俗研究专家还曾发掘出一块重量达300多斤的石神台，该石神台是迄今为止发现最为完整的石神台。这座石神台长0.73米，宽0.35米，高0.59米，台面刻有狗头图案，四周刻着虎爪图案。狗作为瑶民的图腾，跟瑶民居住在大山靠狩猎为生分不开。在药姑山崇山峻岭间，各种石寨、石屋、石墓、石庙等遗址散落，石臼、石缸、石磨等生活用品随处可见，其数量之多、分布之广，足以显示曾有大量瑶民在此长期居住生活。

图4.11　内冲瑶族村石屋、石井（“通城旅游”公众号）

该村将这些散落在山野之间、独具族群特色的垒石文化进行了梳理，对大风磅、石神庙、古民居等遗址遗迹进行保护，同时，打造古瑶文化陈列馆（图4.12）。陈列馆在原古瑶遗址上改造而成，房屋面积1800平方米，设展厅21间，收藏大小文物1700多件，展出186件，有瑶乡发源、盘祖传说、瑶民变迁、盘王塑像、犬首图案神台、瑶族图腾，有古瑶村的史实、县志、府志、族谱等历史证据，以及千家峒古遗址的垒石文化地名图案、古瑶民的生活用品、捕猎器具等，成为游客了解神秘古瑶文化的重要窗口。

图4.12　瑶族垒石遗址与古瑶文化陈列馆

（4）活化生活文化，深化旅游体验

该村发挥瑶文化研究会等民间学术组织作用，加强与各地瑶学会沟通交流，对已有古瑶考古和学术成果进行整理，为古瑶文化研究提供佐证和参考。《瑶乡拍打舞》分别登上央视《故乡》《舞蹈国际》栏目；长江商报《“东方吉卜赛人”瑶族发源地探秘》、《武汉都市圈》杂志《探秘药姑山》、咸宁日报《寻觅药姑山》等专题报道，深度展示了药姑山文化魅力。

同时，该村大力发展“非遗+旅游”体验模式，发动村民人人参与穿瑶服、学拍打舞活动，开展演出竞赛；推出拍打舞、竹竿舞、长鼓舞等瑶族特色演艺节目。游客进入景区后，瑶族阿哥阿妹们早早站在门楼前，手捧醇香米酒，唱起瑶族敬酒歌：“阿妹站在寨门口，手捧一碗拦门酒，贵客你若进寨来呀，先喝一碗拦门酒……”能歌善舞的瑶家人，拦门酒、长桌宴，让游客可以充分感受古瑶的热情好客。夜晚瑶望千年广场上的篝火晚会、充满瑶族特色的拍打舞以及五彩斑斓的灯光秀，更是让游客沉浸其中，乐不思归（图4.13）。

图4.13 瑶望千年广场（“通城旅游”公众号）

吃农家饭、住养心屋、赏民俗演艺、登山踏青、吸氧润肺……越来越多的游客将内冲瑶族村作为旅游首选打卡点。一个名不见经传的小山村逐渐转变为“网红村”，村民在家门口就能吃上“旅游饭”、支起“致富摊”。2021年全村共计接待游客29.2万人次，旅游综合收入2824万元；2022年共计接待游客37万人次，旅游综合收入3625.45万元；2023年共计接待游客50万人次，旅游综合收入4782.73万元。目前村民从事演艺、保洁、民

宿、餐饮等涉旅行业人数300余人，人均从旅游业中获得年收入近30000元。2023年9月该村获评中国美丽休闲乡村；2024年1月成功入选湖北省文旅高质量发展创新案例。

4.3.2 江西篁岭：留住乡愁生活

篁岭村位于江西省上饶市婺源县东北部，至今已有近600年历史，被誉为“挂在山崖上的古村”。十几年前，这里也和很多乡村一样，处于“人走、屋空、村散”的发展困境，大量村民外迁，180多户人家只剩下68户。2009年，当地政府引入婺源县乡村文化发展有限公司，以“新村换古村、新房换古宅”的模式，对篁岭进行保护性开发。如今的篁岭，以“篁岭晒秋图”为核心意象打造独具特色的品牌符号、传承徽派建筑神韵、打造万亩梯田景观、推出“流光森林”夜游等新业态，成功打造了中国民俗体验地。

（1）打造“晒秋”超级IP

“晒秋”是篁岭的一项农俗活动。篁岭村坐落在婺源县东部的石耳山脉之中，地势崎岖复杂，自古就有“地无三尺平”的说法。村民为顺应自然地形，习惯利用房前屋后、窗台、屋顶等地方架晒、挂晒衣服和农作物。另一方面，受亚热带气候影响，篁岭村所在地区潮湿多雨，这使得当地的粮食需要经过频繁地晾晒与回收。加之当地是一个盆地套盆地的地形，在很大程度上挡住了四面来风，所以整个村庄里面的风力较小，非常适合晾晒。数百年来，篁岭人将这种晾晒丰收的农作物和果实的场景叫作“晒秋”（图4.14）。

图4.14　篁岭“晒秋”

篁岭“晒秋”民俗是先民生存智慧和顽强生命力的体现，具有不可替代和复制性。每年9月23日丰收节和随后的中秋节、国庆节，是篁岭一年当中最集中、最重要的节庆日。从2009年开始，篁岭村开始将“晒秋”作为黄金卖点不断放大，并赋予更丰富的内涵。从前原生态的“晒秋”，每一季大都只晒同一种东西，要么是黄的玉米，要么是红的辣椒。后来，该村开发出了艺术晒秋，将不同色彩的农作物搭配在一起晒，两三盘黄稻谷、一盘红辣椒、一盘白芸豆、一盘绿青菜，美感顿时提升。2014年国庆前夕，篁岭推出“晒国旗”创意，大妈们用约500斤朝天椒拼出长5.76米、高3.84米的一面巨型国旗，喜迎新中国成立65周年华诞。这一创意吸引了人民日报、中央电视台等媒体报道，篁岭“晒秋”一夜成了热点，还被选入“最美中国符号”。2017年国庆节，篁岭用辣椒、黑豆和稻谷等农作物晒出五星红旗、方志敏画像和“与风景同行，诵家国情怀”等图案（图4.15），庆祝祖国生日，再次引发关注。

图4.15　篁岭艺术“晒秋”——方志敏画像

如今，篁岭“晒秋”不仅是一道景观，更是成为“最美中国符号”。特别是每年秋天丰收之际，徽派民居的木架上摆满了玉米、红辣椒、土豆、豆角等农作物。红的、黄的、白的、绿的……五颜六色的农产品与黑白相间的徽派建筑交错辉映，犹如一幅色彩斑斓的画卷，吸引了国内外游客。更曾有国外友人和“晒秋大妈”一起亲自体验晒秋，感受乡村丰收劳作的喜悦。

（2）传承徽派建筑神韵

婺源被誉为中国古建筑的大观园，篁岭则称得上婺源的浓缩。村里保存了良好的徽式古村落格局和建筑风格。高宅、深井、大厅的结构，独具一格的马头墙，马头翘角，墙面和马头高低进退错落有致；富于美感的黛瓦、粉壁、徽三雕（砖雕、木雕、石雕）装饰，在绿水青山的映衬下，质朴中透着清秀。2009年，当地政府编制了篁岭村整体搬迁安置规划，由婺源县乡村文化发展有限公司出资进行搬迁工作。篁岭总设计师汪万斌带领团队，制定了“保环境、屋上山、貌还原”的整体建设方案，以村落主干道“天街”为主轴，遵循“最小干预”的原则，保留村落与自然交融的山居形式。

该村采用产权置换的方式，先在山下修建新村，让那些无力改造祖居的村民搬到山下。村落原有的120栋原址民居被逐一排危，依照原样翻新加固，修旧如旧。为了不让散落在乡间的徽派古民居濒临倒塌、减少、灭失，篁岭景区还开创了“徽派古建易地搬迁保护模式”，通过异地保护重建、老屋“寄养”的形式，将老百姓无力维修的有价值的古建筑搬迁到篁岭集中保护，让这些古建筑获得新生。据不完全统计，篁岭已经易地搬迁了40多幢徽派古建筑，投资超过1亿元。这些反映徽商精致生活的老宅，丰富了篁岭老村原本缺失的建筑典型性，使其成为婺源老建筑密度最大的村落之一，形成了一座没有围墙的古建“博物馆”（图4.16）。

图4.16　篁岭徽派建筑

村落里的主干道原本是一段狭窄泥泞的土路，地基松垮，崎岖不平，经过改造成为一条贯穿整个村落、500米长的古巷道“天街”。新老交接的徽派民居古建沿着地势排布，特色美食、工匠技艺、传统民俗等业态交错陈列，前店后坊、斑驳马头墙，徽派建筑那些特有的白墙黛瓦、雕梁画栋，构成一幅微缩版的流动“清明上河图”。游客可以在这里领略到原汁原味的古村落风貌，感受中国传统建筑文化的魅力。

（3）深度还原民俗节庆

记忆里的乡俗，是抹不去的乡愁。篁岭通过举办晒秋文化节、花朝节等活动，让传统民俗文化与生态旅游资源得到完美整合。

一是持续举办晒秋文化节，加大对以晒秋为代表的民俗文化的保护与展示。截至2023年8月，晒秋文化节已经举办了九届（表4.6）。活动现场，晒秋大妈、知青男女、庄稼汉队、果蔬时装队等组成的乡村创意表演秀轮番上演（图4.17）。晒秋人家精心准备了特色晒秋丰收宴，各式晒盘盛着南瓜、玉米、腊肉、鱼干等丰收美食，共享丰收喜悦。游客可以品尝当地特色美食，并深入其中体验乡村劳作生活。第九届晒秋文化季在呈现传统“晒秋”农俗文化的同时，还推出“来篁岭晒个秋”“篁岭来晒生活节”等互动参与活动，让村民、游客和艺术家共同完成“晒秋+艺术”“晒秋+文创”的创新表达，呈现全新的“晒秋”创意体验。

表4.6　篁岭历届晒秋文化节及主题

开幕时间	晒秋文化节名称	主题
2015.07.21	首届中国篁岭晒秋文化节	让传统节日活起来·让篁岭晒秋炫起来
2016.07.09	第二届中国（篁岭）晒秋文化节	体验篁岭风情，感受民俗文化
2017.07.28	第三届中国（篁岭）晒秋文化节暨“篁岭晒秋人家”全国微视频大赛	感受晒秋风情，传承民俗文化
2018.08.07	第四届中国（篁岭）晒秋文化节暨二十四节气节俗文化专家研讨会	保护晒秋文化遗产，传承中华农耕文化
2019.09.12	第五届中国篁岭晒秋（美食）节	晒美食，庆丰收
2020.08.07	第六届中国·篁岭晒秋文化节	丰收
2021.08.10	第七届中国（篁岭）晒秋文化季	庆丰收、晒青春、晒回忆、晒美好

续表

开幕时间	晒秋文化节名称	主题
2022.08.07	第八届中国篁岭晒秋文化季	崖上古村 · 天地晒场
2023.08.08	第九届晒秋文化季暨首届国内外网红创作行活动	崖上古村 · 天地晒场

图4.17　篁岭晒秋文化季

二是结合梯田景观和鲜花资源开展篁岭花朝节。花朝节是我国传统节日之一，俗称“花神节”，是民间纪念百花生日的节日，代表人们对蓬勃春天的欢欣期待和幸福生活的美好期许。曾兴盛于唐宋，其地位一度“足敌中秋”。古诗文中不乏有关花朝节的记述，最著名的当数清代诗人蔡云的《咏花朝》：“百花生日是良辰，未到花朝一半春。万紫千红披锦绣，尚劳点缀贺花神”。篁岭拥有壮丽的梯田景观，被誉为中国最美的梯田之一。春季千亩梯田油菜花随山就势，重叠有序；桃花、梨花散布其间，古村、花海、溪涧、山脉相互映衬。借助这些资源优势，2018年篁岭推出首届花朝节。焚香祭拜、敬献花茶、悬彩护花等传统庆贺百花生日的风俗一一展演，吸引了众多游客参与。此后每年三月中旬，篁岭油菜花梯田里，总会上演一场“花朝节”的民俗表演（图4.18）。活动中还穿插了徽剧传统的甩袖表演、女子十二乐坊的民族乐器演奏、“老鼠嫁女”民俗表演等。截至2024年3月8日，篁岭花朝节已举办七届，为游客提供了别开生面的民间文化盛宴。

图4.18　篁岭花朝节

传统节日更是篁岭最热闹和隆重的日子。每年春节、元宵节、端午节等传统佳节期间，篁岭将徽州婚俗、非遗板龙灯、傩舞、徽剧等原汁原味的本土民俗活动整合起来，为游客送上一道文化大餐。在祠堂广场、众屋广场、食府广场等地方随处可见怀旧主题的场景。游客可以在村口转一转传统“农用风车”，回忆知青生活；在古戏台看一下20世纪80年代的狂欢派对，回味青葱岁月；再到众屋广场体验炒米、打麻糍，参与制作压米片、爆米花、婺源灯彩等民俗活动（表4.7）。

表4.7　篁岭2024年夏季互动体验演出表

活动项目	活动时间	活动地点
村姑拦门酒	上午10:30　下午15:00（周一、周三至周日）（雨天暂停）	外婆家酒坊
篁岭村社员大会	上午10:35（周二、周三至周日）（雨天暂停）	祠堂广场
篁岭村农作物大比拼	上午10:45（周一、周三至周日）（雨天暂停）	祠堂广场
徽州婚俗——娶亲	下午15:10（周一、周三至周日）（雨天暂停）	六顺堂-众屋广场
粽子姑娘	下午15:30（周一、周三至周日）	六顺堂
凉皮记忆	下午15:40（周一、周三至周日）	五桂堂
农家小吃的回忆	下午15:50（周一、周三至周日）	晒工坊

续表

活动项目	活动时间	活动地点
烤麻糍的记忆	下午16:00（周一、周三至周日）	怡心楼
晒秋歌舞T台秀	下午16:30（周一、周三至周日）（雨天暂停）	晒秋观景台
晒秋人家	下午17:00（周一、周三至周日）（雨天暂停）	来晒小屋
甜蜜蜜——青春记忆	下午17:10（周一、周三至周日）（雨天暂停）	天街-美食街
知青忆（芳华）	晚上18:00（周一、周三至周日）	古戏台
快闪	晚上18:30（周一、周三至周日）（雨天暂停）	众屋广场
舞龙灯盛宴——提灯夜游	晚上19:00（周一、三、五、六）（雨天暂停）	祠堂广场-美食街
20世纪80年代——夏日狂欢派对	晚上19:30—20:30（周一、周三至周日）（雨天暂停）	古戏台
乡愁体验——参与制作压米片	上午09:30—10:00　下午16:00—16:20（每日常态化）	六顺堂
乡愁体验——炒米	下午12:30—14:30（每日常态化）	六顺堂
乡愁体验——参与制作爆米花	上午09:00—11:00　下午12:30—17:10（每日常态化）（雨天暂停）	众屋广场
乡愁体验——参与打麻糍	上午10:30—11:00　下午12:50—13:20　14:30—15:00　16:50—17:10（每日常态化）（雨天暂停）	众屋广场
非遗体验——打卡非遗琉璃工艺	上午09:00—11:10　下午12:00—17:00（每日常态化）（雨天暂停）	众屋广场
乡愁体验——寻找货郎担师傅	上午09:00—11:10　下午12:00—17:00（每日常态化）（雨天暂停）	村落
乡愁体验——打卡剃头铺	上午09:00—11:10　下午12:00—17:00（每日常态化）（雨天暂停）	三角楼
乡愁体验——打卡红薯糯米粿	上午09:00—11:10　下午12:00—17:00（每日常态化）（雨天暂停）	晒工坊

续表

活动项目	活动时间	活动地点
乡愁体验——打卡爆米筒	上午09:00—11:00　下午12:30—17:10（每日常态化）（雨天暂停）	祠堂广场
乡愁体验——打卡印米糕	上午09:00—11:10　下午12:00—17:00（每日常态化）	怡心楼
非遗体验——参与婺源灯彩制作	上午09:00—11:10　下午12:00—17:00（每日常态化）	摄影吧一楼

（4）“流光森林”沉浸式体验

篁岭在积极保护文化遗产和民俗文化的同时，积极搭建数字化文旅场景，创新文旅体验。2018年，篁岭首次提出“错温出行、夜游篁岭”；2019年国庆期间开启了“夜游”模式，将水韵、自然、灯光、音乐、环境融为一体，打造古村沉浸式夜游。2021年4月正式启动“流光森林”夜游体验项目，依托徽州古村特色和水口文化，用全息投影、多媒体交互装置和灯光艺术打造了一个多彩绚丽的古村夜景。“流光森林”夜游整体动线设有时光隧道、流光漫步、花田飞舞、彩虹之路、竹林秘境等18处光影节点，游览时长约1小时，丰富了游客夜间体验，刺激了夜间消费。

2024年6月1日，篁岭“流光森林”全新升级。《阿凡达》里的悬浮山、《大鱼海棠》的空中飞鱼、《爱丽丝梦游仙境》的蘑菇森林、魔法屋光影秀、老树爷爷、精灵之路、诗词森林……20多个夜游主题场景，形成了一个如梦如幻的童话世界（图4.19）。在魔法屋的光影魔法中，篁岭的舞板龙灯、提灯夜游、特色晒秋等一系列“篁岭印象”还提供VR投影功能，手机扫一扫即可开启VR体验。同时，篁岭夜游三期“流光梯田”“稻田奇遇记”等内容也重磅上线，增设蝴蝶谷、风筝谷、丛林幻影栈道、探洞、奇妙时空隧道等探险场景，为游客体验当地风俗文化提供多元化选择。

以“晒秋IP”为内核，2017年篁岭村获评“全国乡村旅游超级IP村”；2023年，在第25届联合国世界旅游组织全体大会上，篁岭成功入选联合国世界旅游组织“世界最佳旅游乡村”；2024年2月，国际节庆协会亚洲分会在泰国芭堤雅市举办“2024尖峰奖颁奖典礼暨亚洲节庆城市研讨会”，篁岭晒秋文化节荣获“2024亚洲尖峰奖最佳地区振兴示范项目”。

图4.19　篁岭夜游

4.3.3　黄陂杜堂村：留住乡愁产业

湖北省武汉市黄陂区姚家集街道杜堂村位于黄陂区最北部，全村有13个自然湾，村域国土面积3.8平方千米，其中耕地约0.7平方千米、山林约0.85平方千米、水域约0.32平方千米。2014年以来，杜堂村立足美丽的山水资源和深厚的文化底蕴，倾力打造木兰花乡旅游景区，在传统耕地种植区开发农耕体验，壮大“花”经济；在村庄内建成商业街、文创街等场所，围绕木兰文化做强“夜经济”，走上农文旅融合发展的致富新路。

（1）以花为媒，发展观光农业

杜堂村地处黄陂区北部丘陵地带，原本是经济落后的小山村。“下雨一团糟，干旱一把刀，花草树木少，村民往外跑”。全村抛荒耕地一度达到85%以上，常住人口不足20%，房屋闲置率85%。村里多半是留守老人和孩子，人均年收入不到5000元。

2012年，武汉市在全国率先提出“建设武汉新花城、发展赏花经济”的战略部署。2013年，武汉市印发《武汉市赏花游发展规划（2012—2020年）》，武汉力争以花为媒，到2020年达到200亿元赏花游综合收入。2014年，武汉市出台《关于推进美丽乡村建设指导意见》，指引武汉市“美丽乡村”建设的方向，并在武汉市范围内选取了美丽乡村建设的4个示范村和16个创建村，杜堂村即为其一。

在政府政策支持下，杜堂村先后完成村庄整体规划，建成出行道路、污水管网、公共活动场所等基础设施，流转7000亩荒地，改造村湾9个，民房664栋。以花田农耕游为主题，杜堂村倾心打造巴黎左岸、梵高印象、彩虹花田三大主题花海。“巴黎左岸”以平面拼图和立体造型为特色，种植郁金香、薰衣草、桑格花等，其间穿插宫崎骏动画城堡、安徒生经典童话人物，让人仿佛进入梦幻王国。“梵高印象”以整片的花海为主，巧妙利用不同花期，种植整片的薰衣草、郁金香、二月兰、格桑花等花卉，带来不一样的春色浪漫。“彩虹花田”在铺排陈列的梯田中，种植红、黄、紫、绿各种花卉，五颜六色的花卉形成一条条立体色块，争奇斗艳，如同莫奈的油画，让游客在同一时节感受世界的多彩烂漫。特别是阳春三月，黄灿灿的油菜花和盛开的郁金香，吸引大批游客慕名前来。油菜曾经是家家户户人们食用的植物油作物，是农民赖以生存的主要经济农作物之一。春风吹来，油菜花便铺天盖地，蓬勃生长。田园沃野，菜花辉映，渲染出春满人间的万千景象。郁金香有着“世界花后”美称。杜堂村木兰花乡景区主场拥有近千亩的郁金香，50多个品种，百万余株。一株株、一垄垄、一片片，郁金香，舒展向上，头顶花冠，盈盈含笑，粉的如霞，白的似雪，红得像焰，黄的如金，紫的神秘雅致……宛如一幅天然水彩画（图4.20）。

图4.20　木兰花乡郁金香花海

2017年4月，武汉木兰花乡景区正式开园，当年便实现综合收入9000余万元。家乡的变化，让在外漂泊的乡亲们看到了希望，他们纷纷返乡成为景区员工，由此带动就业1100余人，其中本村农民就业389人。

（2）木兰故事加持，引爆“夜”经济

一首《木兰诗》，让花木兰替父从军的故事家喻户晓。据《黄陂县志》记载：“木

兰将军，黄郡西陵（今黄陂）人。”2022年，木兰花乡投资2.4亿元，上新夜游项目“木兰不夜城”（图4.21），以木兰文化赋能，打造沉浸式文旅新场景。

“东市买骏马，西市买鞍鞯。”木兰不夜城以木兰广场为起点，分为“东市里”和“西市里”。“东市里”再现北魏风情，沿街随处可见木兰元素。挂在树上的灯串闪耀着《木兰诗》诗词，让人驻足品读；“兵书巷”的阁楼窗前摆着一台织机，游客们可以现场体验织布；“花灯巷”的廊檐、石墙、各色牌匾上，点缀着各式花灯。以“燕山古驿”“太平・十二巷”为主的西域风格“西市里”业态更加丰富，汇集了42个美食档口以及15个大型业态，涵盖咖啡厅、国妆馆、VR体验馆、电玩城等多个项目。花灯璀璨，霓虹闪烁，古色古香的建筑，随风摇曳的酒旗，穿街而过的古风美人，此起彼伏的歌舞表演，让游客边吃边逛边体验，恍若梦回千年。游客可在涓涓细流间推杯换盏，静享夜的魅力，让人瞬间梦回北魏。

图4.21 木兰不夜城

结合当下备受游客推崇的沉浸式文旅形式，景区以木兰故事为主线，推出《木兰传奇》《佛都北魏》《盛世如愿》等实景表演，通过故事情节、灯光音响、服饰化妆等舞台效果，让游客深度感受北魏时期的风土人情。据了解，景区目前共计15个小型表演舞台，1个大型实景演绎舞台，参演人数达55人。同时，景区还将黄陂非遗技艺、舞龙舞狮、“九佬十八匠”等民间技艺搬上舞台。值得一提的是景区的非遗打铁花表演。除周一休息和特殊天气之外，每天20点30分左右，夜幕降临，木兰不夜城的三组演员站在舞台上接力打铁花，演绎一场10分钟的焰火秀。“东风夜放花千树，更吹落，星如雨。”作为中国最古老的烟花，打铁花是一项美丽与危险并存的千年绝技。当1600℃的铁水泼洒空中，铁屑天女散花似焰火绽放，为游客奉上了一场民间最古老的烟火秀。

木兰不夜城特色鲜明的夜游产品满足了游客多样化的需求，自2023年1月18日开街便圈粉无数。2023年春节期间累计接待游客近30万人次，端午假期单日游客量最高突破4万人次。武汉木兰花乡旅游发展有限公司董事长葛天才“晒”出了木兰不夜城的亮眼成绩：“截至目前共计接待游客230万人次，其中春节期间26.46万人次，五一期间13.28万人次，国庆中秋双节期间接待游客21.8万人次。”[1]

（3）山水民宿，拉动体验经济

2017年3月，武汉市重磅推出市民下乡、能人回乡、企业兴乡的“三乡工程”。为了让更多村民共享乡村振兴带来的红利，在木兰花乡开业当年，杜堂村便发动村民联合景区成立旅游专业合作社，统一经营和管理村民资产，村民可将闲置房屋入股合作社获得分红收益。

破败的闲置农房，在保留原始村落古色古香韵味的同时，依照一户一设计、一户一景观的原则，被改造成了鲜花簇拥的山水民宿。沿着木兰不夜城文创街方向，一路走向村落中心，就可见一栋栋隐匿于山水间的别致民宿沿着花溪小径延伸开来。游客白天游览了木兰花海，晚上感受了木兰不夜城的光影魅力，再下榻古朴雅致的山水民宿，一灯一盏，看满天星光，开启一段闲暇时光。

图4.22　木兰山水民宿“隐逸小院”

村民葛大爷190平方米的老房，经过原址改造成为古色古香的“隐逸小院”民宿（图4.22）。院内旧式压水井和水缸等老物件被保留下来，同时增添相应现代生活设施。2017年5月5日，该小院以年租金3.03万元租给一位武汉市民。该市民投资装修后，

❶ 王钰. 葛天才：黄陂到处都是投资的热土[N/OL]. 武汉市人民政府门户网站. 2024-01-04[2024-12-12]. https://www.wuhan.gov.cn/ztzl/23zt/yxcsxzc/hpq/xwbd/202401/t20240104_2335769.shtml.

不但能携亲带友自住，还可以将小院的7个房间全部或部分委托给合作社的管家服务打理出租，再按比例获得分红。在去年的旅游黄金周，整套小院民宿的住宿费达到2000～3000元/天[1]。目前，杜堂村已成功签约空闲农房113套，引进市民下乡并已开张营业的有12家民宿、8家农家乐、1家土特产电商、1所中国文艺家书画院、1所非遗文化泥塑馆和1所木兰文化博物馆，以及书店、茶舍等。2024年5月25日至26日，“民宿中国·2024木兰民宿文化季”在武汉黄陂木兰花乡景区成功举办，拥有大小不等、风格不同的民宿共计26套的木兰花乡山水民宿被评为“武汉五星民宿”。

如今的杜堂村，每逢周末、节假日游人如织。这个曾经的“空心村”实现了美丽生态、美丽经济、美好生活的有机融合，获评“中国美丽休闲乡村”“国家森林乡村”“全国乡村治理示范村”。2024年4月，文化和旅游部办公厅公布了文化和旅游赋能乡村振兴十佳案例和优秀案例，“武汉市黄陂区杜堂村：深耕农文旅　老区换新颜”成功入选，成为湖北省唯一入选的优秀案例。

---

[1] 罗旭. 黄陂每年整合30亿资金 助推“三乡工程”发展全域旅游[N/OL]. 长江网 2018-03-31[2024-12-12]http：//news. cjn. cn/sywh/201803/t3183267. htm.

5

乡愁世界：联合国世界“最佳旅游乡村”发展经验

5.1

联合国世界“最佳旅游乡村”项目概述

世界“最佳旅游乡村”评选倡议由联合国世界旅游组织发起，旨在促进旅游业在保护乡村自然资源、景观和文化多样性等方面发挥作用，促进可持续发展。

5.1.1 世界“最佳旅游乡村”遴选条件

世界“最佳旅游乡村”申报遴选条件涵盖9大类：①文化和自然资源；②文化资源的宣传和保存；③经济可持续；④社会可持续；⑤环境可持续；⑥旅游发展和价值链融合；⑦管理与旅游优先；⑧基础设施和互联互通；⑨卫生、平安和安全（表5.1）。

表5.1 联合国世界旅游组织“最佳旅游乡村”申报遴选条件

1. 文化和自然资源（Cultural and Natural Resources）	
内容	本村有国家、区域或国际层面已确认的自然和文化（物质和非物质）资源
要点	① 本村是否有已确认的文化资源（物质和非物质）
	② 本村是否有已确认的自然资源
2. 文化资源的宣传和保存（Promotion and Conservation of Cultural Resources）	
内容	本村致力于宣传和保存使其独特和真实的文化资源
要点	本村是否有传播和/或宣传旨在保存和宣传其文化资源的政策、措施和活动
3. 经济可持续（Economic Sustainability）	
内容	本村致力于促进经济可持续发展，支持商务发展、企业家精神和投资
要点	① 本村是否传播和/或宣传支持为旅游发展和旅游投资提供财政资助的政策、措施和活动
	② 本村是否传播和/或宣传有益于商务发展，特别是为旅游中小微企业和企业家精神的框架

续表

<table>
<tr><th colspan="2">4. 社会可持续（Social Sustainability）</th></tr>
<tr><td>内容</td><td>本村致力于促进社会包容和平等</td></tr>
<tr><td rowspan="6">要点</td><td>① 贵村是否传播和/或宣传促进旅游部门就业的政策、措施和活动</td></tr>
<tr><td>② 请说明本村入学（小学和中学）情况（如可能，按性别说明）</td></tr>
<tr><td>③ 本村是否传播和/或宣传促进旅游领域性别平等和支持旅游领域青年（17～29岁）技术培养、就业和企业家精神的政策、措施和活动</td></tr>
<tr><td>④ 本村是否传播和/或宣传增加旅游领域弱势人口（即来自少数民族原住民群体和残疾人等代表性不足的居民）机会的政策、措施和活动</td></tr>
<tr><td>⑤ 本村是否传播和/或宣传人力资源、教育和技术发展，特别关注发展创新和缩小数字技术鸿沟的政策、措施和活动</td></tr>
<tr><td>⑥ 本村是否传播和/或宣传加强有特别要求的旅行者的可进入性的政策、措施和活动</td></tr>
<tr><th colspan="2">5. 环境可持续（Environmental Sustainability）</th></tr>
<tr><td>内容</td><td>本村通过宣传和/或传播促进保存和保护其他自然资源和将旅游发展对环境影响最小化的政策、措施和活动，致力于环境可持续</td></tr>
<tr><td rowspan="4">要点</td><td>① 本村是否传播和/或宣传保存和保护自然资源的政策、措施和活动</td></tr>
<tr><td>② 本村是否传播和/或宣传旨在应对气候变化的政策、措施和活动</td></tr>
<tr><td>③ 本村是否传播和/或宣传在旅游业减少一次性塑料制品的政策、措施和活动</td></tr>
<tr><td>④ 本村是否传播和/或宣传监测和减少旅游业对水资源消耗、污水和固体垃圾形成之影响的政策、措施和活动</td></tr>
<tr><th colspan="2">6. 旅游发展和价值链融合（Tourism Development and Value Chain Integration）</th></tr>
<tr><td>内容</td><td>本村旅游业得以显著地经营和发展。本村进一步促进增强旅游价值链和目的地与市场准入、市场营销、创新、产品开发和质量相关的竞争力</td></tr>
<tr><td rowspan="3">要点</td><td>① 本村是否与具有更大旅游吸引力的区域相融（即是国家、区域或国际主题线路的一部分，是具有共同自然和文化价值的村庄聚落的一部分，是自然公园的一部分，等等）</td></tr>
<tr><td>② 本村是否有反映乡村和本地价值的住宿选择</td></tr>
<tr><td>③ 本村是否宣传当地美食和当地烹饪文化</td></tr>
</table>

续表

要点	④ 本村是否促进在与当地传统相关的旅游产品、活动和经验中纳入农户和当地生产者（手工艺人等），便于游客购买
	⑤ 本村是否提倡旅游商家和服务提供者实施旅游质量标准和资质体系
	⑥ 本村旅游商家是否有电子商务设施和/或电子支付手段
	⑦ 本村是否有旅游指示标识
	⑧ 本村是否承接活动和/或已开发相关活动，特别是关于当地文化、知识和产品的活动
	⑨ 本村是否有或参与市场营销计划/活动
	⑩ 本村旅游是否提供线上和线下旅行分销渠道（即谷歌商务、猫途鹰、缤客等）和其他新的商务模式平台
	⑪ 本村是否有创新产品和经验
7. 管理与旅游优先（Governance and Prioritization of Tourism）	
内容	本村致力于将旅游业作为乡村发展的一个战略支柱，进一步加强基于公共-私营伙伴关系的管理模式、与其他政府层级的合作以及社区参与旅游规划和发展
要点	① 本村是否有专门的旅游发展规划或政策
要点	② 本村是否有旅游发展和管理（公共、私营或公共-私营）的专设架构
	③ 本村是否传播和/或宣传与旅游商家的协作
	④ 本村是否与国家或地区政府合作旅游活动
	⑤ 本村是否传播和/或宣传社区及其居民参与旅游规划和发展；并采用有助于使旅游业改善当地福祉和满意度的措施
	⑥ 本村是否与教育和学术机构协作
8. 基础设施和互联互通（Infrastructure and Connectivity）	
内容	本村具有基础设施便于获取和沟通，以改善乡村社区的福祉、促进商业发展以及优化游客体验
要点	① 本村交通基础设施如何便利互联互通（即铺设的通路、公共交通服务、常规频次和可用的日程表等）
	② 本村饮用水、卫生服务、电力服务状况
	③ 本村通信和数字基础设施（即手机宽带3G或更高网络带宽、大数据技术入口等）

续表

9. 卫生、平安和安全（Health，Safety and Security）	
内容	本村有卫生、平安和安全系统以保护居民和游客
要点	① 本村是否为公共卫生、平安和安全规划/系统的一部分
	② 本村是否与医疗卫生服务和供应商有紧密联系
	③ 如遇自然灾害，本村是否有应急方案

（资料来源：根据文化和旅游部申报通知整理）

5.1.2 世界“最佳旅游乡村”发展目标

世界“最佳旅游乡村”的发展目标指向有17个：①零饥饿（Zero Hunger）；②无贫穷（No Poverty）；③良好健康与福祉（Good Health and Well-being）；④优质教育（Quality Education）；⑤性别平等（Gender Equality）；⑥清洁饮水和卫生设施（Clean Water and Sanitation）；⑦经济适用的清洁能源（Affordable and Clean Energy）；⑧体面工作和经济增长（Decent Work and Economic Growth）；⑨产业、创新和基础设施（Industry，Innovation and Infrastructure）；⑩减少不平等（Reduced Inequality）；⑪可持续城市和社区（Sustainable Cities and Communities）；⑫负责任消费和生产（Responsible Consumption and Production）；⑬气候行动（Climate Action）；⑭水下生物（Life Below Water）；⑮陆地生物（Life on Land）；⑯和平、正义与强大机构（Peace，Justice and Strong Institutions）；⑰促进目标实现的伙伴关系（Partnerships for the Goals）（图5.1）。

5.1.3 世界“最佳旅游乡村”全球分布

2021年5月，联合国世界旅游组织发起了首批世界“最佳旅游乡村”评选活动，旨在促进旅游业在保护乡村及其景观、自然和文化多样性以及当地价值观和活动（包括当地美食）方面的作用。整个评估由一个独立的顾问团队执行，考察标准涵盖文化和自然资源、文化资源推广及保育、经济可持续性、社会可持续性、环境可持续性、旅游潜力发展与价值链整合、旅游业的治理和优先排序、基础设施和连接、健康安全和保障共九个方面。来自75个联合国世界旅游组织成员国共提名候选乡村174个（每个成员国最多可以提名3个乡村）。经过专家评选，2021年12月4日，在西班牙首都马德里举行的联合国世界旅游组织第24届大会上，首批世界“最佳旅游乡村”名单出炉，来自32个国家的44个村脱颖而出。其中，我国的浙江余村和安徽西递村入选（表5.2）。

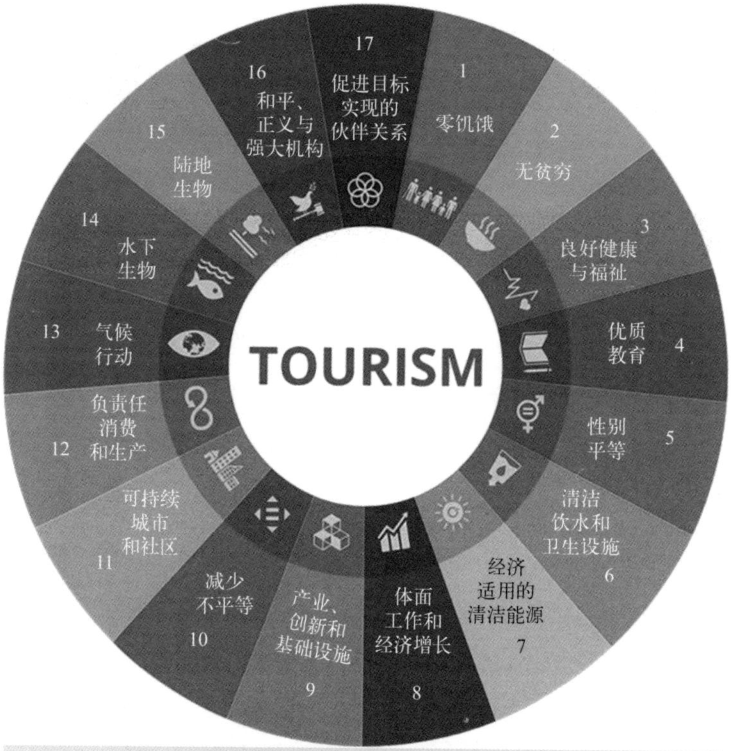

图5.1 联合国世界“最佳旅游乡村”发展目标

表5.2 2021年联合国世界最佳旅游乡村

序号	村庄	中文名称	洲
1	Cuetzalan del Progreso，Mexico	墨西哥　库埃察兰德尔普罗格雷索	北美洲
2	Maní，Mexico	墨西哥　曼尼	北美洲
3	Wonchi，Ethiopia	埃塞俄比亚　旺基	非洲
4	Olergesailie，Kenya	肯尼亚　奥勒格塞利	非洲
5	Nkotsi Village，Rwanda	卢旺达　加苏纳	非洲
6	Le Morne，Mauritius	毛里求斯　莫恩	非洲
7	Old Grand Port，Mauritius	毛里求斯　老格兰德港	非洲
8	Sidi Kaouki，Morocco	西迪考基　摩洛哥	非洲

续表

序号	村庄	中文名称	洲
9	Caspalá，Argentina	阿根廷　卡斯帕拉	南美洲
10	San Cosmey Damián，Paraguay	巴拉圭　圣科斯梅和达米安	南美洲
11	Testo Alto，Brazil	巴西　塔斯托·阿尔托	南美洲
12	Ollantaytambo，Peru	秘鲁　奥兰塔伊坦博	南美洲
13	Pica，Chile	智利　皮卡	南美洲
14	Puerto Williams，Chile	智利　威廉斯港	南美洲
15	Kaunertal，Austria	奥地利　考内塔尔	欧洲
16	Bekhovo，Russian Federation	俄罗斯联邦　贝霍沃	欧洲
17	Castelo Rodrigo，Portugal	葡萄牙　罗德里戈城保	欧洲
18	Cumeada，Portugal	葡萄牙　库米达	欧洲
19	Gruyères，Switzerland	瑞士　格鲁埃雷斯	欧洲
20	Saas Fee，Switzerland	瑞士　萨斯菲	欧洲
21	Valposchiavo，Switzerland	瑞士　瓦尔波斯基亚沃	欧洲
22	Mokra Gora，Serbia	塞尔维亚　莫卡拉戈拉	欧洲
23	Pano Lefkara，Cyprus	塞浦路斯　帕诺·莱夫卡拉	欧洲
24	Radovljica，Slovenia	斯洛文尼亚　拉多夫	欧洲
25	Solčava，Slovenia	斯洛文尼亚　索尔查瓦	欧洲
26	Lekunberri，Spain	西班牙　莱昆伯里	欧洲
27	Morella，Spain	西班牙　莫雷拉	欧洲
28	Soufli，Greece	希腊　苏弗里	欧洲
29	San Ginesio，Italy	意大利　圣吉内西奥	欧洲
30	Misfat Al Abriyeen，Oman	阿曼　阿布里耶·米斯法特	亚洲
31	Bojo，Philippines	菲律宾　波茹	亚洲
32	The Purple Island，Republic of Korea	大韩民国　紫色岛	亚洲

续表

序号	村庄	中文名称	洲
33	Ungok Village，Republic of Korea	大韩民国　乌戈克村	亚洲
34	Bkassine，Lebanon	黎巴嫩　巴卡西纳	亚洲
35	Batu Puteh，Malaysia	马来西　亚巴图普特	亚洲
36	Miyama，Japan	日本　美山	亚洲
37	Niseko，Japan	日本　尼塞科	亚洲
38	Rijal Alma’a，Kingdom of Saudi Arabia	沙特阿拉伯　里贾尔·阿尔马	亚洲
39	Mustafapaşa，Turkey	土耳其　穆斯法帕	亚洲
40	Taraklı，Turkey	土耳其　塔拉克勒	亚洲
41	Pochampally，India	印度　波尚帕利	亚洲
42	Nglanggeran，Indonesia	印度尼西亚　恩格兰根	亚洲
43	Xidi，China	中国　西递	亚洲
44	Yucun，China	中国　余村	亚洲

2022年2月20日，联合国世界旅游组织2022年“最佳旅游乡村”名单正式公布。共有来自57个国家的136个候选乡村参选，最终32个乡村入选（表5.3）。

表5.3　2022年联合国世界最佳旅游乡村

序号	村庄	中文名称	洲
1	Creel，Mexico	墨西哥　克雷尔	北美洲
2	El Fuerte，Mexico	墨西哥　埃尔富尔特	北美洲
3	Choke Mountains Ecovillage，Ethiopia	埃塞俄比亚　窒息山生态村	非洲
4	Ksar El khorbat，Morocco	摩洛哥　埃尔科巴特	非洲
5	Moulay Bouzerktoune，Morocco	摩洛哥　穆莱·布扎克通	非洲
6	Choachí，Colombia	哥伦比亚　弄阿奇	南美洲

续表

序号	村庄	中文名称	洲
7	Lamas，Peru	秘鲁　拉马斯	南美洲
8	Raqchi，Peru	秘鲁　拉奇	南美洲
9	Aguarico，Ecuador	尼瓜多尔　阿瓜里科	南美洲
10	Angochagua，Ecuador	尼瓜多尔　安戈查瓜	南美洲
11	Puqueldón，Chile	智利　普克顿	南美洲
12	Zell am See，Austria	奥地利　滨湖采尔	欧洲
13	Wagrain，Austria	奥地利　瓦格赖恩	欧洲
14	Rasinari，Romania	罗马尼亚　拉西纳里	欧洲
15	Castelo Novo，Portugal	葡萄牙　新堡	欧洲
16	Murten，Switzerland	瑞士　穆尔腾	欧洲
17	Andermatt，Switzerland	瑞士　安德马特	欧洲
18	Bohinj，Slovenia	斯洛文尼亚　博希尼区	欧洲
19	Rupit，Spain	西班牙　鲁皮特	欧洲
20	Alquézar，Spain	西班牙　阿尔克萨尔	欧洲
21	Guadalupe，Spain	西班牙　瓜达卢佩	欧洲
22	Sauris-Zahre，Italy	意大利　绍里斯-扎赫尔	欧洲
23	Isola del Giglio，Italy	意大利　吉廖岛	欧洲
24	Mestia，Georgia	格鲁吉亚　梅斯蒂亚	亚洲
25	Pyeongsa-ri，Republic of Korea	韩国　平沙里	亚洲
26	AlUla Old Town，Saudi Arabia	沙特阿拉伯　埃尔奥拉老城	亚洲
27	Birgi，Türkiye	土耳其　比尔吉	亚洲
28	Kfar Kama，Israel	以色列　卡法卡马	亚洲
29	Umm Qais，Jordan	约旦　乌姆盖斯	亚洲
30	Thái Hải，Vietnam	越南　太海	亚洲
31	Dazhai，China	中国　大寨	亚洲
32	Jingzhu，China	中国　荆竹村	亚洲

2023年10月19日，第25届联合国世界旅游组织全体大会在乌兹别克斯坦撒马尔罕开幕，会上公布2023年“最佳旅游乡村”名单。共有63个国家递交258份申请，最终来自32个国家的54个乡村入选（表5.4）。

表5.4　2023年联合国世界最佳旅游乡村

序号	村庄	中文名称	洲
1	Higueras，Mexico	墨西哥　伊格拉斯	北美洲
2	Jalpa de Cánovas，Mexico	墨西哥　哈尔帕德卡诺瓦斯	北美洲
3	Omitlán de Juárez，Mexico	墨西哥奥米特兰德华雷斯	北美洲
4	Dahshour，Egypt	埃及　代赫舒尔	非洲
5	Siwa，Egypt	埃及西瓦	非洲
6	Lephis Village，Ethiopia	埃塞俄比亚　莱菲斯村	非洲
7	La Carolina，Argentina	阿根廷　拉卡罗莱纳州	南美洲
8	Oyacachi，Ecuador	厄瓜多尔　奥亚卡奇	南美洲
9	Filandia，Colombia	哥伦比亚　菲兰迪亚	南美洲
10	Zapatoca，Colombia	哥伦比亚　萨帕托卡	南美洲
11	Chacas，Peru	秘鲁查卡斯	南美洲
12	Chavín de Huantar，Peru	秘鲁查文德万塔尔	南美洲
13	Paucartambo，Peru	秘鲁　保卡坦博	南美洲
14	Pozuzo，Peru	秘鲁　波苏索	南美洲
15	Taquile，Peru	秘鲁　塔基莱	南美洲
16	Barrancas，Chile	智利　巴兰卡斯	南美洲
17	Caleta Tortel，Chile	智利　卡莱塔托尔特尔	南美洲
18	Pisco Elqui，Chile	智利　皮斯科埃尔基	南美洲
19	Ordino，Andorra	安道尔　奥尔迪诺	欧洲
20	Schladming，Austria	奥地利　施拉德明	欧洲
21	Anton am Arlberg，Austria	奥地利　圣安东阿尔贝格	欧洲

续表

序号	村庄	中文名称	洲
22	Slunj，Croatia	克罗地亚　斯卢尼	欧洲
23	Văleni，Moldova	摩尔多瓦　瓦莱尼	欧洲
24	Ericeira，Portugal	葡萄牙　埃里塞拉	欧洲
25	Manteigas，Portugal	葡萄牙　曼泰加斯	欧洲
26	Sortelha，Portugal	葡萄牙　索尔特利亚	欧洲
27	Vila da Madalena，Portugal	葡萄牙　维拉达马达莱纳	欧洲
28	Morcote，Switzerland	瑞士　莫尔科特	欧洲
29	Saint-Ursanne，Switzerland	瑞士　圣于尔萨讷	欧洲
30	Cantavieja，Spain	西班牙　坎塔维耶哈	欧洲
31	Oñati，Spain	西班牙　奥纳蒂	欧洲
32	Sigüenza，Spain	西班牙　锡古恩萨	欧洲
33	Tokaj，Hungary	匈牙利　托卡伊	欧洲
34	Lerici，Italy	意大利　莱里奇	欧洲
35	Saty，Kazakhstan	哈萨克斯坦　萨蒂	亚洲
36	Dongbaek，Republic of Korea	韩国　冬柏	亚洲
37	Mosan，Republic of Korea	韩国　毛山市	亚洲
38	Sehwa，Republic of Korea	韩国　细化	亚洲
39	Douma，Lebanon	黎巴嫩　杜马	亚洲
40	Biei，Japan	日本　美瑛	亚洲
41	Hakuba，Japan	日本　白马村	亚洲
42	Oku-Matsushima，Japan	日本　奥松岛	亚洲
43	Shirakawa，Japan	日本　白河市	亚洲
44	Şirince，Türkiye	土耳其　西里伦斯	亚洲
45	Sentob，Uzbekistan	乌兹别克斯坦　森托布	亚洲

续表

序号	村庄	中文名称	洲
46	Kandovan，Iran	伊朗　坎多万	亚洲
47	Dhordo，India	印度　多尔多	亚洲
48	Penglipuran，Indonesia	印度尼西亚　彭利普兰	亚洲
49	Al Sela，Jordan	约旦　阿尔塞拉	亚洲
50	Tân Hoá，Viet Nam	越南　新和	亚洲
51	Huangling，China	中国　篁岭村	亚洲
52	Xiajiang，China	中国　下姜村	亚洲
53	Zhagana，China	中国　扎尕那村	亚洲
54	Zhujiawan，China	中国　朱家湾	亚洲

对2021—2023年入选联合国世界最佳旅游乡村的数据进行统计（表5.5），可以得出：2021年亚洲、非洲、欧洲、南美洲、北美洲数量及占比分别为15（34.1%）、15（34.1%）、6（13.6%）、6（13.6%）、2（4.6%）；2022年亚洲、非洲、欧洲、南美洲、北美洲数量及占比分别为9（28.1%）、12（37.5%）、3（5.6%）、6（18.8%）、2（6.2%）；2023年亚洲、非洲、欧洲、南美洲、北美洲数量及占比分别为20（37%）、16（29.6%）、3（5.6%）、12（22.2%）、3（5.6%）。

表5.5　2021—2023年联合国世界最佳旅游乡村各洲数量及占比

洲别	2021年		2022年		2023年	
	数量/个	占比/%	数量/个	占比/%	数量/个	占比/%
亚洲	15	34.1	9	28.1	20	37
欧洲	15	34.1	12	37.5	16	29.6
非洲	6	13.6	3	5.6	3	5.6
南美洲	6	13.6	6	18.8	12	22.2
北美洲	2	4.6	2	6.2	3	5.6
总计	44	100	32	100	54	100

对以上数据进一步进行统计可得：2021—2023年亚洲入选联合国世界最佳旅游乡村的数量最多，总计44个，占比33.8%；排名第二的是欧洲，总计43个，占比33.1%；南美洲位于第三，总计24个，占比18.5%；非洲位居第四，总计12个，占比9.2%；北美洲位居第五，总计7个，占比5.4%（图5.2）。

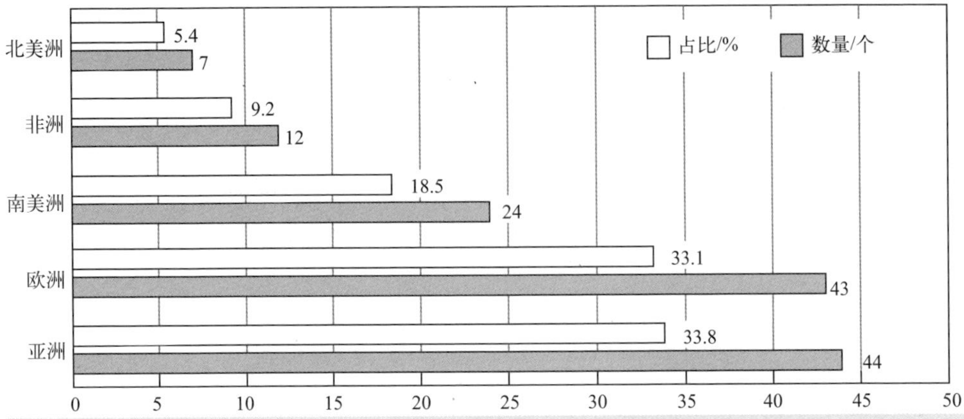

图5.2　2021—2023年联合国世界最佳旅游乡村各洲总数量及占比

5.1.4　世界“最佳旅游乡村”入选国家前10名

从2021—2023年入选联合国世界“最佳旅游乡村”的国别来看，目前中国、西班牙和秘鲁都有8个乡村入选，是入选乡村最多的三个国家。其他位居前十的国家分别是：瑞士（7个）、葡萄牙（7个）、墨西哥（7个）、智利（6个）、日本（6个）、韩国（6个）、奥地利（5个）。值得注意的是，排名前十的国家，总入选数量达到68个，将近占据了榜单半壁江山（表5.6）。

表5.6　2021—2023年联合国世界最佳旅游乡村国家前10名

国家	数量/个	占比/%	国家	数量/个	占比/%
中国	8	5.7	智利	6	4.3
西班牙	8	5.7	日本	6	4.3
秘鲁	8	5.7	韩国	6	4.3
瑞士	7	5	奥地利	5	3.57
葡萄牙	7	5	合计	68	48.57
墨西哥	7	5			

5.2 各领风骚的世界“最佳旅游乡村”

5.2.1 西班牙乡村旅游：生态、建筑、多元体验

西班牙乡村旅游最早可以追溯到20世纪60年代初。当时西班牙人开始将乡村的一些城堡改造为饭店，大农场和庄园也进行了规划建设，提供诸如徒步旅游、骑马、滑翔、登山、参加农事等多种休闲项目，从而开创了西班牙乡村旅游的先河。1986年前后，西班牙的现代乡村旅游业开始起步，1992年以后进入快速发展期。发展到现在，尽管西班牙农民人口仅占全国的4%，但农业产值的增长速度已经超过了海滨旅游，乡村旅游成为西班牙旅游中的重要组成部分。有36%的西班牙人休假是在1000多个乡村旅游点度过的[1]。

自2021年世界旅游组织（UNWTO）启动世界“最佳旅游乡村”评选，西班牙先后有8个乡村入选，包括莱昆伯里、莫雷拉、鲁皮特、阿尔克萨尔、瓜达卢佩、坎塔维耶哈、奥纳蒂、锡古恩萨，入选数量和中国并列第一。在乡村旅游发展过程中，西班牙形成了以壮美的自然景观、丰富的建筑遗产以及多元化的旅游体验为主线的旅游特色。

（1）壮美的自然景观：森林、峡谷、瀑布

西班牙是欧洲除瑞士之外山最多的国家，被称为“山之国”。超过66%的国土面积位于海拔600米以上的位置，其中1/3在海拔1000米以上，为西班牙人发展乡村旅游提供了得天独厚的自然条件。

坐落在西班牙阿拉贡自治区的阿尔克萨尔，毗邻维罗峡谷，依山谷蜿蜒而上的羊肠小道是河边的一道亮丽风景。这里有建于16世纪的圣母玛利亚教堂，还有建于山顶的穆斯林城堡。城堡高耸入云，保留着中世纪建成的建筑和围墙、鹅卵石的地面和阶梯。维罗河峡谷是必打卡胜地，游客可以进行峡谷漂流，或在人行天桥上静看日出日落，感受只有山顶村民才能享受到的原生态快乐。早在20世纪80年代，它就被联合国纳入世界遗产保护的名单，2022年又被世界旅游组织评为欧洲最具魅力的旅游村镇之一。

坎塔维耶哈小镇位于一个状似三角形的山谷之上，以鳞次栉比的圆顶建筑为亮点。

---

[1] 李丽娜. 西班牙乡村旅游的发展及启示[J]. 老区建设，2008（17）：63-64.

小镇群山怀抱、四季分明，流淌的河水仿佛在诉说这里古老的传说。著名电影导演肯·洛奇（Ken Loach）曾在这里拍摄了影片《自由世界》（*Land and Freedom*），讲述了关于西班牙内战的故事。小镇独有的历史感与自然风光为整部电影添加了一抹亮色（图5.3）。

图5.3　坎塔维耶哈小镇

（2）璀璨的建筑文化：城墙、教堂和国营古堡酒店

西班牙是欧洲唯一未被毁灭殆尽的国家，很多乡村保留有珍贵的古城堡、古街道等历史遗迹。

莫雷拉（Morella）是西班牙名副其实的“网红小镇”（图5.4）。西班牙有无数个美丽的小镇，但被官方冠以“最美小镇”名称的只有50个，而莫雷拉就是其中之一。小镇距离瓦伦西亚200公里，坐落在海拔1000多米的高山上。采用天然岩石建造的莫雷拉城堡（Castillo de Morella）建筑群是具有重大历史意义的防御工事，拥有长约1500米的古城墙和7座大门。走进莫雷拉，巨大的城墙和雄伟的塔楼给人带来巨大震撼。无论是法国的卡尔卡松、土耳其的迪亚巴克尔，还是克罗地亚的杜布罗夫尼克，和莫雷拉城墙比起来都会相形见绌。穿过双塔耸立的城墙大门进入小镇，满眼都是中世纪风格的小屋以及哥特式的教堂。位于莫雷拉镇中心的圣玛利亚大祭司教堂（Iglesia Arciprestal de Santa María la Mayor）是一座非凡的哥特式建筑，还融入了巴洛克艺术的许多细节，堪称建筑瑰宝。

图5.4 莫雷拉小镇（图片来源：瓦伦西亚大区旅游局微信公众号）

瓜达卢佩是西班牙西部的一个小山城，13世纪的时候成为著名的朝圣地之一。瓜达卢佩圣母皇家修道院（Real Monasterio de Nuestra Señora de Guadalupe）更是在众多山地建筑中独树一帜。这座建筑由卡斯蒂利亚的阿方索十一世于1340年建造，已被联合国教科文组织列为世界文化遗产。

值得一提的是，在西班牙几乎每一座世界遗产城市都有一家国营古堡酒店（又称帕拉多雷斯，西班牙语，为旅馆的意思）。这种古堡酒店的概念可追溯到100多年前。1910年，西班牙政府为了方便外国游客更好地享受西班牙风情，认为应当在本国设立一些旅行酒店，次年西班牙成立皇家旅游局负责该项目。1928年第一家帕拉多雷斯式度假酒店正式开业。自此以后，西班牙政府开始将各地的古堡、修道院等历史建筑修旧如旧，改建成酒店，形成了现在的帕拉多雷斯酒店集团。古堡酒店的最大特色在于，其结合了古老的建筑外形和现代化的高级装修，如阿尔卡拉·埃纳雷斯堡酒店是由3所修道院改造而成的文学与古典并存的酒店代表，罗德里戈城酒店则以其要塞风格突出而著称，而位于历史文化遗产城市昆卡的古堡酒店则以其险峻的地理位置和美景吸引了无数游客。目前，西班牙全国共有近百家帕拉多雷斯式酒店，既为游客提供了一种沉浸于历史与文化中的独特住宿体验，又修复保护了文物古迹。

（3）多元体验：美食、中世纪火车、圣母节

西班牙美食文化是一个丰富多彩的体系，无论是当地人还是游客都能尽情享受美食的乐趣。2021年入选世界“最佳旅游乡村”的莫雷拉，位于埃布罗河谷（Ebro Valley）和地中海的交汇处。内陆乡村的独特地理位置为这里的美食文化提供了丰饶的土壤。牧场和田野农作物富庶，林间适宜蘑菇、坚果和香料的生长，因此，蜂蜜、奶酪和松露成为当地的特色农产品。在老城区内散步，游客可以在杂货店买到各类罐装蜂蜜、山羊奶酪和鲜美黑松露，储存与携带也十分方便。

距离马德里不到2小时车程的锡古恩萨，是中世纪的重要战略领地，以堡垒般的城堡和藏有著名宗教艺术品的教区博物馆而闻名。为了让游客体验中世纪的历史风情，锡古恩萨推出了“中世纪火车”旅游项目（图5.5）。火车从马德里 Chamartín - Clara Campoamor 车站出发，经停阿尔卡拉德埃纳雷斯和瓜达拉哈拉，全程1小时20分钟。游吟诗人、高跷和杂耍演员会在这趟列车上提供精彩的表演，旅客们可以在途中欣赏中世纪表演、品尝甜点，最后由导游带领游览锡古恩萨历史中心，欣赏中世纪建筑风情。整个旅程中，欢快的游吟诗人、英姿飒爽的骑士英雄、翩翩起舞的王室公主轮番出场，用音乐和戏剧讲述沿途经过的村庄和城镇的故事，打造了一场中世纪吟游诗人的时空穿越之旅。

图5.5　锡古恩萨“中世纪列车”（图片来源：西班牙国家旅游局微信公众号）

2022年入选世界“最佳旅游乡村”的瓜达卢佩，其代表建筑是圣玛利亚皇家修道院，被视为西班牙的重要文化遗产之一。作为宗教圣地，瓜达卢佩每年都会举行盛大的“圣母节”。圣母节在每年9月24日左右举行，节日始于1871年，为纪念la Merced圣母。la Merced圣母在1868年由教皇庇护九世宣布为该市的守护圣母。节日活动以地中海文化为中心，还包括500余项各种类别的活动，包括帕萨卡耶舞、音乐会、民间舞蹈、戏剧表演和街头舞蹈表演。在众多活动中，值得一提的有当地特色的叠人塔、巨人和大头人游行、Correfoc（手持烟火的化装的人物）或者BAM自主音乐节。远方的朝圣者扶老携幼、长途跋涉而来，镇上的居民身着盛装，载歌载舞，进行大游行。神职人员抬着花车带领大家进行祈祷，圣歌在脚步的沙沙声中唱起。

“多元化是西班牙乡村旅游的一大特色。”西班牙乡村旅游住宿预订网站“避世乡村”销售主管奥利维亚表示。2021年，西班牙政府从欧盟复苏基金中拨款的34亿欧元投入旅游业的数字化和可持续化改造项目中，持续加大相关基础设施建设和节能改造，不断提升乡村旅游体验[1]。

5.2.2 秘鲁乡村旅游：独特地貌、印加文明、特色手工艺

截至2023年，秘鲁和中国、西班牙一样，共有8个乡村入选世界“最佳旅游乡村”榜单，包括查卡斯、查文德万塔尔、保卡坦博、塔基莱、波苏索、拉马斯、拉奇、奥兰塔伊坦博。独特的自然地貌、古老的印加文明和特色传统手工艺，是秘鲁乡村旅游发展的制胜秘籍。

（1）独特的自然地貌：湖泊、彩虹山、盐田

秘鲁的风景如画，从壮丽的安第斯山脉到碧绿的亚马逊雨林，从金色的沙漠到蓝色的湖泊，每一个角落都散发着独特的魅力……

塔基莱岛（图5.6）所在的“的的喀喀湖”，是南美洲海拔最高的湖泊，湖面海拔3812米，面积8290平方千米，平均水深140～180米，最深处达280米，被称为“高原明珠”。湖内水草丰茂，鱼类丰富。蓝天白云映衬之下，湖水如同蓝色宝石，散发出迷人的光泽，引人坠入波光粼粼的童话之中。

位于秘鲁南部安第斯山脉中的彩虹山（5200米），因其丰富的色彩而闻名于世。彩虹山其实是一块沉积岩，在地壳运动的作用下，地下的铁、铜、硫、锌等不同类型矿物质

---

[1] 人民网. 国外乡村旅游迸发新活力[N/OL]. 中华网，2022-08-19[2024-12-12]. https：//news. china. com/internationalzq/13004216/20220819/43176065_2. html.

和化合物被推向地表，在氧化和其他化学反应的影响下，呈现出红、粉红、紫、绿、黄、蓝等各种色彩。在阳光照耀下，山体上五彩斑斓的条纹仿佛活了起来，宛如一幅生动的油画，让人不禁感叹大自然的鬼斧神工（图5.7）。

图5.6　塔基莱岛（图片来源：秘鲁旅游局公众号）

秘鲁的马拉斯盐田景观更是令人叹为观止（图5.8）。马拉斯盐田位于距离印加古都库斯科40多公里的安第斯山脉峡谷。成千上万块大小不一、形状各异的盐田相互连接，在陡峭的山坡上层层铺开，乳白色的盐粒和灰褐色的泥土交错相叠。由于盐田里注水，所以每一块小格子就是一个不规则的马赛克镜面。在光线充足的晴朗好天气，镜面会将蓝天、白云、青山、高原尽收其中。远远望去，满山坡闪耀着五彩斑斓的小镜子，从浅粉到墨绿，像极了少女化妆包里的眼影格子。据考古学家研究，这些盐田的历史能追溯到公元前200年左右的前印加时期。在那个年代，印加人已经掌握了从富含矿物质的泉水中提炼盐分的技术，并设计出这一层层梯田式盐田。几千年以来，盐田从未停止过运转，滋养着千家万户，也是人与自然相结合的一个杰作。

（2）古老的印加文明：查文德万塔尔、拉奇

公元前1500年至公元前200年，在南美洲的安第斯地区，多个文明开始繁荣发展。其中，玛雅文明、阿兹特克文明和印加文明被并称为美洲古代三大文明。玛雅文明的天文、数学成就和精湛工艺令人惊叹，阿兹特克文明以农业和壮观的建筑著称，印加文明则以庞大的水利工程和雄伟的建筑闻名。

图5.7　秘鲁彩虹山（图片来源：秘鲁旅游局公众号）

图5.8　秘鲁马拉斯盐田（图片来源：秘鲁旅游局公众号）

世界“最佳旅游乡村”查文德万塔尔是印加文明的典型代表（图5.9）。查文德万塔尔遗址坐落于海拔3180米的高地之上，由一组巨大的截断金字塔结构组成。其主要建筑有新型庙宇或城堡、旧型庙宇、圆形露台、Tello金字塔、北方平台、南方平台和四方广场。整齐排列的雕刻石头、广场、地下走廊、精心设计的光束，形成了一个错综复杂的迷宫。查文德万塔尔神庙内最吸引人的当属Lanzón Monolito，这具约4.53米高的独块巨石雕塑上雕刻有在查文文明中反复出现的迷人形象，别具一番神秘感。1985年世界教科文组织授予了查文德万塔尔神庙（Chavin de Huantar）世界遗产的称号。

图5.9　查文德万塔尔（图片来源：秘鲁旅游局公众号）

世界“最佳旅游乡村”拉奇（Raqchi）位于秘鲁库斯科坎奇斯省的圣佩德罗德卡查斯区。其标志性建筑是一处考古遗址，也被称为维拉科查神庙。传说维拉科查是印加人神话中的造物主，创造了世界光明和日月星辰，也创造了人类万物。神庙主体为两层长方形结构，由近20米高的中央土坯墙组成。两侧为一排11根圆柱，上部为黏土砖坯，下部为岩石地基。土坯砖墙上有几扇门窗，可以看到远处的火山。在被西班牙人摧毁之前，这处神殿是印加帝国规模最大的创世神殿。从高墙遗址上行，越过石块垒成的地基和矮墙，还可看到很多残垣断壁和印加粮仓的圆形遗址。

（3）特色传统手工艺：纺织、镀银、陶瓷

秘鲁是一个地理和文化多样性很强的国家，无论是编织、雕刻、陶艺还是金属加工，都展现了极高的工艺水平。手工艺品不仅仅是物品，更是文化的载体，蕴含着丰富的历史、传说、信仰和民俗，反映了秘鲁人民的智慧和生活方式。

世界“最佳旅游乡村”塔基莱岛位于南美洲最大的淡水湖泊的的喀喀湖上，以纺织著称。岛民将安第斯帽子渐渐转变为本土的Chullo帽，负责编织Chullo帽的是男性（图5.10）。塔基莱岛的每个男孩从6～7岁起就要学习织帽子，这个技术代代相传。之后，他们要学会自己染羊毛纺纱，织有花纹的彩色帽子。编织技艺的高低代表着男人能力的强弱，做出的帽子越精致细密，在婚恋市场就越“紧俏”。20世纪50年代，塔基莱岛开始和外界产生联系，到70年代，他们开发了旅游业。现在，每年有4万名游客前来参观，岛民们主要靠游客住宿和卖纪念品赚钱。Chullo帽是卖得最好的，每家每户的男人们都奋力织出更多帽子。因为精美的针织艺术，2005年联合国教科文组织把“塔基莱岛的针织”列入非物质文化遗产，让小岛全球知名。

图5.10　塔基莱岛编织（图片来源：秘鲁旅游局公众号）

世界“最佳旅游乡村”保卡坦博不少家庭以养殖羊驼及制作羊驼毛纺织品为生（图5.11）。对于印加人来说，羊驼全身都是宝，它的肉可以吃，羊驼可以当苦力，帮印

加人在上万公里的长途中运输物品。更重要的是，羊驼的毛还可以用来制作服装，甚至成为一种货币形式。村民利用羊驼毛制作熊猫、鸭子、海豚等各式玩偶，获得了游客的青睐。几乎秘鲁每家礼品店里和集市上都售卖各种各样的羊驼玩偶，这些公仔都由真正的羊驼毛制成，暖暖软软的触感会让你爱不释手。2023年第六届中国国际进口博览会现场，秘鲁手工艺人马马尼夫妇现场制作羊驼玩偶，吸引了观众注意。从第一届进博会开始，马马尼家族中的12个家庭都加入了玩偶制作，他们的工坊每年为“温暖驼”制作2万至2.5万件产品，造型也从羊驼拓展到熊猫、企鹅、兔子等几十个品类。如今和“温暖驼”合作的秘鲁手工艺人队伍已经壮大到20余个家庭的400余人，收入水平显著提升。

图5.11　保卡坦博羊驼毛玩偶（图片来源：秘鲁旅游局公众号）

此外，秘鲁的镀银、陶瓷等工艺也具有悠久历史。在一些偏远乡村的古老银匠铺里，游客几乎都可以找到合乎心意的银耳环、银手镯、银项链等饰品，其时尚度也不输国际品牌。用黏土制作出精致的陶瓷公牛、穿着印加传统服饰的“财神爷”Ekeko小木偶、民间乐器排箫Pan-Pipes等，也都颇具印加风味，创意感十足。秘鲁外贸和旅游部曾连续3年举办“我们是手工艺人”活动，大力推广秘鲁传统手工艺品。除了对获奖作品给予技术援助外，还为每件作品提供5000秘鲁新索尔（1美元约合3.7秘鲁新索尔）的现金奖励，用于支持手工业者生产和销售手工艺品。

5.2.3 日本乡村旅游：生态、建筑、多元体验

日本乡村的发展大致经历了三个阶段：20世纪60年代，以农业生产技术革新为突破点，实现乡村的机械化、水利化，缩小城乡差距；20世纪70年代，以“一村一品”“造村运动”为基础，推进农业产业化，建设特色村庄，形成了具有地域特色的“拳头品牌”；进入21世纪以来，日本乡村开始走上“文化振兴”之路，发展与乡村文化相关的艺术创意产业，实现农业产业和乡村旅游的融合。经过多年的发展，日本的乡村旅游在模式、管理、接待人数等许多方面都取得了极大的成就，成为世界上乡村旅游业最为发达的国家之一，被誉为“亚洲乡村旅游的标杆”。入选世界“最佳旅游乡村”的白河市、尼塞科、美山、白马村、奥松岛、美瑛町，代表了日本乡村旅游的常见模式和类型。

（1）白河：冬天的风物诗

“最佳旅游乡村”白河因“合掌造”茅草屋而著称（图5.12）。“合掌造”是具有日本传统特色的房屋形制，其屋顶以茅草覆盖，整体呈人字形，远看如同双手合十。在拥有世界上最多降雪量的日本东北区域，“合掌造”结构可以让雪更容易滑落，让房屋抵御白雪皑皑的冬季的严酷考验。这是日本古人审美和智慧的体现，更是冬天的风物诗。尤其是晚来天欲雪时，围坐在茅草屋内温暖的灯光之下，静静地听着雪落的声音，一幅童话小镇的画面跃然纸上。

图5.12 白河合掌屋雪景（图片来源：日本国家旅游局公众号）

白河同时也是日本千驹酒和拉面的故乡。在白雪皑皑的冬夜，温上一壶酒，吃着用带木材芳香的擀面棍手工擀出的拉面、爽口醇厚的面汤、原汁原味的叉烧肉，配上窗外的绝美雪景，绝对是一场味蕾和心灵的双重盛宴。特别是近年来，伴随着白河“樱花节”“灯笼节”“拉面节”等特色节庆活动规模的不断扩大，白河乡村游已成为日本旅游行程表上的亮点活动之一。

（2）尼塞科：滑雪者的天堂

位于日本北海道深山之中的尼塞科（Niseko），每年12月到来年4月都被银装素裹成一个纯净的世界。这里是全球滑雪爱好者向往的胜地，被誉为滑雪者的天堂（图5.13）。

尼塞科拥有四个雪场——Annupuri、Niseko Village、Hirafu和Hanazono，它们集中在同一座山上，共享同一个山顶。这四个雪场各有特色，如Annupuri的野雪道丰富，Hirafu则是最大的雪场，拥有多样的雪道和丰富的商业设施。每年11月到次年5月，尼塞科推出多种滑雪课程和活动。无论是初学者还是高级滑雪者，都可以在这里体验滑雪的乐趣。同时，尼塞科还提供徒步、观光游船、温泉等项目。游客可以在滑雪后感受酒店温泉的舒适，在山底米其林餐厅里享受美食盛宴。无论是寻求刺激的滑雪爱好者，还是想要放松身心的旅行者，都能在这里找到适合自己的游乐项目和体验。

图5.13　尼塞科滑雪场（图片来源：日本国家旅游局公众号）

（3）美山：日本人心灵的故乡

美山距离京都约2小时车程，与白川乡合掌村、下乡町的大内宿并列为日本三大“茅草屋之乡”（图5.14）。村里仅有50户人家，其中共有38间茅草屋。这些茅草屋至少有150～200年的历史，其中最古老的建筑为220年前建造。在政府和村民的共同努力下，茅草屋完整保存了江户时代以来的屋舍、木造的墙壁门户、炭火炉以及厨房炉灶。每年7000万名游客前来就是为了一睹这些传统建筑的风貌。

当地村民还将自己的生活和传统节日开发成了特色旅游项目。比如，因为茅草屋易燃，美山町每半年会举办一次消防演习。消防系统启动时，水柱如同倾盆大雨从天而降，从天上俯瞰尤为壮观。如今一年两次的“消防演习”已成为吸引游客的特色活动之一。除此，美山町每年冬天还会举办雪灯廊和烟火活动，这是一个集合了雪景、美山茅草屋点灯、灯光秀、烟火大会等丰富文化的活动。游客可以欣赏雪景，观看传统日本舞蹈，并借此深入了解日本文化。如今美山已成为乡村旅游带动当地经济发展的典型案例，被媒体誉为“日本人心灵的故乡”。

图5.14　美山（图片来源：日本国家旅游局公众号）

（4）白马村：“日本瑞典”

日本长野县北安昙郡白马村坐落在海拔700米的高原上，背靠海拔3000米左右群山连绵的“北阿尔卑斯”国立公园，自古享有“日本瑞典”的盛誉（图5.15）。

图5.15　白马村（图片来源：日本国家旅游局公众号）

夏季的白马村放眼是草绿色，在远处与蓝天白云连成一片。白马村从2018年便开设了许多夏季游玩项目，包括越野车、登山越野脚踏车等。白马村的岩岳被誉为登山越野脚踏车的胜地。这里的最高点海拔为1272米，与山脚有521米的海拔差，全长6900米的下山路线充满了挑战与激情。1998年的第18届冬季奥林匹克运动会在此举行，由此白马村闻名于世。如今，白马村将奥运会比赛用的“高台跳雪场”向游客全面开放，只要30元人民币门票就可以登上造价高达5亿元人民币的两个跳台，近距离感受奥运健儿曾经挥洒汗水的赛场，还可以远眺整个白马村的200多条赛道。

在日本村庄人口不断减少、村庄不断合并消失的当下，白马村借助旅游业和乡村经济发展，从早先80个村民变成现在常住公民9000多人，如果算上外籍务工人员和投资者的话，这个数字在1.3万人左右。依托冬季滑雪和夏季徒步的口碑，每年吸引外来游客80万人以上。换言之，日本每年2000多万外来游客中就有80万是冲着白马村来的。

（5）奥松岛：绳文之美

奥松岛位于日本三景松岛最东端，由风平浪静的内海与粗犷的海岸所环绕。奥松岛利用海岛优势，开辟了海水浴、风浪板、垂钓、地拖网、赶海等旅游项目。途中有专业渔师同行指导，讲解如何使用钓竿和缠饵。钓鱼的同时也会变换地点，增加鱼儿上钩的机会。回到酒店后，店家已经架设好烧烤的烤网和食材，并将当天捕获的渔获进行调理，让游客充分体验现代渔业的乐趣。

2018年奥松岛推出徒步路线，全程约10公里，途中可经过“里浜贝冢”和“绳文村历史博物馆”。“里浜贝冢”东西约640米，南北约200米，是日本最大规模的国家指定的历史遗址，它记录了从约6800年前起持续了4000年的绳文人的文化。绳文村历史博物馆展示有约2500年前的贝冢断面、出土的贝类装饰品等。游客还可参观贝冢、取火、制作绳文时代的护身符勾玉、制作使用特制黏土的绳文风土器等绳文时代的模拟体验。

（6）美瑛町：合美之村

美瑛町是日本北海道上川支厅辖下、上川郡范围内的一个乡镇。美瑛的人口在昭和35年（1960年）时到达最巅峰，共有约2万人，但由于社会结构与产业的改变人口开始外移，目前只剩下1万人左右，最主要的产业是农业与以农业生产品为原料所衍生的轻工业。近年来，观光农业逐渐成为美瑛地区的重要收入来源。美丽的四季彩之丘、拼布之路、青池等景点，吸引了无数游客打卡（图5.16）。

图5.16　美瑛町（图片来源：日本国家旅游局公众号）

与艺术的融合，让美瑛村得到了广泛关注。1986年，摄影师前田真三对当地一所小学进行翻修，改造成“拓真馆”，专门展示与美瑛村相关的摄影作品。“拓真馆”饱含了20世纪80年代日本民众内心对田园生活渴求，以及期望忙碌焦躁心灵被治愈的愿望。前田真三在维护“拓真馆”的同时也对附近的田野牧场进行了修造。1991年，美瑛町入选“美丽日本乡村景观100选”。在“拓真馆”的影响下，美瑛村大力发展乡村文化和艺术，围绕乡村特色手工艺开设各类“艺术工房”，如白桦编篮工房、手织屋雪虫工房、皆空窑、玻璃艺廊，打造西美之社美术馆、丘之道交流馆、乡土博学馆等文化景点，为游客提供了了解和感受当地文化的机会。自然美景与人文精髓的融合，让该地成为北海道最受欢迎的旅游胜地之一。

5.3 国外乡村旅游的主要发展模式

5.3.1 国外乡村旅游的组织模式

作为重要的旅游方式和创汇产业，国外发达国家非常重视乡村旅游业的发展，并在实践过程中形成了不同的组织模式。这些模式不仅促进了乡村旅游的发展，还丰富了游客的旅游体验。

（1）政府主导型

这种模式以韩国、日本为典型代表。韩国政府高度重视乡村旅游的发展，自20世纪70年代起就通过“新村运动”改善农村硬件环境。进入21世纪后，政府更是大规模出台了一系列促进农村观光的政策措施，如2002年起正式支持以村庄为单位的农村观光开发模式。政府通过公开招标方式评选符合条件的村庄，并予以资金支持；设立专项资金，用于农村结构改革、增加农村收入以及农村发展；制定长期规划，如《第六次观光振兴基本计划（2023—2027年）》，将乡村旅游作为重要组成部分予以重点关注。

日本政府为乡村旅游制定了详细的发展规划，明确发展目标、路径和措施。同时，出台了一系列相关法律法规，如《旅游行业法》《农业基本法》《农山渔村余暇法》《山村振兴法》等，为乡村旅游提供了法律保障。政府还设立了乡村旅游发展专项资金，通过财政补贴和税收优惠等政策措施，鼓励更多的社会资本投入乡村旅游领域，促进乡村旅游的多元化发展。

（2）协会推动型

这种模式以法国、西班牙为典型代表。法国农会（les chambres d'agriculture）下属的旅游协会在法国乡村发展中扮演着重要角色。该协会具有半官方、半民间性质，既是政府政策的执行者，也是农民利益的代表者。其主要职责与功能包括制定行业规范与质量标准；对加入协会的会员进行房屋修缮、经营策略、定价策略、财务管理等全方位指导；构建网络信息平台，整合农业旅游自然资源和人文资源，提供咨询培训、整合营销等服务。协会还研发了“欢迎你到农庄来”的组织网络，将法国的农场划分为不同类型（如美食品尝、休闲、住宿等），每种类型的农场都有各自应遵守的条例和规定。加入“欢迎你到农庄来”组织网络的农场可以使用法国农会常设委员会（APCA）颁发的标志，这有助于提升农场的品牌形象和市场竞争力。

西班牙乡村旅游协会（ASETUR）制定了详细的行业标准，要求会员单位执行，以确保乡村旅游的服务质量。这些标准涵盖了乡村旅馆的设施、服务、环境等多个方面，如规定乡村旅馆必须是具有50年以上历史的老房子，且对房间数量有限制，开业需经过政府审核等。国家和地方政府也制定了乡村旅游的强制性标准，这些标准与行业协会的标准相辅相成，共同确保乡村旅游市场的规范性和高质量。协会还组织会员单位进行统一的营销推广，促进交流合作和提升服务质量，为乡村旅游的规范、健康、持续发展提供有力保障。

（3）混合开发型

这种模式包括“农户+政府”“农户+行业协会”“农户+公司+行业协会+政府”等不同类型，以荷兰、英国为代表。荷兰花卉农业旅游采用了“农户+企业+协会”联合开发模式。作为世界上最大的花卉生产国和出口国之一，花卉业在荷兰农业生产中占有重要地位。农户负责花卉的日常种植和管理；企业投资建设游客接待中心、展示区和体验设施，提供专业的导览服务和花卉产品展示；协会则负责协调各方利益，推动花卉农业旅游的可持续发展。

英国乡村旅游主要采取“农户+协会”联合开发模式。以拥有200多个乡村的科茨沃尔德地区为例。该地区农户利用自己的土地和农业资源，提供农事体验、农产品销售、住宿餐饮等服务；协会则负责协调农户与游客之间的关系，提供活动策划、管理和营销等服务，优化游客体验。乡村旅游为当地农户带来了可观的经济收入。目前该区凭借美丽的乡村田园风光、丰富的历史文化遗迹和独特的建筑风格，带动了交通、零售等行业的繁荣，成为英格兰乡村发展的典范，也是英国乃至欧洲最重要的乡村旅游目的地之一。

5.3.2 国外乡村旅游的主要开发模式

目前国外乡村旅游发展已经较成熟，形成了田园观光型、农场体验型、文化教育型、户外探险型、节庆活动型等不同开发模式。

（1）田园观光型

田园观光型就是以农村田园景观、农业生产活动和特色农产品为旅游吸引物，开发花卉、果木、渔业、牧业等不同主题景观，满足游客对田园生活和生态景观的向往。日本的观光农业值得学习借鉴。作为一个四季分明、自然景观丰富的国家，日本在每个季节都有不同的花卉盛开。很多乡村纷纷打出“赏花”牌，助力旅游发展。从春季的郁金香、芝樱和粉蝶花，到夏天的向日葵、绣球花和蜀葵，再到秋季的大丽花、盆菊等，为数众多的花卉品种让日本众多乡村全年都拥有如诗如画的风光。“日本最美村落联盟”（日本で最も美しい村连合）是一个横跨日本境内许多观光乡镇的联合组织，总部就设在世界“最佳旅游乡村”美瑛町。位于京都府南部的和束町，则以“茶”景观著称，其抹茶原料生产量位居全日本第一。游客来到这里，可以欣赏沿着山的倾斜面种植的壮丽的茶田景观。凉爽的气候、湛蓝的天空、宛若大型翠绿画作的茶田景象、山间散落的传统民居，构成了人与自然和谐共生的美好画卷。和束町茶田已被指定为京都府景观资产第一号，也是京都茶宣传照的拍摄景点。

（2）农场体验型

农场体验型旅游项目主要是让人们深入农业生产和生活环节，参与农作物种植、收割等活动，感受淳朴的农村生活方式，体验农耕文化魅力。比如在人均7只羊的新西兰，剪羊毛是国内外游客都非常热衷参与的项目。日本的很多农场都提供挤牛奶、喂马、放羊等活动，游客还可以参与农庄的黄油、奶酪等手工制作。韩国临近海边的渔村则将海上钓鱼、滩涂体验等项目作为游玩亮点。在韩国的河田渔村，游客可以乘坐泥滩牵引车，在面积达1200公顷的广阔泥滩上一边挖四角蛤蜊一边体验泥滩的乐趣。海把里村的火把捕捞、海上钓鱼、摘柚子、制作天然柚子香皂等项目也备受欢迎。游客可以体验最原始的海上捕捞方式和烹饪方式，品尝自己亲手钓到的鱼做的生鱼片，感受大海的馈赠和祖先们的生活智慧。

（3）文化教育型

国外乡村旅游开发注重传统文化的保护传承，通过挖掘乡村特色文化，将其作为乡村旅游发展的增长点。肯尼亚的奥洛格塞利村，本是一个默默无闻的偏远小村庄。1919年英国地质学家在这里发现了一座旧石器遗址。在持续百年的史前遗址考古中，大量与动物屠宰有关的阿舍利手斧被挖掘出来，这些手斧最早可以追溯到大约100万年前的阿舍利时期。同时，奥洛格塞利史前遗址还出土了大量文物和动物化石，以及可能属于史前直立人的额骨和手指化石。为了推动乡村旅游发展，肯尼亚政府一方面对史前遗址进行保护性开发，作为吸引游客的看点；另一方面强化文化资源管理，限制水资源消耗与浪费，严格实施固体废物管理。通过各方协同努力，奥洛格塞利村凭借遗产资源发展旅游业，实现了富民增收的目标，被联合国旅游组织列入2021年世界“最佳旅游乡村”名单。

世界“最佳旅游乡村”玛尼村也是依靠文化复原实现乡村发展的典型。玛尼村历史可追溯到前殖民时期的玛雅早期。建于1549年的方济各教会修道院是玛尼村历史遗迹中最具吸引力的一部分。这座大型建筑由哥伦布时期玛尼地区的切割石头建造，后殿拱顶保存有早期殖民时代的壁画，中殿内部设有3座巴洛克式雕刻祭坛。从2001年开始，当地政府开始对相关建筑及其艺术品进行修复，并将其陆续呈现在游客面前。这里的旅游景点还有乌斯马律考古遗址、普鲁克生物文化保护区和美利波尼文化展陈馆。此外，游客还可以在此体验尤卡坦半岛最古老的刺绣技术、品尝尤卡坦特色菜等。作为拥有4000年历史的文化瑰宝，玛尼村于2020年被墨西哥旅游部选入具备发展旅游潜力的国家“神奇村镇计划”名录；2022年被列入联合国世界“最佳旅游乡村”名单。

（4）户外探险型

户外探险旅游具有巨大发展潜力。根据中国探险协会发布的《2023中国探险产业白皮书》数据，2023年，我国探险相关行业的企业数量已达570万家，探险产业的总产值达到1.9万亿元，同比增长15.5%。中国参与探险旅游的人群达到3.3亿人。预计到2026年，中国探险产业的规模将达到2.7万亿元，参与人数也将增至4亿人。

在瑞士的阿尔卑斯山区，徒步探险是最受欢迎的乡村旅游活动之一。游客可以选择不同难度和长度的徒步路线，穿越雪山、森林、草地和山谷，欣赏壮丽的自然风光；也可以穿上专业的冰爪和冰镐，在阿莱奇冰川上徒步、攀爬或滑雪。智利更是全球徒步旅行和探险爱好者的天堂。从火地岛探险到国家公园徒步，从圣地亚哥周边的滑雪中心到比亚里卡火山滑雪体验，从圣佩德罗阿塔卡马的骑马短途旅行到普孔森林穿越，智利已经连续多年被评为“全球最佳探险旅游目的地”。如智利国家旅游局局长安德烈娜·沃业特（Andrea Wolleter）所言：“我们的国家是进行探险旅游的理想之地，也是进行探险旅游的世界级目的地。从北到南，探险者可以享受到海滩、山岳、火山、安第斯山脉和无尽的自然风光。”[1]

（5）节庆活动型

乡村地区节庆活动是乡村文化传播发展的有效途径，既能打造特色的乡村文化氛围，又能提升游客对在地文化的深度理解，增强体验感。每年2月，法国东南部的芒顿小镇都会举办盛大的“柠檬节”。种植户将自家种植的柠檬和柑橘一起巧妙地扎成动物、城堡、教堂等各式雕塑，进行花车游行。花车队伍有美女伴舞，铜管乐队在大街小巷演奏。在狂欢间隙，小镇还为海外的游客准备了介绍特产柠檬的展览。“柠檬节”让一个原本并不起眼的小镇变成如今南法最值得一游的小镇，极大地带动了芒顿地区的旅游发展。俄罗

---

[1] 孟湘君. 智利连续第六年被评为全球最佳探险旅游目的地[N/OL]. 中国新闻网，2021-12-31[2024-12-12]. https：//www. chinanews. com. cn/gj/2021/12-31/9641941. shtml.

斯苏兹达尔每年7月会举行“黄瓜节”。游客们可以品尝到各式各样做法的黄瓜，以及黄瓜做的饮料、馅饼、冰糕和果酱。这一节日吸引了众多来自芬兰、波兰、日本、墨西哥、瑞典的游客，大家专门来到苏兹达尔，品尝这独一无二的黄瓜盛宴。日本乡村节庆活动大致可以分为两类：法定传统节日以及神社祭、丰年祭、稻神祭等具有地方特色的“祭”。节庆活动集中展示了地方传统的音乐、舞蹈、服饰、宗教仪式、生产劳动等文化元素，已成为吸引游客的重要形式。韩国乡村则推出了数百个与乡村旅游有关的民俗节，如“蝴蝶节”“泡菜节”“人参节”“鱼子酱节”“拔河节”“漂流节”“钓鱼节”，并且都具有鲜明的乡土特色，不同程度上带动了当地旅游业发展。

5.3.3 国外乡村旅游建设的启示

（1）注重保留乡村文化的原真性

乡土文化的原真性，指的是乡村原始、真实、未经过度商业化或现代化改变的状态，包括古建筑、古村落、传统民居等文化遗产，传统节日、民俗活动、民间信仰等传统习俗，以及山水田园、古树名木等自然景观。原真性是乡土文化独特魅力和价值的重要体现，也是区别于其他文化形态的重要标志。国外乡村旅游发展过程中非常重视保护文化的原真性。

一是通过制定相关法律法规，明确乡村文化保护的重要性。日本制定了《古都保存法》《文化财保护法》《景观法》。西班牙通过《西班牙宪法》《地中海景观宪章》《西班牙历史遗产法》《非物质文化遗产保护法》构建了乡村文化遗产保护的系统法律体系。秘鲁通过宪法和法律明确对土著传统知识的保护，指出原居民的建筑物和遗址、手工艺、设计、仪式、技术、视觉和表演艺术、文学、宗教精神财产等任何人不得擅自、无偿占有。对于被列为世界遗产的自然和文化景观，秘鲁政府采取了一系列严格的保护措施。例如，对于马丘比丘印加古城，政府取消了修建通往该城的缆车计划，并限制游客数量，以减少对遗址的破坏。在其他自然保护区，如鸟岛，游客被禁止上岛活动，只能在周边水域观看，以保护岛上的生物多样性和生态环境。

二是出台扶持政策，鼓励和支持乡村文化的发展。意大利将社会上发行的各类彩票收入的0.8%作为国家文物保护专项资金；同时，对投资文物保护和修复的企业或个人给予优惠税收政策，比如允许企业对各类社会文化活动的赞助直接抵税，以利于一些文物保护项目通过企业赞助完成。许多著名公司争相赞助大型文物古迹的修复工作，如罗马古斗兽场、水城威尼斯的标志性建筑古迹等。[1]法国历史悠久，拥有丰富的文化遗产和众多的文

---

[1] 王星桥. 意大利保护文化遗产不遗余力[N/OL]. 中国在线，2013-06-26[2024-12-12]. http：//www. chinadaily. com. cn/dfpd/2013-06/26/content_16660597. htm.

物古迹。其中，被列为国家文化遗产名单的历史古迹多达4.4万处，还有104个国家文化遗产保护区域和678个建筑及景观领域的国家级保护区域。在文化遗产保护方面，法国一直走在世界的前头，历届政府都坚持国家在文化事业发展和文化遗产保护中的主导作用，确保对文化领域的财政支持力度。以2017年为例，全年文化预算为75亿欧元，政府授权文化部门对某些文化消费提取税款约10亿欧元，政府为扶持文化事业对某些文化项目减免应收税款约15亿欧元。三项加在一起，2017年法国文化预算总额达到100亿欧元，比2016年增长了5.5%，占政府总预算的1.1%。此外，法国政府还出台政策，鼓励有实力的基金会、企业和个人出资支持文化遗产保护，个人可以获得相当于捐赠数额66%的税收优惠，企业可以从营业税中扣除相当于捐款额60%的税款[1]。

（2）注重保留乡村文化的独特性

日本在乡村治理中鼓励各地区根据自身实际情况，因地制宜地培育富有地方特色的“一村一品”发展模式。“一品”可以是富有地方特色的农产品、一个著名景点，或是一曲民谣、一个舞蹈。比如日本的马路村曾经以伐木为生，20世纪70年代政府立法保护生态，村民失去了经济收入，纷纷外出谋生。村里唯一能种植的特产柚子，成为唯一的发展希望。如今的马路村已经实现了柚子生产、加工、销售一条龙，并以柚子为核心打造了一个产品生态圈。“丰后牛”是日本大分县拥有光辉历史的牛肉代表，被推崇为日本国宝级食材。随着农业机械化的普及，耕牛越来越少。20世纪70年代初，大分县为了有效利用原来饲养耕牛留下来的大片草地，以居住在大都市的居民为对象，开展认养肉牛的活动，以当地的特色产品作为利息每年寄给认养肉牛的主人。每年秋天，饲养肉牛的农家也会邀请认养肉牛的主人到牧场欢聚，现场烧烤品尝肉牛。借助一村一品模式，大分县将“丰后牛”从美食带入一个新的高度。

西班牙胡斯卡小镇以盛产蘑菇闻名。每到秋季，小镇周边的山中都会长满各类的蘑菇，据说可以见到150多个品种。2011年胡斯卡小镇被索尼公司选中作为3D动画片《蓝精灵》的宣传基地，因为蓝精灵就是生活在蘑菇房子里。胡斯卡由此声名大噪，成为安达卢西亚地区当季最热门的旅游目的地。在经过小镇居民同意后，胡斯卡原来的白色房屋全部被涂成蓝色，是唯一一个官方授权的蓝精灵之家。同时，道路导视牌、游客中心的报刊亭、城市公共垃圾桶等都换成了蓝精灵的形象（图5.17）。为了迎合“蓝精灵”的主题定位，延伸产业链，当地政府还规划出一片创意的蓝精灵集市。大家可以在这里售卖蓝精灵

---

[1] 李建波. 法国文化遗产保护的理念与策略[N/OL]. 中国社会科学杂志社，2017-10-24[2024-12-12]. http：//sscp. cssn. cn/xkpd/yw/201710/t20171024_3677937. html.

的玩偶、装饰品等各类衍生品以及本土特色产品。这一举措顺利将当地旅游资源优势转化为经济发展优势，现在成为一个每年吸引数十万名游客前来的主题乐园。

图5.17 西班牙胡斯卡小镇（图片来源：西班牙国家旅游局公众号）

（3）注重乡村文化的活态传承和创意开发

乡村文化资源的创意开发是乡村文化建设的重要内容。一直以来，乡村文化的保护与开发是一个矛盾体，过分强调保护或开发，对乡村文化的建设都是不利的。如何在保护的前提下进行科学、有序的适度创意开发是各国的共同探索方向。

日本将农事文化活化的做法具有借鉴意义。众所周知，稻作文化在日本具有悠久历史。日本国内的大米全年消费量约为800万吨，人均全年消费达55千克，其中98%在国内生产。日本耕地中，种植大米的水田占54.4%。每年的插秧季节，日本很多乡村都会举办插秧节（又称“御植田节”），以三重县志摩市、大阪住吉大社、千叶县三地最为著名，合称为日本三大插秧节，甚至被列入日本重要非物质文化遗产名录。插秧节保留了传统农事活动的工作流程，又融入了幽默的戏剧表演，使得节庆更具观赏性。日本田舍馆村还将稻田与大地艺术结合，形成了特色的“稻田艺术”（图5.18）。每年的7～8月都是观看田舍馆村稻田艺术最好的时间段，各色稻谷成熟饱满，画作生动形象。到8月下旬，稻田会泛上金色，有的画作还会迎来二度观赏的最好时机。在开始农田艺术之前，田舍馆村几乎没有游客光临，但是如今却成为每年有27万游客来访的旅游地。田舍馆村稻田艺术是日本稻田艺术的起源，此后在日本100多个乡村都启动了稻田艺术尝试，成为乡村游的重要拉动方式。

图5.18　日本田舍馆村的稻田艺术

韩国庆尚北道安东市的河回村，是一个有着600多年历史的传统古村落，保留了大量的李氏王朝时期的建筑和传统文化习俗，被誉为“活的朝鲜时代建筑博物馆”。河回村每年会开展四次“传统丧礼观礼”活动，旨在传承“孝道”文化以及理解韩国社会对死亡认知；每年开展9次传统婚礼体验活动，游客可以从中感受韩国传统婚礼文化。1997年，河回村创办了以假面舞剧为主题的国际文化庆典——安东国际假面节（图5.19）。这些大型节庆活动大大地提高了游客停留时间，获得了可观的门票收入。为了进一步传播假面文化，河回村在村外的商业区修建了河回洞博物馆，陈列着从世界各地收集而来的假面。在博物馆，游客除了参观世界各地的假面以外，还可以购买假面文创产品、体验面具制作以及参观假面表演等。通过文化的活化和创意转化，这个古村开始名扬世界。

图5.19　安东假面（图片来源：韩国旅游局公众号）

6

乡愁设计：乡愁文化在文旅融合发展中的创新转化

6.1

乡愁文化基因谱系梳理

乡愁是以个体为单位的一种主观情感，凝结了对家乡的人、事、物、场、境等意象的共同记忆。为最大范围搜集受众认知中的乡愁文化现象，本书选择时下用户多、受众广的网络社交平台微信，以“你心目中的乡愁”作为关键问题，于2023年12月份发起网络调研，获取用户对乡愁的综合认知。初步收集用户回帖132份，经过筛选，最终确定了106份研究样本。筛选主要遵循三个原则：①回帖以第一人称进行乡愁叙事，以保证资料真实性和有效性；②回帖内容主要表达对所经历的乡村生活的怀念；③内容侧重描述具象化的乡愁文化元素，而非长篇情感宣泄。筛选完成后对文本资料进行规范处理。样本概况如表6.1所示：

表6.1 用户回帖最终采纳篇数

年龄	19岁及以下	20～29岁	30岁及以上
人数	17	65	24
占比	16%	61.3%	22.6%

6.1.1 乡愁文化基因的提取方法

（1）逆转录提取法

基因是遗传物质的最小功能单位，具有稳定性和可变性。“文化基因”最早由西方学者提出。20世纪50年代，美国人类学家克罗伯（Alfred L. Kroeber）和克拉克洪（Clyde Kluckhohn）设想，不同文化中是否具有像生物世界里“生物基因”那样的基本而又齐一的“文化基因”？[1]进入21世纪，中国学者越来越多地使用“文化基因”这个概念。学者王东明确指出：“文化基因就是决定文化系统传承与变化的基本因子、基本要素；其中最重要的是结晶在一个民族语言文字系统中、升华为哲学核心理念的思维方式与

[1] 赵传海. 论文化基因及其社会功能[J]. 河南社会科学，2008（02）：50-52.

价值观念。”❶

在生物基因工程中，遗传信息从DNA传递给RNA，再由RNA传递给蛋白质。而逆转录提取法是在已知蛋白质的情况下，以RNA为模板，反求出包含稳定遗传信息的DNA。借鉴生物基因提取法，乡愁文化基因提取的逆转录过程，实质上就是以乡愁文化现象为基本表征单元，从中梳理提炼概念性、代表性更强的乡愁文化元素，并进一步提取具有稳定历史传承性的文化内核，即乡愁文化基因（图6.1）。

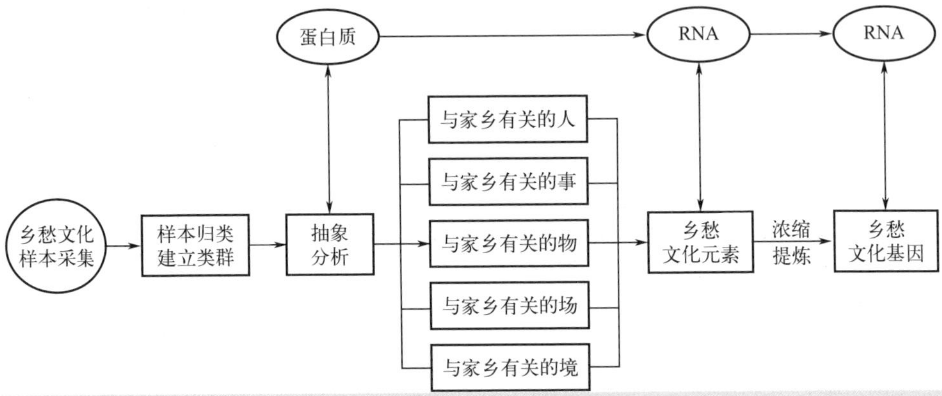

图6.1　乡愁文化基因逆转录过程

（2）词频分析

运用微词云软件对网络文本数据进行词频分析。微词云作为一款实用的在线文字云和词云生成器，支持大文本分词、多维度筛选、词频统计和可视化等功能。运用微词云对文本资料进行词频分析，可获得有意义的高频乡愁文化现象及其频数。

（3）扎根理论

扎根理论（Grounded Theory）由格拉斯（Barney Giaser）和施特劳斯（Anselm Strauss）在20世纪60年代提出。它特别强调从资料中提升理论，认为只有通过对资料的深入分析，才能逐步形成理论框架❷。扎根理论提出了从开放式编码、关联式编码、核心式编码到理论建立的四个循序渐进的步骤，为资料分析提供了一套比较普遍适用的操作性程

❶ 王东. 中华文明的文化基因与现代传承（专题讨论）：中华文明的五次辉煌与文化基因中的五大核心理念[J]. 河北学刊，2003（05）：130-134，147.

❷ 陈向明. 扎根理论的思路和方法[J]. 教育研究与实验，1999（04）：58-63，73.

序（图6.2）[1]。

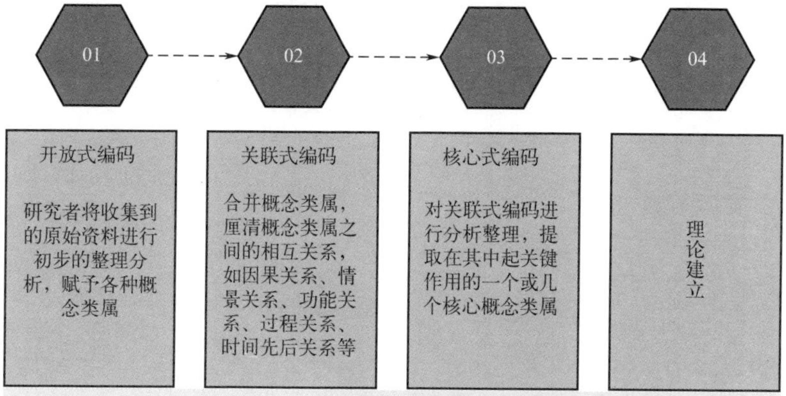

图6.2 扎根理论的操作程序

依照扎根理论的操作流程，首先收集若干关于乡愁文化的回帖作为原始资料，进行开放式编码，将其初步概念化为“乡愁文化现象”；其次对初步概念化的资料进行抽象，得到更为凝练的乡愁文化元素的若干范畴；再次进行核心式编码，将第二步得到的范畴进一步分析整理，归纳提炼为乡愁文化基因，最终完成乡愁文化基因的谱系构建。

6.1.2 乡愁文化现象数据库

运用微词云软件，对所获取的106个研究样本进行词频分析，提取出用户关于乡愁认知的309个词频，分别对应不同的乡愁文化现象，类似于生物基因工程中的蛋白质。以此构建乡愁文化现象数据库作为乡愁文化基因研究的基础数据（表6.2）。

表6.2 基于扎根理论的乡愁文化现象梳理及词频统计

现象	频次	现象	频次	现象	频次	现象	频次	现象	频次
热干面	14	妈妈	14	家乡味道	9	乡愁记忆	9	故土	8
乡音	8	方言	8	家人	7	奶奶	7	长江	7
家园	7	怀旧	6	爸爸	6	小巷	6	香气	6
烟火	6	欢声笑语	5	大街	5	伙伴	5	轮渡	4

[1] 冯生尧，谢瑶妮. 扎根理论：一种新颖的质化研究方法[J]. 现代教育论丛，2001（06）：51-53.

续表

现象	频次	现象	频次	现象	频次	现象	频次	现象	频次
晚风	4	阳光	4	街道	4	小摊	4	老街	3
风土人情	3	离愁别绪	3	亲人	3	朋友	3	小学老师	3
乡亲	3	孩子	3	漫步	3	送行	3	美食	3
胡辣汤	3	辣椒	3	自行车	3	照片	3	江风	3
夕阳	3	蝉鸣	3	长江大桥	3	建筑	3	打谷场	3
群山	3	平原	3	血脉	2	情感	2	江南水乡	2
花簇	2	走街串巷	2	家长里短	2	人来人往	2	万家灯火	2
车水马龙	2	美味佳肴	2	黄鹤楼	2	市集	2	公园	2
学校	2	炊烟	2	院子	2	蛙叫	2	早餐	2
瓦罐	2	柴火	2	烟花	2	汉江	2	微风	2
群山	2	黄河	2	河流	2	空气	2	爷爷	2
晒谷	2	割麦	2	烤红薯	2	放烟花	2	放鞭炮	2
建房	2	聊天	2	吹风	2	早点	2	火锅	2
黄酒	2	油条	2	汽水	2	排骨	2	腊肉	2
橘子	2	火烧	2	团子	2	鞭炮	2	卡片	2
沔阳三蒸	1	盐水鸭	1	烧饼	1	羊汤	1	公交车	1
地铁	1	土灶	1	面碗	1	菜篮子	1	海风	1
溪涧	1	三五好友	1	亲朋好友	1	客人	1	农民	1
王勃	1	陈友谅	1	尼姑	1	异乡人	1	伯伯	1
哥哥	1	路人	1	老人	1	老板	1	老伙计	1
邻居	1	乘凉	1	豫剧	1	龙船调	1	舞狮	1
舞龙	1	皮影戏	1	花鼓戏	1	平调	1	捏糖人	1
修路	1	修堤	1	拆迁	1	吆喝	1	世事变迁	1
做作业	1	放寒假	1	上学	1	赶集	1	包饺子	1
团年饭	1	宵夜	1	人情往来	1	嬉笑怒骂	1	打珠子	1

续表

现象	频次	现象	频次	现象	频次	现象	频次	现象	频次
骑行	1	垂钓	1	小憩	1	嬉闹	1	打鼓球	1
芝麻酱	1	板栗	1	羊肉	1	牛肉面	1	西瓜	1
三鲜	1	汤汁	1	烧烤	1	糯米	1	海带	1
豆腐	1	饭菜	1	白砂糖	1	胡椒	1	石花酒	1
洋芋	1	烤鸭	1	甜面酱	1	核桃	1	果肉	1
腊鱼	1	肉圆子	1	豆丝	1	莲藕	1	东坡肉	1
鱼头	1	臭豆腐	1	鸡蛋	1	肉饼	1	家常菜	1
面食	1	饺子	1	串串	1	青菜	1	臊子	1
米粉	1	刀削面	1	早饭	1	芝麻	1	米酒	1
小吃	1	牛肉	1	拌面	1	驴肉	1	煎饼果子	1
炒粉	1	午饭	1	鱼丸	1	烧鸡	1	炸糕	1
太湖	1	大江	1	银杏	1	东湖	1	天鹅湖	1
日落	1	莫愁湖	1	云彩	1	群山	1	清江	1
云海	1	泥巴	1	莲花池	1	大雪	1	东荆河	1
小河	1	春风	1	明月	1	热气	1	黑山羊	1
虎皮	1	小鱼	1	油菜花	1	麦穗	1	桃李	1
水杉	1	蒲公英	1	百合花	1	野果	1	猕猴桃	1
牛粪	1	茼蒿	1	葡萄树	1	小狗	1	牡丹	1
民居	1	老宅	1	青瓦	1	白墙	1	双子塔	1
滕王阁	1	土坯房	1	祠堂	1	大堤	1	路口	1
夜市	1	青石板	1	户部巷	1	石板路	1	街巷	1
客厅	1	灶台	1	厨房	1	山林	1	土地	1
落叶	1	湖畔	1	大峡谷	1	黄土地	1	湖水	1
河畔	1	树荫下	1	江面	1	茶园	1	溪水	1
碧波	1	昙华林	1	江汉路	1	三河路	1	脚步	1

续表

现象	频次	现象	频次	现象	频次	现象	频次	现象	频次
长江路	1	赤壁	1	风情街	1	蔡林记	1	荆州	1
重峦叠嶂	1	沔城	1	电影院	1	江滩	1	田野	1
小径	1	田埂	1	稻香	1	稻田	1	雪人	1
沟壑	1	缥缈	1	烟波浩渺	1	青山绿水	1	烟雨蒙蒙	1
白雪皑皑	1	白月光	1	落霞孤鹜	1	秋水长天	1	清香	1
苍翠	1	夜色	1	秋风扫落叶	1	人群	1	家家户户	1
烟火人间	1	酒香	1	街景	1	童年时光	1	妈妈味道	1
声声祝福	1	净土	1	悠久历史	1	吴侬软语	1		

6.1.3 乡愁文化基因谱系构建

以筛选出的309个乡愁文化现象为基础，根据各文化现象之间的逻辑关系，将文化属性较为统一或相似的乡愁文化现象进行分类，最终归纳总结形成24个乡愁文化元素（表6.3），乡愁文化元素中携带着特定的文化特征，具备生物基因中RNA的功能和特性。

表6.3 基于扎根理论的乡愁文化元素提取及频数统计

乡愁文化元素	乡愁文化现象	频次	比例
亲人	妈妈、家人、奶奶、爸爸、亲人、爷爷、伯伯、哥哥	41	7.6%
老师	小学老师	3	0.6%
玩伴	伙伴、朋友、三五好友、亲朋好友	10	1.8%
无社交但有记忆的人	孩子、客人、农民、王勃、陈友谅、尼姑、异乡人、路人	10	1.8%
街坊邻居	乡亲、老人、老板、老伙计、邻居	7	1.3%
劳作事件	晒谷、割麦、烤红薯、乘凉	7	1.3%
民俗表演	放烟花、放鞭炮、豫剧、龙船调、舞狮、舞龙、皮影戏、花鼓戏、平调、捏糖人	12	2.2%

续表

乡愁文化元素	乡愁文化现象	频次	比例
改造事件	建房、修路、修堤、拆迁、吆喝、世事变迁	7	1.3%
学习事件	做作业、放寒假、上学	3	0.6%
日常事件	送行、聊天、赶集、包饺子、团年饭、宵夜、人情往来、嬉笑怒骂	11	2.0%
休闲竞技	漫步、吹风、打珠子、骑行、垂钓、小憩、嬉闹、打鼓球	11	2.0%
食物	热干面、美食、胡辣汤、辣椒、早餐、早点、火锅、黄酒、油条、汽水、排骨、腊肉、橘子、火烧、团子、芝麻酱、板栗、羊肉、牛肉面、西瓜、三鲜、汤汁、烧烤、糯米、海带、豆腐、饭菜、白砂糖、胡椒、石花酒、洋芋、烤鸭、甜面酱、核桃、果肉、腊鱼、肉圆子、豆丝、莲藕、东坡肉、鱼头、臭豆腐、鸡蛋、肉饼、家常菜、面食、饺子、串串、青菜、臊子、米粉、刀削面、早饭、芝麻、米酒、小吃、牛肉、拌面、驴肉、煎饼果子、炒粉、午饭、鱼丸、烧鸡、炸糕、盐水鸭、烧饼、羊汤	99	18.3%
生产生活工具	轮渡、自行车、照片、瓦罐、柴火、烟花、鞭炮、卡片、公交车、地铁、土灶、面碗	25	4.6%
自然山水	长江、晚风、阳光、江风、夕阳、汉江、微风、群山、黄河、河流、空气、海风、溪涧、太湖、大江、银杏、东湖、天鹅湖、日落、莫愁湖、云彩、群山、清江、云海、泥巴、莲花池、大雪、东荆河、小河、春风、明月、热气	54	10.0%
动植物	蝉鸣、蛙叫、黑山羊、虎皮、小鱼、野果、油菜花、麦穗、桃李、水杉、蒲公英、百合花、猕猴桃、牛粪、茼蒿、葡萄树、小狗、牡丹	21	3.9%
建筑物	长江大桥、建筑、黄鹤楼、民居、老宅、青瓦、白墙、双子塔、滕王阁、土坯房、祠堂、大堤	17	3.1%
街巷	小巷、大街、街道、小摊、老街、户部巷、市集、夜市、青石板、石板路、街巷、路口	30	5.5%

续表

乡愁文化元素	乡愁文化现象	频次	比例
室内屋院	炊烟、院子、客厅、灶台、厨房	7	1.3%
山水林间	山林、土地、落叶、湖畔、大峡谷、黄土地、湖水、河畔、树荫下、江面、茶园、溪水、碧波	13	2.4%
现代化场馆	打谷场、公园、学校、昙华林、江汉路、三河路、长江路、赤壁、风情街、蔡林记、荆州、沔城、电影院	17	3.1%
田野草地	花簇、江滩、田野、小径、田埂、稻香、稻田、雪人、沟壑	10	1.8%
自然之境	群山、平原、江南水乡、重峦叠嶂、缥缈、烟波浩渺、青山绿水、烟雨蒙蒙、白雪皑皑、白月光、落霞孤鹜、秋水长天、清香、苍翠、秋风扫落叶、夜色	21	3.9%
生活之境	家乡味道、乡音、方言、香气、烟火、欢声笑语、走街串巷、家长里短、人来人往、万家灯火、车水马龙、美味佳肴、人群、脚步、家家户户、烟火人间、酒香、街景、童年时光、妈妈味道、声声祝福	63	11.6%
人文之境	乡愁记忆、故土、家园、怀旧、风土人情、离愁别绪、血脉、情感、净土、悠久历史、吴侬软语	43	7.9%
合计		542	1.0

将得出的24个乡愁文化元素放回原始资料，通过反复比较，按照一定的逻辑关系进一步浓缩和提炼，得到具有传承能力和稳定特性的文化基因，完成由元素向基因转换的逆转录过程。最终根据24个意义广泛的乡愁文化元素提炼得出“人”“事”“物”“场”“境”五大乡愁文化基因（表6.4），据此构建乡愁文化的基因谱系（图6.3）。

表6.4　基于扎根理论的乡愁文化基因凝练及频数统计

乡愁文化基因	乡愁文化元素	总频次	比例
与家乡有关的人	亲人、老师、玩伴、无社交联系但有记忆的人、街坊邻居	71	13.1%

续表

乡愁文化基因	乡愁文化元素	总频次	比例
与家乡有关的事	劳作事件、民俗表演、改造事件、学习事件、日常生活、休闲竞技	51	9.4%
与家乡有关的物	食物、生产生活工具、自然山水、动植物、建筑物	216	39.9%
与家乡有关的场	街巷、室内屋院、山水林间、现代化场馆、田野草地	77	14.1%
与家乡有关的境	自然之境、生活之境、人文之境	127	23.4%

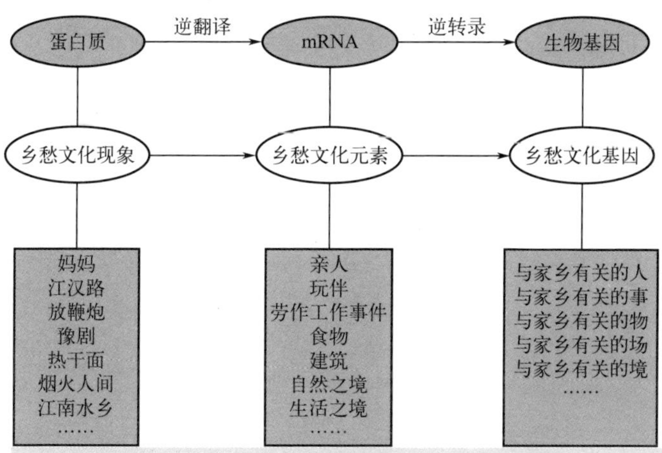

图6.3　基于扎根理论的乡愁文化基因谱系图

其中，“与家乡有关的物”类基因是乡愁文化的核心内容。人们在提及乡愁时，往往将之与具象化的食物、生产生活工具、自然山水、动植物、建筑物等关联在一起。“乡愁是一种味道，是那碗热腾腾的米粉，是那口辣味十足的赣菜”；“乡愁是一碗热干面，是平常不会想念的熟悉味道和香甜的芝麻酱”。另一方面，由乡村自然之境、生活之境、人文之境而形成的“与家乡有关的境”类基因，也是乡愁文化的重要组成部分。故土、家园、怀旧、离愁别绪就是乡愁的代名词，就是“江南水乡的柔情，丰厚的历史底蕴”；就是“镌刻在脑中的吴侬软语”，就是“王勃笔下的落霞与孤鹜齐飞、秋水共长天一色的壮丽画面”。

6.1.4 乡愁文化基因的层级分析

运用微词云软件，分析乡愁文化元素之间的共现关系和社会网络关系，形成以30个圆形节点为中心的383条关系。由此可得出乡愁文化元素之间的共现关系及乡愁文化元素在社会网络关系中的重要程度，进而完成对乡愁文化基因的层级划分。表6.5呈现了基于重要程度由高到低划分的 4 个层级。

表6.5 乡愁文化元素的层级划分

层级	乡愁文化元素
第一层级	食物、生活之境
第二层级	自然山水、人文之境、亲人
第三层级	街巷、生产生活工具、动植物、自然之境、建筑物、现代化场馆、山水林间、民俗表演、玩伴、有记忆的人物、田野草地、街坊邻居
第四层级	日常生活、休闲竞技活动、劳作事件、改造事件、室内屋院、老师、学习事件

在第一层级中，“食物”和“生活之境”两大乡愁文化元素的点度中心度明显高于其他元素，是乡愁文化元素结构网络的两大中心。其中“食物”中心度最高，是结构网络中最重要的元素。“民以食为天”观念影响，家乡特色美食成为烙印在绝大多数离乡游子脑海中挥之不去的念想。此外，“食物”和“生活之境”两大元素之间的共现关系最为紧密，因为享受美食往往会与走街串巷、欢声笑语、家长里短、烟火人间等生活场景关联在一起。

第二层级共计3类乡愁文化元素，分别是“自然山水”“人文之境”“亲人”。它们与第一层级的乡愁文化元素关系较为紧密，但元素之间的共现关系相对松散，且明显低于上一层级。

第三层级共计12类乡愁文化元素：街巷、生产生活工具、动植物、自然之境、建筑物、现代化场馆、山水林间、民俗表演、玩伴、有记忆的人物、田野草地、街坊邻居。它们与第一层级的乡愁文化元素关系较弱，且元素之间的共现关系也较弱。

其余7类元素属于第四层级，与其他层级关系最弱，元素之间没有或仅存较弱的共现关系。

乡愁文化元素是提取乡愁文化基因的基础，乡愁文化元素的层级划分是明晰乡愁文化基因结构的直接依据。各类乡愁文化基因均由不同重要程度的乡愁文化元素凝练得出，其中词频占比最大的乡愁文化元素为相应基因的主导元素，其余频次较低的为次要元素，并依据乡愁文化基因主导元素所在层级，对五大乡愁文化基因再次划分。如“与家乡有关的物”基因中词频占比最大的乡愁文化元素是“食物”，且该元素属第一层级乡愁文化元素结构，因此将“与家乡有关的物”基因分至第一层级，从而逐一完成乡愁文化基因四大层级结构的划分（表6.6）。

表6.6　乡愁文化基因的层级结构

层级	乡愁文化基因	主导乡愁元素	次要乡愁元素
第一层级	与家乡有关的物	食物	自然山水、生产生活工具、动植物、建筑物
第二层级	与家乡有关的境	生活之境	人文之境、自然之境
第三层级	与家乡有关的场	街巷	现代化场馆、山水林间、田野草地、室内屋院
	与家乡有关的人	亲人	玩伴、无社交联系但有记忆的人、街坊邻居、老师
第四层级	与家乡有关的事	民俗表演	日常生活、休闲竞技、劳作事件、改造事件、学习事件

乡村旅游发端于游客对乡愁体验的内在需求。将乡愁文化基因融入乡村旅游发展是满足乡村旅游者精神需要的必然途径。根据乡愁文化“人”“事”“物”“场”“境”五大基因及四大层级结构，参照较多学者对景观基因的分类，乡愁文化基因按照其重要性，可以分为主体基因、附着基因、混合基因以及变异基因等[1]（表6.7）。

表6.7　乡愁文化基因的聚类分析

分类	说明	举例
主体基因	乡村物质遗存	食物、自然山水、生产生活工具、动植物、建筑物等
附着基因	乡村族群记忆	自然之境、生活之境、人文之境等
混合基因	乡村空间形态	山水林间、田野草地、室内屋院等生产生活空间
变异基因	乡村非物质遗存	传统手工艺、民间艺术、传统节日等

[1] 刘沛林，刘春腊，邓运员，等. 客家传统聚落景观基因识别及其地学视角的解析[J]. 人文地理，2009，24（06）：40-43.

6.2 乡愁元素在文旅融合发展中的设计转化

俗话说，一方水土养一方人。食物、自然山水、生产生活工具、动植物、建筑物等乡村物质遗存，具有典型的外在唯一性，是乡愁文化得以生发的主体基因，居于乡愁文化基因结构的第一层级。与族群集体记忆家乡有关的生活之境、人文之境、自然之境等乡村族群记忆，位于乡愁文化基因结构的第二层级，它们附着于主体基因，是维系乡村和人的重要精神纽带，具有内在的唯一性。与家乡有关的乡村空间形态位于乡愁文化基因结构的第三层级，是主体基因与附着基因衍生出的混合基因，代表了乡村生产生活实践的重要场域。农业生产、民俗表演、传统手工艺等乡村非物质遗存，是乡愁文化的变异基因。它们位于乡愁文化基因结构的第四层级，受制于乡村特定社会结构、经济模式和生产技术的影响，并随着时代的发展不断演进、迭代和创新。在乡村文旅融合发展中，四类基因提供了核心动力机制（图6.4）。

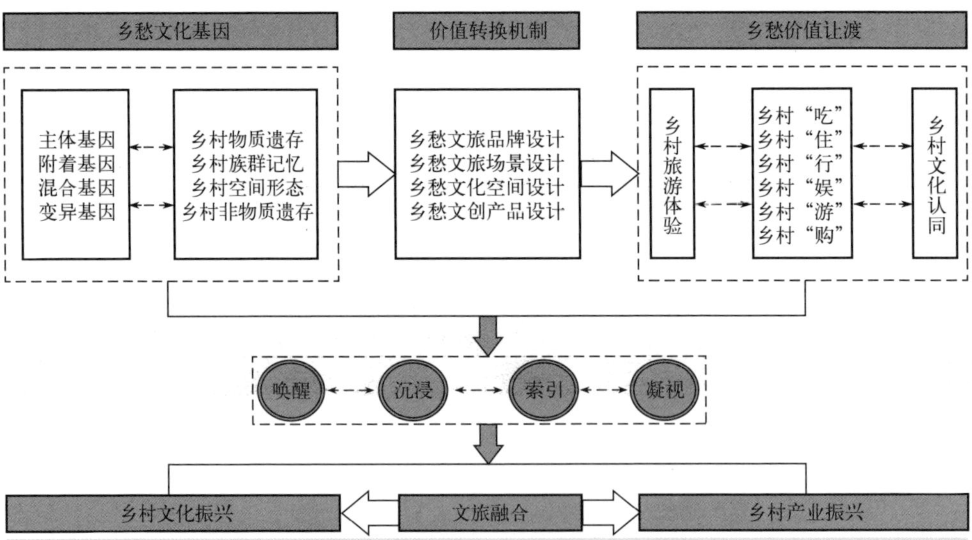

图6.4　乡愁文化价值的转换逻辑

6.2.1 基于乡愁主体基因的文旅品牌设计

在乡村文旅融合发展中，全面梳理乡村的自然风貌、山水资源、特色农产品、典型动植物、建筑物等乡村物质遗存，打造乡村专属的品牌形象符号系统，能够提升乡村在旅游市场上的竞争力，吸引更多游客前来体验。同时，塑造特色文旅品牌，也可以增强村民对家乡的自豪感和归属感，为乡村文化和旅游发展注入新的活力。

在乡村振兴战略的深入实施过程中，目前很多乡村开始意识到品牌形象构建的重要性，开始推出自己专属的品牌符号。截至2023年底，我国累计入选世界“最佳旅游乡村”8个，包括2021年入选的浙江余村、安徽西递村，2022年入选的广西大寨村、重庆荆竹村，以及2023年入选的江西篁岭村、浙江下姜村、甘肃扎尕那村和陕西朱家湾村。其中，浙江余村、江西篁岭村、浙江下姜村等均已推出自己的专属品牌Logo。

（1）浙江余村Logo设计

“绿水青山就是金山银山”指导理念的发源地浙江安吉余村与新华社民族品牌工程共同启动全球品牌标识体系征集，遴选余村品牌核心理念及Logo设计。同时，成立国内首个乡村品牌实验室，联通国内外专业机构、智库资源，通过品牌规划制订、活动策划、课题研究、成果发布等多种路径，打造中国乡村品牌标杆。2023年9月，余村品牌Logo发布。Logo视觉元素提取自农田阡陌，内含“人”“天”“金”“山”“田”等文字，代表着自然、禾苗、财富等元素，以及人与自然和谐相处的文化底蕴。Logo造型借鉴传统民居结构，以屋檐及线条构成传统印章图形。色彩总体基调为绿色，不同程度的绿色交织融合，其中浅绿代表余村的农林经济，翠绿显示了余村的人文风貌，深绿则传达“绿水青山就是金山银山”总体品牌理念。Logo设计生动再现了余村“山、水、林、田、湖、草”等主体基因，是名副其实的气净、水净、土净的“三净”之地（图6.5）。

（2）江西篁岭村Logo设计

婺源是隋代（581—618年）的一个古镇，位于中国江西。山区不仅给人以壮丽的景色，而且也给人以丰富的文化。这种被称为“晒秋”的将农作物长期暴露在户外保存的习惯已经成为收获的象征，被认为是“中国最美的标志”，反映了那里的山区特色、风光和美丽的地形。篁岭村Logo设计总体是中国传统书法字体书写的“篁岭”二字，增强名称识别性和记忆性，同时辅以中国水墨画卷风的三个矩形，以及黄、红二色的圆形结构。三个矩形几何形状源于徽州建筑的锯齿墙，呈汉字“之”字排列，并以水墨笔画出了纹。两个圆形结构一红一黄，以水墨网格勾勒出立体结构，传递乡土中国及篁岭晒秋文化意蕴，赋予设计的现代感。Logo将中国文化与东方美学完美融合，达到了文化传递的效果，展现了中国文化之美。目前中国乡村品牌形象大多辨识度不高，篁岭作为典型的徽州古村，其Logo设计传承了乡村主体基因，展现了中国文化之美，被誉为“最美中国符号”（图6.6）。

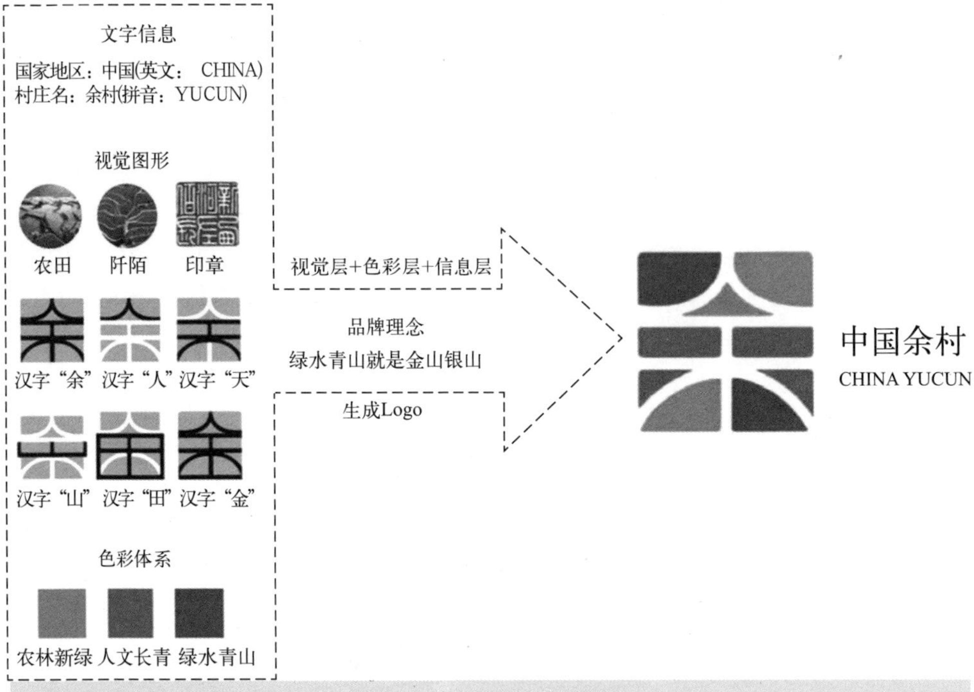

图6.5　余村Logo设计逻辑

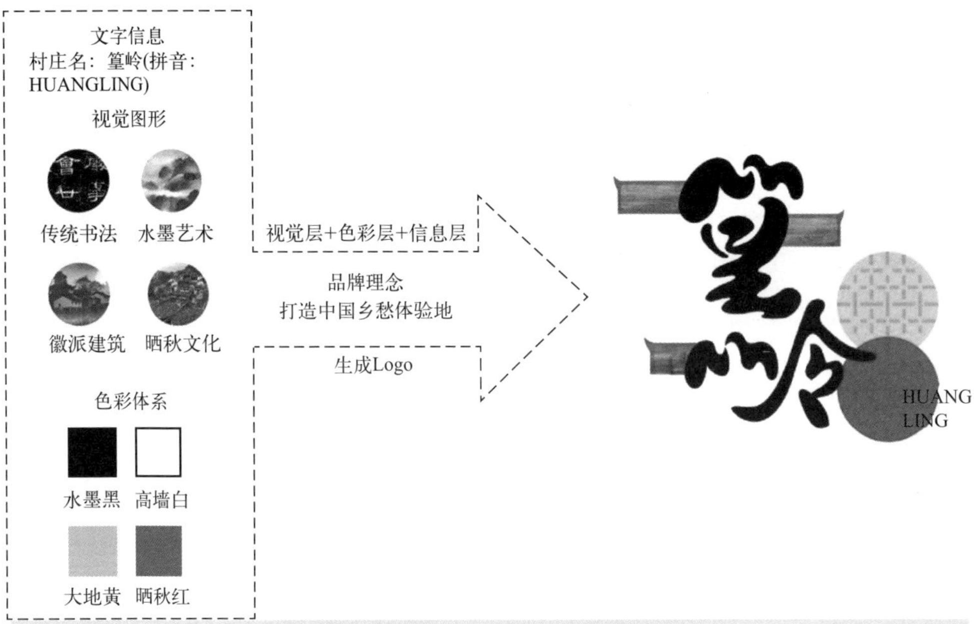

图6.6　篁岭村Logo设计逻辑

（3）浙江下姜村Logo设计

下姜村隶属于浙江省杭州市淳安县枫树岭镇，有800多年历史。下姜村最为人称道的事情就是习近平同志曾四次到访下姜，并时刻关心着下姜的建设与发展，红色文化主题是下姜村不能丢弃的自身特色。下姜村整个品牌的拓展围绕“中国梦”来展开，确定品牌口号为“梦开始的地方”，既展现了下姜是“中国梦”实践的成功基地之一，也寓意着这里是下姜老百姓脱贫致富梦开始的地方，还是游客触摸自己美好梦想的地方，也是中国美丽乡村建设梦开始的地方，是新时代背景下乡村振兴梦开始的地方。

下姜村Logo设计以突出下姜村美丽整洁的乡村风貌为基础，创造性地运用青砖黑瓦、高墙小窗、流檐翘角、回廊挂落等当地典型民居的建筑元素，以干净白色为底，用简洁的建筑形象字体将“下姜村”展现出来。两处极致简约的建筑群形象点缀，让整个下姜村的江南乡村形象更为凸显，更好地激发大家想去看个究竟的强烈愿望。右上角以红色印章结构凸显“枫树岭上”，点名下姜村的行政区划，同时折射了下姜村悠久的历史；下部“梦开始的地方”品牌口号一字排列，具有辨识度和感召力（图6.7）。

图6.7　下姜村Logo设计逻辑

6.2.2 基于乡愁附着基因的文旅场景设计

与族群集体记忆家乡有关的自然之境、生活之境和人文之境，是乡愁文化的附着基因，它们是维系乡村和人的重要精神纽带。基于乡愁附着基因的文旅场景设计，可以通过三种途径实现：一是对乡村自然之境的“物理重构”；二是对乡村生活之境的“过程重构”；三是对乡村人文之境的“虚拟重构”。

（1）乡村自然之境的“物理重构”

乡土自然景观具有地域独特性和自然原始性。以江南水乡为例，其乡土自然景观以密布的河网、错落有致的古桥、粉墙黛瓦的民居以及丰富的水生植物为特色。这种景观的形成与江南地区独特的地理环境和气候条件密不可分。相比之下，西北地区的黄土高原则以其沟壑纵横、黄土层叠的地貌以及耐旱的植被为特点，展现了另一种截然不同的乡土自然景观。

打造乡村自然之境，是一个综合性的任务，需要从多个方面入手：一是尊重自然生态环境。尽量减少对自然环境的改造和破坏，保持原有的地形地貌、植被覆盖和水系分布，采取最小化干预。对于生态敏感区域，如湿地、水源地、自然保护区等，应采取严格的保护措施，避免任何可能对其造成破坏的设计和施工活动。二是运用乡土材料和工艺。优先选用当地的石材、木材、竹材等自然材料，这些材料不仅成本低廉，而且与乡村环境相协调，能够体现乡村的原始风貌。在景观建设中采用传统工艺，如石砌、木雕、竹编等，这些工艺不仅技艺精湛，而且能够传承乡村文化，增强景观的文化内涵。三是保持景观的多样性和异质性。在设计中注重保护生物多样性，通过种植乡土树种、保留野生植被等方式，为野生动物提供栖息地和食物来源。合理规划农田、林地、水域等景观斑块，增加景观的多样性和异质性，提高生态系统的稳定性和抵抗力。

以浙江余村为例。余村位于浙江省安吉县天荒坪镇，距离杭州市约60公里。下辖2个自然村和1个中心村，8个村民小组，村庄人口1059人，面积为4.68平方千米。2005年时任浙江省委书记的习近平同志在考察余村时第一次提出“绿水青山就是金山银山”的理念，余村自此被誉为“两山”理念的发源地。在余村村庄规划中，有意识地构筑以生态化、乡土化、特色化为要点的村庄环境设计美学原则，凸显余村融于自然、整洁精致、富于野趣和乡土特色的村落环境，并通过重要节点深化设计和风貌要素设计导则两个方面予以指导[1]，全力展现安吉余村的大美绿水青山，以及人与自然的和谐共生（图6.8）。

[1] 余建忠.“两山”理念视野下的余村[N/OL]. 浙江省住房和城乡建设厅，2018-05-21[2024-12-12]. https：//jst. zj. gov. cn/art/2018/5/21/art_1569971_35417881. html.

图6.8 浙江余村改造前后（图片来源："规划中国"公众号）

（2）乡村生活之境的"过程重构"

乡村生活场景的过程转化旨在将传统乡村生活方式、文化元素及自然景观转化为具有吸引力的旅游体验过程。

一是传统农耕文化体验化。将传统的农耕活动如耕种、收割、养殖等转化为游客可参与体验的项目，让游客亲手操作农具，体验农民的辛勤劳动，感受农耕文化的魅力。同时，建设农耕文化博物馆或展示区，通过实物、图片、视频等多种形式展示乡村农耕历史、传统农具、农作物种类等，让游客全面了解乡村农耕文化。二是乡村生活方式情景化。复原传统的乡村生活场景，如老宅院、街巷、市集等，让游客仿佛穿越回过去的乡村生活。通过情景化的设计，让游客亲身体验乡村的日常生活方式。同时，开发具有地方特色的民宿和农家乐，提供地道的乡村美食和住宿体验。通过民宿和农家乐的经营，让游客深入了解乡村的风土人情和生活习俗。三是民俗节庆活动实景化。通过举办民俗表演、手工艺展示、美食节等活动，吸引游客前来参与体验，感受乡村的热闹氛围和独特魅力。

以安徽合肥的文旅品牌"罍+村"的"徽州村落"沉浸式主题街区为例（图6.9）。该品牌以徽州村落文化、民俗小吃、老城记忆为定位，通过复古的空间营造还原亳州城市记忆，模拟20世纪七八十年代老亳州的生活场景。挂在墙边的玉米串、晒干的辣椒、纸糊的灯笼、晾晒咸菜的架子，每一件带着烟火气的旧物，都是通往记忆的一扇门。超市、小卖部、糕点铺、裁缝铺等场景打造，让游客久违的儿时记忆再度泛起涟漪。独具特色的药铺场景，在满足游客餐饮需求的同时，也让这座因一代名医华佗的影响成为"四大药都"之一的古城，再次焕发文化魅力。游客可以在建筑景观与风味美食之间找到最佳契合点。自

2017年7月21日“罍+村”在罍街首次开村，截至 2020年底已有罍街、半边街、簧街、鼓楼、心悦城、亳州建安广场6个落点，经营总面积近20000平方米，合作商户300余家，拥有风味小吃、非遗手工、民俗文化等2000余种特色美食，年服务客流量超600余万人次，年营业额达9000万余元[1]。

图6.9 合肥“罍+村”沉浸式主题街区

（3）乡村人文之境的“虚拟重构”

乡村文化的虚拟重构是一个涉及数字技术、文化传承与创新的过程，旨在通过虚拟空间再现、传承和发展乡村文化。其重构方式包括：一是数字化记录与展示。利用高清摄影、三维扫描等技术手段，对乡村文化进行全方位的数字化记录。随后，通过虚拟现实（VR）、增强现实（AR）等技术，在虚拟空间中再现乡村文化的场景、建筑、民俗活动等，让观众身临其境地感受乡村文化的魅力。二是数字化保护与修复。对于受损或濒临消失的乡村文化遗产，可以通过数字化技术进行保护和修复。例如，利用三维建模技术还原古建筑的原貌，或者通过数字修复技术恢复古籍、书画等文物的完整性。三是数字化创新与演绎。在尊重传统文化内核的基础上，通过数字化技术进行创新和演绎。例如，将传统音乐、舞蹈等元素与电子游戏、动画等现代娱乐形式相结合，创作出具有乡村文化特色的数字作品。

以河北省邯郸市涉县赤岸村为例。抗日战争时期，赤岸村曾是八路军一二九师司令部驻地。现在赤岸村仍保留有八路军一二九师司令部旧址，修建了一二九师陈列馆、将军岭、太行颂文化园、红色记忆小镇、赤岸公园等多处革命纪念设施。有了这些红色资源基

[1] 李亚运. 4000平方米徽派村落首登上海[N/OL]. 合肥市包河区人民政府，2021-04-23[2024-12-12]. https：//www. baohe. gov. cn/ywdt/bhyw/11117269. html.

础，赤岸村顺势推出沉浸式演艺剧目《再回太行》。借助声光电、全息影像、裸眼3D等技术手段，深度挖掘了涉县红色文化，生动再现了老一辈无产阶级革命家与老区人民共同战斗、生产、生活的故事，以及军民鱼水一家亲的深厚情谊。“九千将士进涉县，三十万大军出太行。”一二九师的故事跃然眼前。《再回太行》采取了行浸式夜游的体验方式，以现场空间为舞台，以实景环境为背景，选一段景，造一席梦，为游客呈现一个可以亲身体验的红色主题旅游。当地村民在演出中可以根据剧情节点，对乡村特产土货进行展示销售，将消费场景融进舞台，游客的购买过程与体验均沉浸于剧情当中，从而真正输出有温度、有故事、有内涵的货品，让消费不再割裂于沉浸式场景本身（图6.10）。

图6.10 《再回太行》沉浸式演出

6.2.3 基于乡愁混合基因的文化空间设计

山水林间、田野草地、室内屋院等是乡村生产生活实践的具体场域，它们既是“建筑物记忆媒介”，也是“空间记忆媒介”。不论是其选址、布局，还是建筑的具体形制、样式，都蕴含着特定的地域文化属性。通过将一个具体地点（如宗祠和庙宇等）符号化和命名，如大理古城、万里茶道、福建土楼、云南红河哈尼梯田等，“中国的乡村被赋予了神圣性、不可替代性和独一性，从而这些地点（空间）被嵌入族群的记忆之中”[1]。当游客踏入乡村后，乡村的建筑、街道以及生活方式共同构成了一个特色文化空间，它是游客情感与在地文化最直接生发地。因此，乡村旅游发展过程中，一方面要维系乡村建筑

[1] 傅才武，程玉梅. 文旅融合在乡村振兴中的作用机制与政策路径：一个宏观框架[J]. 华中师范大学学报（人文社会科学版），2021，60（06）：69-77.

和街巷格局的传统风貌，保留村庄独特的建筑格局和空间元素（如宗祠、弄堂、青石板、屋檐等），促进建筑风貌基因的传承；另一方面，打造博物馆、民俗馆、图书馆等新型文化空间，通过一种“凝聚性结构”把过去的重要事件和对它们的回忆以某一形式固定和保存下来，并不断使其重现以获得现实意义[1]。

（1）案例一：余村印象

“余村印象”位于“绿水青山就是金山银山”的理念发源地浙江安吉余村。村里原本拥有两栋工业遗存建筑，一为水泥厂，建筑面积约480平方米，为四层混凝土结构；二是曾经的拉丝厂，约500平方米，采用钢结构屋架，内部两层挑高。两栋建筑体量较小，相隔约100米。上海交通大学设计学院杜春宇团队采用存量老厂房建筑改造，打造了“余村印象”。项目定位为青年图书馆，为村民、新青年、游客打造多功能的文化空间，使其带着工业时代的记忆重新融入生态时代乡村的产业发展（图6.11）。

图6.11 “余村印象”总平面图（设计：杜春宇团队）

---

❶ 樊友猛，谢彦君. 记忆、展示与凝视：乡村文化遗产保护与旅游发展协同研究[J]. 旅游科学，2015，29（01）：11-24，87.

设计者首先从场地入手，将现状农田打造为“大地剧场”，通过场地上农作物的种植排布复制原来厂房的平面肌理，田埂路则复刻了过去厂房的运输道路。农业景观同时保留了生产属性，可以供村民和游客参与其中，体验种植和收获等劳作（图6.12）。通过低影响、生态化的记忆唤醒方式，让村民关于工业遗存的集体记忆得到延续，实现生产、生活、生态的平衡。

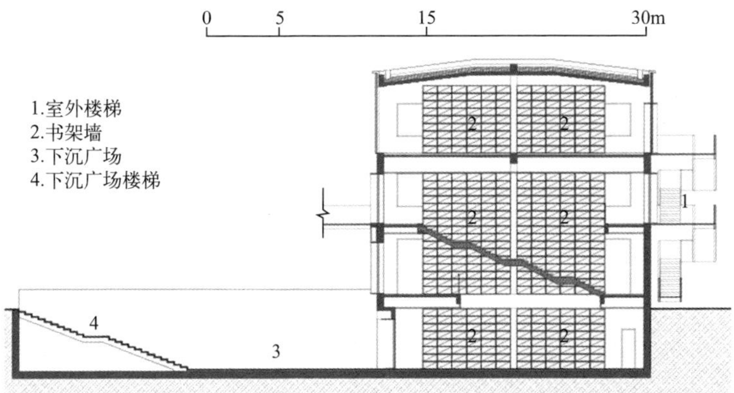

图6.12　青年图书馆剖面

原水泥厂的改造保留了原本建筑体量和窗洞形态，上部围合打开，营造更为通透的视觉效果；地下开挖下沉庭院，扩大活动空间。外立面保留三角形楼梯，拆除封闭式的混凝土围护，减少对景观的遮挡。作为青年图书馆阅读功能的主要承载空间，水泥厂的空间改造还考虑了余村景区运营的复合需求。观景书墙从底层延伸至顶层，创造出开放的连续空间；通高楼梯不仅用作交通空间，还可以开展阅读、交流、聚会和演艺等活动。拉丝厂被打造成为乡村展厅，成为余村重要的展示发布场所及创业青年的创意集会空间（图6.13）。

图6.13　生态田园中的青年图书馆
（设计：杜春宇团队）

在设计改造过程中，“余村印象”对各种低碳材料及技术先行先试，以此达到乡村建筑的碳中和，通过实践发掘在乡村切实可行的建筑的碳中和技术。2023年5月，“余村印象”亮相第18届威尼斯建筑双年展，生动诠释了建筑融入自然山水的低碳理念。目前，“余村印象”已经成为推动文化交流与社区凝聚、培养青年人才、激发创业创新的重要平台。这里不定期举办各类文化和创意活动，如余村全球合伙人论坛、漫画摄影展、年终分红大会、迷笛音乐节等，这些实践意义上的公共文化美学行为，进一步激活了乡村，重建了情感共同体。

（2）案例二：北沟“国际村”

北京怀柔区慕田峪长城脚下的北沟村，是一个仅有150多户人家的小山村。山村虽小，却拥有瓦厂民宿、瓦美术馆、乡村歌剧院等新型文化空间，是有名的“干净村”“国际村”。

2010年由北沟村曾经污染严重的琉璃瓦厂房改造而来的“瓦厂”精品民宿开业。美国人萨洋（Jim Spear）将自己的设计梦想融入乡村建筑改造当中。瓦厂整体区域功能被重新规划；旧址窑洞、废弃砖块、琉璃瓦作为三种主要元素，被重新组合利用；甚至“瓦厂”的名字也保留了其历史记忆。乡村和城市、传统和现代、东方和西方等不同元素融合；建筑空间、景观空间与自然空间相互呼应，互为衬托，完美演绎了西方建筑美学和传统村庄的有机结合（图6.14）。2008年，瓦厂酒店成为首批由中国国家文物局和中国古遗址保护协会共同评选的“中国乡村遗产酒店”，也是北京唯一一家获此殊荣的酒店[1]。

图6.14　瓦厂酒店（“瓦厂酒店”微信公众号）

[1] 曲筱艺. 长城脚下的“老厂房”，尽显北方乡村之美[N/OL]. 新京报，2023-01-22[2024-12-12]. https：//baijiahao. baidu. com/s?id=1755680647344960471&wfr=spider&for=pc.

瓦美术馆位于北沟村中心广场，2021年10月份落成（图6.15）。其原址是个小面馆，名字叫小庐面，奥巴马夫人曾在这里用餐，由此也诞生了“第一夫人面”的品牌。改造成美术馆，是希望通过艺术乡建，构建乡村和城市双向沟通的精神链接。北沟村原来生产琉璃瓦，琉璃瓦是北沟村产业振兴和文化复兴的象征。瓦美术馆与瓦厂酒店特色一脉相承，其外立面由9696块金色琉璃瓦和66块透明玻璃砖构成，白天光彩夺目，夜晚光影交错，给村子带来了精神力量。美术馆室内设置3个主题空间：一是“北沟的现在”，位于入口，涵盖咖啡厅、社区活动间、室外休息区等功能区间；二是“北沟的记忆”，位于原建筑基底位置，设置有北沟历史展览、原址建筑记录、北沟建筑文化等主要展览空间，以及位于二楼的多功能厅，提供学术报告厅、临时展厅、聚会厅等功能；三是“北沟的未来”，位于塔楼，配有阶梯展览空间、服务功能空间以及长城眺望景观露台等。

图6.15　瓦美术馆

乡村歌剧院原本是北沟村一栋面积660平方米的老房子，设计单位叙向建筑设计（LLLab），使用传统建筑技术，将其改造成一个展览空间，命名为“乡村歌剧院”（图6.16）。这座三层建筑设有一个锯齿形的入口，由多扇交错的门组成。一楼包括主展览空间、休息空间、社区空间、储藏室、冥想空间和小咖啡馆。二楼为活动空间，三楼是屋顶露台、长城餐厅及准备空间。据介绍，“乡村歌剧院”的宗旨是以北沟村的一系列建筑实践为样本，展现乡村建设背后人物的复杂关系和互动。通过策划具有多种音调和旋律的展览，不同背景、兴趣、责任和权利的群体之间的互动被转化为不同的展示场景。

图6.16　乡村歌剧院

“乡村原生态美景+五星级民宿+国际艺术视野”有机融合，北沟村打造了新乡愁时代文旅融合发展的范本。每年到访北沟村住宿、用餐、游览和交流学习的国内外游客为乡村贡献超过1000万元的收入，创造100多个工作岗位；村民年平均收入从十几年前的4500元增长到3万元；北沟村也由此获得“最美乡村”“北京市国际文化村”“全国休闲度假示范社区”等荣誉称号[1]。

6.2.4　基于乡愁变异基因的文创产品设计

“手艺是活宝，走遍天下饿不倒。”2022年3月，文化和旅游部、教育部、自然资源部、农业农村部、乡村振兴局、国家开发银行联合印发《关于推动文化产业赋能乡村振兴的意见》，提出实施中国传统工艺振兴计划，推动手工艺特色化、品牌化发展，培育形成具有民族、地域特色的传统工艺产品和品牌，鼓励多渠道、多形式进行品牌合作，提升经济附加值。充分运用现代创意设计、科技手段和时尚元素提升手工艺发展水平，推动手工艺创意产品开发。优质的乡愁文创产品能够提升乡村的品牌形象和知名度。这些产品作为乡村文化的代表和象征，能够吸引更多游客前来参观和体验乡村生活，进一步推动乡村旅游业的发展。

[1] 钟经文. 北沟模式：乡村振兴的新质生产力[N/OL]. 中国日报网，2024-05-17[2024-12-12].

（1）乡愁文创产品的设计流程

乡愁文创产品设计是一个综合性的过程，旨在通过创意和文化的结合，打造能够触动人心的产品，让人们在日常生活中感受到乡愁的情感。其基本流程如下。

明确设计目标：乡愁文创产品设计的首要目标是传承和弘扬乡村文化，通过文创产品让更多人认识和了解乡村的独特魅力。同时，关注市场需求，确保开发的文创产品具有市场潜力和商业价值。

深入文化挖掘：对乡村进行深入的文化资源调研，包括历史、传统、风俗、自然景观等，为文创产品设计提供丰富的素材。从调研中提炼出具有代表性和独特性的文化元素，作为文创产品设计的核心。

创意设计：根据提炼出的文化元素，进行创意构思，确定文创产品的主题、风格、形式等。制订详细的设计方案，包括外观设计、材质选择、制作工艺等，确保产品既具有文化内涵又符合现代审美。

样品制作与测试：根据设计方案制作样品，进行实物验证。同时，邀请目标用户进行产品测试，收集反馈意见，对产品进行改进和优化。

产品量产与推广：根据最终确定的设计方案进行批量生产，确保产品质量和成本控制。制定市场推广策略，包括线上线下渠道的选择、营销活动的策划等，提升产品的知名度和美誉度。通过持续的创新和发展，打造出具有独特魅力和市场竞争力的乡愁文创产品，为乡村文化的传承和发展贡献力量。

（2）乡愁文创产品的具体类型

乡愁文创产品的类型丰富多样，它们通过不同的形式和载体，承载着对家乡的深厚情感和记忆。以下是一些常见的乡愁文创产品类型。

一是文房用品系列。例如设计师徐思敏设计的《乡愁》文房系列（图6.17），以孩童的形象结合文房的实用特征创作而成，有笔筒、砚台、纸镇、笔架等。孩童象征希望和未来，以余光中代表作《乡愁》诗做烤金工艺装饰，表现了浓厚的闽台缘乡愁文化。作品秉承德化窑传统手工艺，雕塑与实用器皿相结合，活泼生动，充满情趣。砚台设计中童子手托两腮进入沉思，底部为太极图案，寓意大陆和台湾是不可分割的整体；笔筒则表现了童子点燃巨型鞭炮的场景，富有乡情和想象力。

二是手工艺品系列。利用地方特色材料和传统手工艺制作而成，如古法造纸技艺创作的纸浆压花画、手工编织的篮子、刺绣品等。这些产品不仅具有实用价值，更是地方文化和乡愁情感的传递者（图6.18）。

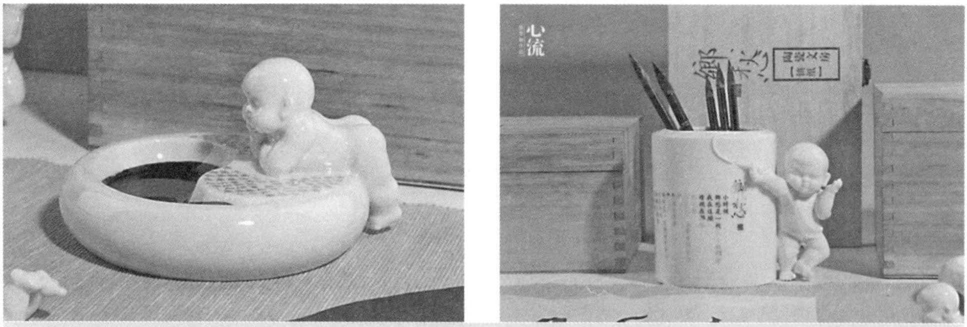

图6.17 《乡愁》文房系列文创

图6.18 黄梅挑花纹样创新设计

三是生活家居系列。包括台灯、绘本、手账、扇子、明信片、油纸伞等。这些产品将乡愁元素融入日常生活用品中，让人们在日常生活中随时感受到家乡的温暖和记忆（图6.19）。

四是特色食品系列。如以地方特色食材制作的定制米酒、传统糕点等。这些食品不仅满足了人们的味蕾享受，还通过味道唤起了对家乡的深刻记忆。比如，四川明月村由村委会牵头，成立明月村乡村旅游合作社，开发了明月茶、明月果、明月笋、明月染、明月陶等旅游商品，实行线上线下同步销售，推动了旅游和文创等多产业发展（图6.20）。

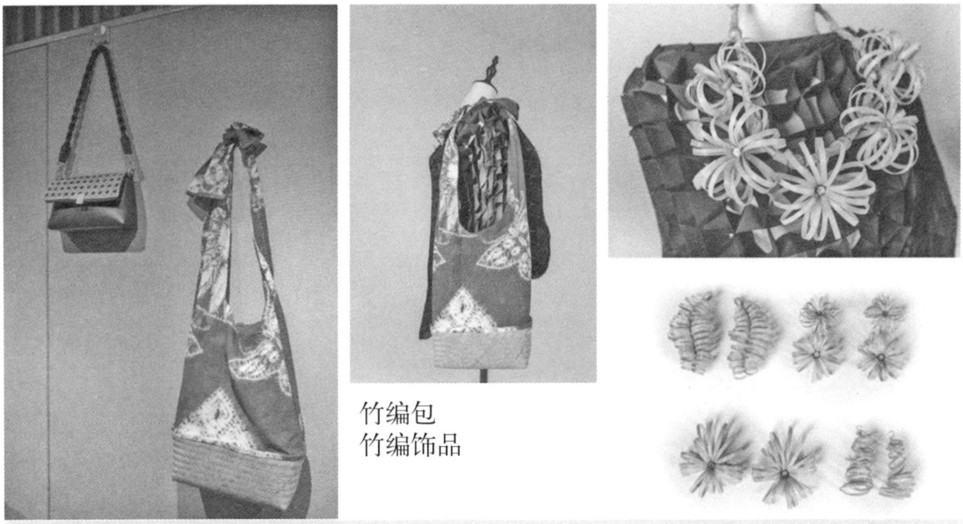

图6.19　竹编文创

图6.20　明月村特色农产品

五是创意玩具与装饰品系列。如以地方标志性建筑或景观为原型的拼图、积木、摆件等。这些产品不仅具有装饰作用，还能通过拼装和玩耍的过程加深人们对家乡的了解和记忆。以浦东“网红村”海沈村推出的文创产品“四季海沈”拼图为例（图6.21）。该拼图分为春、夏、秋、冬四个主题，每盒拼图共126片，拼装完成后的大小与一张A3纸差不多。拼图中可以找到海沈村的多种特色元素，例如16号线惠南东站、心愿桥、海沈会客厅、乡创空间等标志性建筑，水稻田中的农夫、卖西瓜的瓜农、自行车骑友，以及历年活动中的美好场景，包括沪乡风华旗袍秀、稻田音乐节、露天电影等。两届场地自行车奥运会冠军、海沈小囡钟天使的形象也出现在拼图中。这套拼图不仅展现了海沈村的美丽风光和人文特色，还通过拼装的过程让人们更加深入地了解和感受乡村文化。

图6.21 “四季海沈”拼图文创

六是数字文创产品系列。包括以地方文化为主题的APP、电子书、在线展览等。这些产品利用现代科技手段，将乡愁文化以数字化的形式呈现给更广泛的受众群体。

综上所述，乡愁文创产品的类型多种多样，它们通过不同的形式和载体承载着对家乡的深厚情感和记忆。这些产品不仅具有实用价值和观赏价值，更是地方文化和乡愁情感的重要传播者。

7

乡愁实践：梁子岛文旅融合发展的具体探索

涵养乡愁是乡村文旅融合发展的应有之义。从2020年开始，项目课题组曾先后深入湖北、陕西、安徽、江苏、浙江等多个省市的近百个乡村，对村庄和村民进行零距离观察和沟通。在此基础上，结合各地不同需求，因地制宜展开了乡村“一村一品”品牌形象设计、农产品包装设计、景观雕塑设计等。这些探索虽然也得到了当地政府和村民的高度认可，但是总体而言都比较零散，不成体系。2022年8月，湖北鄂州梁子岛公开征集景区文旅建设方案，引起了课题组关注。据景区负责人介绍，希望从自然环境、历史沿革、人文特色等元素出发，将文旅产业发展置于整体保护的框架之中，打造“山水乡愁地，梦里梁子湖”。

通过多次走访调研，课题组发现梁子岛非常适合作为乡愁文旅发展的研究样本，具体缘由有三：

其一，梁子岛具有发展乡愁文旅的天然优势。梁子岛位于湖北省东南部鄂州市的梁子湖中。梁子湖是全国十大名湖之一，也是储水量居全省第一、水域面积居全省第一的淡水湖泊，是驰名中外的“武昌鱼故乡”。梁子岛四面环水，拥有得天独厚的自然资源和生态环境，是打造“山水乡愁地”的天然基础。自古以来，梁子岛区位优越，水运便利，历史上有“小汉口”之美誉，为打造“山水乡愁地”提供了丰富的文化内涵。

其二，梁子岛具有发展乡愁文旅的内在需求。20世纪90年代以来，受拦河筑坝、污水直排、过度捕捞、挖砂采石等因素影响，梁子湖水质日趋恶化。人们迫切希望保护生态，更大幅度地改善生活，向绿水青山要高质量的GDP。2000年开始，武汉市推动梁子湖生态保护工程，工业禁排、湖底植草、禁渔、人工放流、绿色养殖等，湖水水质不断好转。2010年3月，梁子岛被国家旅游局批准为4A级旅游景区。遗憾的是，因管理不善、经营失序、私船接客、尾随拉客、欺客宰客等行为频发，2017年梁子岛4A景区被摘牌，游客数量下降，旅游收入锐减。从昔日游人如织到如今门庭冷落，从依水而兴到望水叹息，乡愁的凋零加剧了岛民对过去美好时光的怀念。通过保护生态环境，走绿色转型发展之路，不仅能够让游客充分感受梁子湖的秀丽风光和独特魅力，也能让岛民的乡愁情愫得到寄托和释放。

其三，梁子岛具有发展乡愁文旅的示范意义。梁子岛四面环水，相对独立，将其作为实践对象，有利于将研究聚焦在一个具体而典型的村庄内。从文化形态看，作为一个拥有悠久历史的湖心岛，梁子岛拥有清晰的历史发展脉络，三国文化、吴楚文化、儒家文化、革命文化、商贸文化、饮食文化等多元文化兼容并包，几乎涵盖了荆楚大地的所有资源禀赋，可谓中国广袤乡村的缩影，有助于形成典型样本。

7.1

梁子岛文旅融合发展现状和问题

7.1.1 梁子岛交通区位概况

（1）区位条件

梁子岛位于湖北省东南部鄂州市，处于二级流域鄂东南片区，长江黄金水道从外围通过。

2022年6月18日，湖北省第十二次党代会报告提出，大力发展以武鄂黄黄为核心的武汉都市圈，随后提出重点建设武汉新城。武汉新城将成为武汉连接鄂州的枢纽。从区位条件看，梁子岛处于武汉“1+8”城市圈[1]内，东邻黄石，西接武汉，南与咸宁交界，处在武汉、黄石、鄂州、咸宁、黄冈五市的中心地带，位于长江经济带城市群的中部，是鄂东经济圈的重要节点，鄂州市重要的湖泊、岛屿生态旅游区。

武汉、鄂州、黄石、黄冈四个城市是武汉都市圈核心区，目前“武鄂黄黄”已经成为武汉都市圈优先发展区域。梁子岛处于“武鄂黄黄”都市连绵带的中心位置，有利于突破行政区划制约，强化人口、职能、产业、重大交通和基础设施的协调发展，率先实现融合发展。同时，根据《武汉新城规划》，梁子岛区位于武汉新城管控范围内，可有效对接2700万人口的旅游市场，其中武汉市场的人口数量占据总体市场的50%以上。

（2）交通条件

梁子岛具有便利的交通条件。岛上有电力码头、渔民码头、东方假日码头、梁子码头、班船码头、梦天湖码头等多个。岛周边的码头有长岭旅游码头、升华码头、牛山湖喻家咀码头以及北咀渡口。

岛上有1小时交通圈覆盖陆地交通枢纽。从梁子岛出发，至长岭20分钟车程，至武昌、武汉火车站1小时车程，至光谷1小时车程。梁子岛距离大冶保安客运站约40分钟，距离城际高铁站葛店南站、鄂州站、华容南站约1小时。

---

[1] 武汉都市圈由湖北武汉、黄石、鄂州、孝感、黄冈、咸宁、仙桃、天门、潜江九个城市组成。

项目周边主要有鄂咸高速、薪嘉高速、京港澳高速、武汉绕城高速、武阳高速等高速公路，且有多个高速出入口，距最近高速出入口（梁子收费站）4.4千米。

7.1.2 梁子岛发展历程

（1）唐五代时期：文明兴起

千百年前，梁子湖区域原属云梦大泽，经常发生水患，留下了动人的娘子传说。三国时期，长江、樊湖沿线成为偏安江南的三国、东晋、南朝的宋、齐、梁、陈等6个小朝廷的江防要塞，当时北方动乱不已，大量人口从黄河流域迁移到长江流域，融合发展凝结为三国文化和六朝文化。唐五代时期，梁子岛的手工业和农业得到迅猛发展。现存的瓦窑澥遗址位于梁子岛公山北麓，面积约4万平方米，有“华中第一窑”之称，见证了当时制陶业的兴盛。

（2）明清时期：商贾云集

明朝初年，朱元璋鉴于两湖地区人口因战乱锐减，经济凋敝，命“江西填湖广”。随后，“周、王、叶、李、陈、夏、张、杨”八大姓从江苏昆山等地奔赴而来，上岛定居。梁子岛人口渐渐繁衍起来，大家从事捕鱼、种植和贸易等产业，也不断吸引岛外人士前来定居，家族由八大姓发展到百家姓。

清代当属梁子岛真正的繁盛时期，有“小汉口”之称。岛上人有一句顺口溜：“金汉口、银保安、铜打梁子、铁月山。”岛上最初经营事业比较大的有八家：“盛万和”“叶强泰”“叶开泰”“叶兴发”“陈福和”“张家炉坊”“周家私行”“赵裕记”，“盛万和”是其中的首富。除此之外，主要还有金牛的贺氏在岛上开当铺，葛店、华容等地的小商行来岛上囤货。当时梁子岛四周船挨船，桨碰桨，船头擂船尾，船尾跨船头；内三层，外三层，把梁子岛围得水泄不通，船满为赘。

（3）抗日战争时期：红色薪火

民国后，随着公路、铁路的兴起，很大程度上取代了梁子岛水上中转站的地位，梁子岛开始走下坡路。1938年12月中旬，梁湖抗日游击大队得知有一股土匪窜到梁子岛为害。二中队长潘斌带着一个小分队埋伏在渡船码头附近，严惩了土匪头子，遣散了其他土匪。12月底，二中队得知驻保安（鄂州地名）的日军经常乘小艇来梁子湖掳掠，立刻指挥战士们射击，打坏敌艇 1艘，打伤日军4人。从此以后，日军再也不敢轻易到梁子湖来抢劫了，渔民得以安全捕鱼。

1944年9月1日，中共中央派遣王震、王首道同志率领三五九旅挺进华南，建立新的抗日根据地。10月，由6个大队组成、共5000余人的南征部队，被授名为“国民革命军独立第一游击队”，简称“南下支队”。1945年1月23日，南下支队到达大悟三里程，与新四军五师会合。同年2月初，南下支队经过短期休整后，挥师南下。鄂豫边区党委和五师决定，派张体学同志率四十团和四十一团配合南下支队挺进华南，展开全面痛击日伪顽军的大反攻，建立敌后抗日根据地，第四军分区抗日斗争指挥部便设在梁子岛上的张家楼房。从张家楼房发出的无线电波使鄂南战场成为八路军南下支队向华南挺进的桥头堡和后方基地，为樊湖地区的抗日斗争作出了巨大贡献。

（4）新中国成立以来：多元化发展

新中国成立后，在党和政府的带领下，梁子镇经济面貌日新月异，由过去的商业消费镇日益发展成为渔业生产初具规模、旅游业蓬勃发展的新兴集镇。

1953年梁子湖的面积是406.3平方千米，到20世纪70年代农业学大寨、以粮为纲的历史时期，填湖造田、围湖养鱼最为集中，湖泊面积大幅缩小。受拦河筑坝、污水直排、过度捕捞、挖砂采石等因素影响，梁子湖水质日趋恶化，野生鱼类资源逐年减少。1998年前后，由于网箱养殖、农业排放等，湖水变浑浊，水质偏向三类。

2000年开始，武汉市推动梁子湖生态保护工程，工业禁排、湖底植草、禁渔、人工放流、绿色养殖等，使湖水水质不断好转。2001年3月，梁子岛生态旅游区成立；2004年8月，被核定为省级旅游度假区。2010年3月，梁子岛晋级为国家4A级旅游景区，单日接待游客最高量一度达到12000人。遗憾的是，因管理不善、经营失序，2017年梁子岛4A景区被摘牌，闭岛休整。2020年10月，梁子湖区政府、市昌达公司与湖北文旅集团三方出资成立湖北文旅集团梁子湖投资有限公司，开启梁子岛系统重塑之路，重振千年水乡（图7.1）。

7.1.3 梁子岛旅游发展现状及问题

2022年6月—8月，课题组曾多次深入梁子岛进行实地调研，和岛上的居民展开访谈，包括岛上从事餐饮、住宿等业态的商户18家（表7.1）。

调研结果显示梁子岛旅游发展的资源优势明显，同时也存在亟待解决的现实问题。

（1）梁子岛旅游资源分析

根据中华人民共和国国家标准《旅游资源分类、调查与评价》（GB/T 18972—2017）中的“旅游资源基本类型释义”，梁子岛旅游资源分类一览表见表7.2。

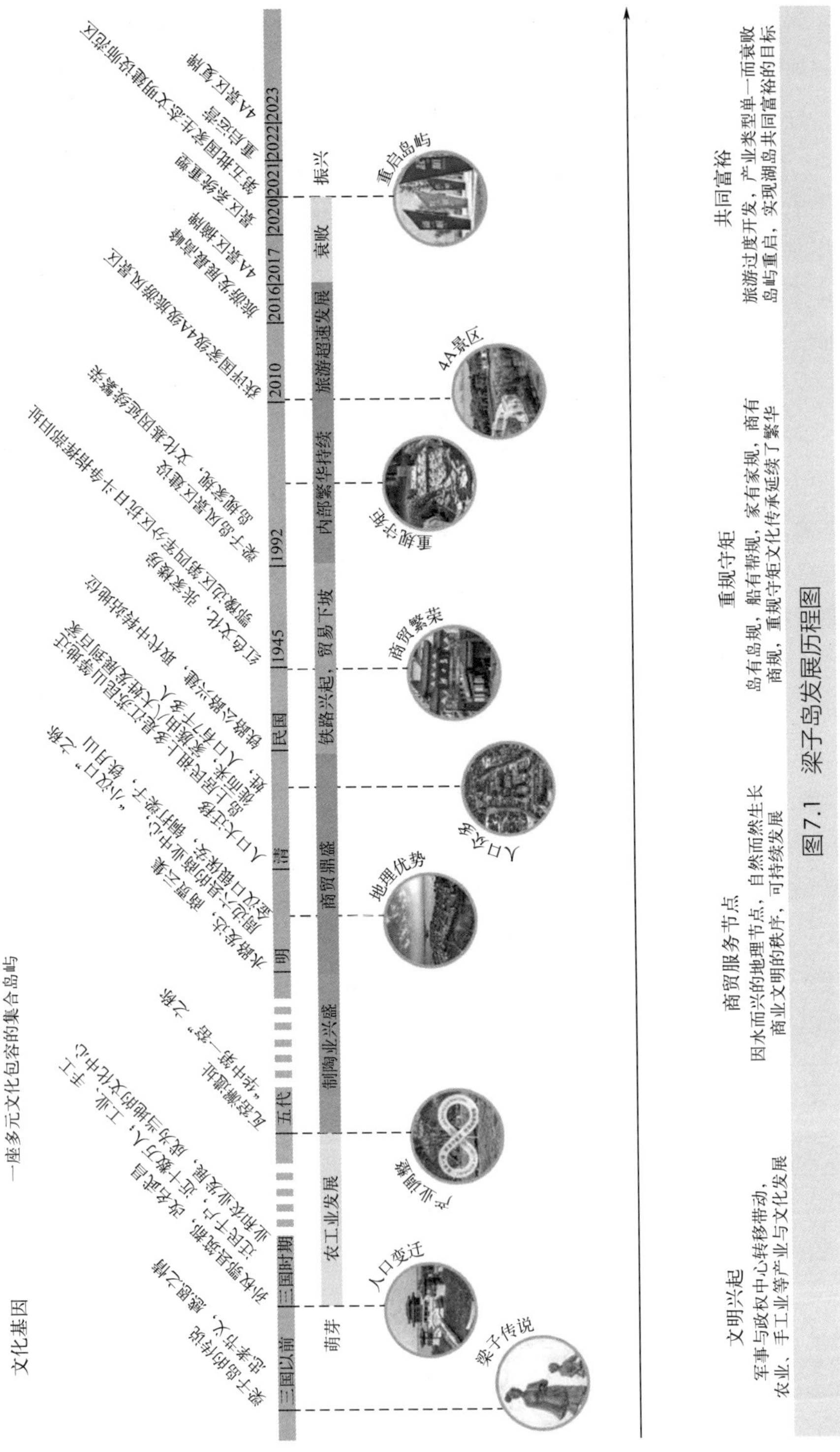

图7.1 梁子岛发展历程图

表7.1 梁子岛受访商户概况

序号	商户	位置	主要业态	面积/m^2	房间/个	就餐规模/人	负责人
1	明悦酒店	齐心路3号	餐饮、住宿	300	6	80	苏女士
2	齐心渔夫山庄	步行街92号	餐饮、住宿	1200	13	200	杨先生
3	绿岛渔村	步行街78号	餐饮、住宿	1000	20	200	王女士
4	东来会所	滨湖路25号	餐饮、住宿	—	18	80	张先生
5	天兴酒店	齐心路2号	餐饮、住宿	700	9	120	余女士
6	一品鲜酒楼	广场大道39号	餐饮	200	—	80	刘女士
7	和悦宾馆	步行街83号	餐饮、住宿	400	10	100	陈先生
8	安顺酒店	步行街76号	住宿、小食、打气球	—	6	—	杨先生
9	新高酒店	步行街75号	餐饮、住宿	—	17	200	丁先生
10	七品居	步行街79号	餐饮、住宿	800	11	100	王小姐
11	渔家酒店	步行街72号	餐饮、住宿		13	100	易女士
12	祥和酒店	步行街39号	餐饮	500	7	100	余先生
13	陈林酒店	步行街37号	餐饮	500	8	80	陈先生
14	宏斌酒楼	步行街30号	餐饮	—	—	80	杨女士
15	朝阳酒店	步行街27号	餐饮、住宿	—	6	80	夏先生
16	梁湖公馆	广场大道15、17号	餐饮、KTV	—	—	—	周先生
17	隆鑫渔夫山庄	广场大道30号	餐饮、住宿	600	8	80	张先生
18	好望角宾馆	步行街98号	餐饮、住宿	—	10	200	鲁先生

表7.2 梁子岛旅游资源分类一览表

主类	亚类	基本类型	主要业态
A地文景观	AE岛礁	AEA 岛区	梁子岛
B水域景观	BB天然湖泊与池沼	BBA 观光游憩湖区 BBB 沼泽与湿地	梁子湖 七星湖湿地
C生物景观	CA树木 CC花卉地 CD野生动物栖息地	CAA 林地 CCA 草场花卉地 CDA 水生动物栖息地 CDC 梁子栖息地	山林 花圃 梁子湖 梁子岛、梁子湖
E历史遗迹	EB社会经济文化活动遗址遗迹	EBA 历史事件发生地 EBB 军事遗址与古战场 EBD 废弃生产地	张家楼房、磨刀矶、拴马桩 点将台、梁子岛之战遗址 瓦窑濉遗址
F建筑与设施	FA综合人文旅游地	FAA 教学科研实验场所 FAC 宗教与祭祀活动场所 FAE 文化活动场所	武汉大学生态园 观音阁 朝阳园
	FC景观建筑与附属型建筑	FCC 楼阁 FCH 碑碣（林） FCK 建筑小品	魁星楼 抗日英雄纪念碑 梁子门、娘子塑像
	FD居住地与社区	FDA 传统与乡土建筑 FDB 特色街巷 FDH 特色市场	渔民老屋 青石板街 水产品售卖市场
	FF交通建筑	FFA 桥 FFC港口渡口与渡口	梁子桥 梁子岛渡口（梁子渡口、梦天湖渡口、班船渡口、渔民渡口、电力渡口、东方假日渡口）

续表

主类	亚类	基本类型	主要业态
G 旅游商品	GA 地方旅游商品	GAC 水产品与制品 GAD 中草药材及制品	梁子湖大闸蟹、鱼虾 灵芝生态园
H人文活动	HA 人事记录	HAA 人物 HAB 事件	李先念、王震、张体学、张裕钊 抗日游击战、梁子传说
	HC 民间习俗	HCA 地方风俗与民间礼仪 HCB 民间节庆	祭湖、哭嫁 梁子湖捕鱼节、鼎罐湖鲜美食节
7个主类	13个亚类	27个基本类型	众多代表性旅游资源

根据中华人民共和国国家标准《旅游资源分类、调查与评价》（GB/T 18972—2017）中的“旅游资源评价赋分标准”以及“旅游资源评价等级与图例”，课题组邀请两名行业专家对梁子岛旅游重点资源进行评分，取均值进而确定各旅游资源的等级（表7.3）。

表7.3　梁子岛旅游资源评价一览表

评价因子 / 资源名称	资源要素价值（85）					资源影响力（15）		附加值	总分	等级
	观赏游憩使用价值（30）	历史文化和科学艺术价值（25）	珍稀奇特程度（15）	规模、丰度和几率（10）	完整性（5）	知名度和影响力（10）	适游期或使用范围（5）	环境保护与环境安全（−5～3）		
梁子岛、七星湖湿地	29	24	13	10	5	8	5	2	96	★五级
点将台	28	23	13	9	5	6	5	3	92	★五级
张家楼房	26	22	12	9	5	8	5	3	90	★五级

续表

评价因子 / 资源名称	资源要素价值（85）					资源影响力（15）		附加值	总分	等级
	观赏游憩使用价值（30）	历史文化和科学艺术价值（25）	珍稀奇特程度（15）	规模、丰度和几率（10）	完整性（5）	知名度和影响力（10）	适游期或使用范围（5）	环境保护与环境安全（-5～3）		
魁星楼	29	23	13	8	4	6	5	3	91	★五级
武汉大学生态园	28	23	10	8	5	6	3	3	86	■四级
瓦窑濉遗址	28	23	10	8	5	7	3	3	87	■四级
青石板街	24	20	13	8	5	7	5	3	85	■四级
抗日英雄纪念碑	24	20	13	8	4	7	4	3	83	■四级
娘子塑像	26	22	14	7	5	7	5	3	89	■四级
朝阳园	26	22	12	8	5	8	5	3	89	■四级
梁子岛之战遗址	23	23	13	7	5	8	3	2	84	■四级
旅游特产	23	23	13	7	4	8	4	3	85	■四级
渔民老屋	21	23	13	7	4	8	5	3	84	■四级
祭湖民俗	20	22	10	8	4	9	4	3	80	■四级
梁子岛渡口	23	23	12	8	4	9	4	3	86	■四级
观音阁	23	23	12	8	4	9	4	3	86	■四级
梁子桥	23	23	13	8	4	9	4	3	87	■四级

概括来看，梁子岛旅游资源类型丰富，优势明显。

一是资源禀赋好，自然资源（名湖明珠、珍禽异兽、梁子奇景以及生态环境）与人文资源（地方文化）相得益彰。其中七星湖书院、渔村、梁子岛公山遗址公园等尚未被深度开发，存在较大发展空间。

二是地方文化特色鲜明，开发潜力大。景区的古石雕、梁子岛古楼、古刹、古阁等古迹遗物，蕴含较高的建筑学、文化学、美学欣赏价值；梁子文化、渔文化、三国文化、红色文化各具特色，具备丰富的旅游文化内涵，可以走差异化和特色发展之路。

三是景区生态环境良好，适合打造度假胜地。梁子岛生态旅游区地处梁子湖内，四面环水，空气清新，未来将立足于规划区内自然资源和人文资源禀赋，积极打造渔村休闲、鱼食养人、湿地观光等多种类型的休闲度假胜地。

（2）梁子岛旅游市场前景分析

湖北省积极促进旅游业恢复发展，省内旅游业整体稳步向上，游客潜力激发。2023年湖北省全年预计接待游客超7亿人次，实现旅游综合收入逾7000亿元，均超过2019年水平。全年抽样统计的20家重点旅游景区接待游客3102.75万人次，同比增长152.23%；全国旅游监督服务平台和“一机游”平台数据显示，全省三星级以上旅游饭店客房出租率达到53.24%，同比增长11%；旅行社签订电子合同31.9万份、合同金额33.09亿元，团队游客4011万人次，同比分别增长149%、254%、208%[1]。

依托武汉“1+8”城市圈的发展优势，梁子湖梁子岛生态旅游区作为鄂州市的重要旅游景点，积极推进旅游项目建设，加大省内外客源市场开拓力度，不断加强旅游宣传推介，已具备一定品牌效应，积累了一定的客源市场。2016年闭岛前，梁子岛年游客量约80.4万人次，旅游综合收入及旅游人次占梁子湖当年全区旅游的50%以上。2019年梁子湖区游客数量达268.8万人次，旅游综合收入及游客数量总体呈增长趋势（图7.2）。地处武汉都市圈，集自然观光、休闲度假、美食娱乐于一体，梁子岛旅游发展前景广阔。

（3）梁子岛旅游业发展存在的问题

梁子岛旅游业发展亟待解决的问题主要表现在以下几个方面。

一是旅游产品相对单一，需多元化开发。梁子岛景区总体以山水观光型资源为主导，与周边其他旅游资源存在同质性；旅游产品以水产品加工、销售为主。不少游客上岛就是为了品尝梁子岛的螃蟹、全鱼宴等湖鲜美食。另一方面，吃螃蟹具有一定的时令性。俗话说“秋风起，蟹脚痒，菊花开，闻蟹来”，秋天为螃蟹的最佳赏味期，螯满蟹肥，黄

[1] 王晶. 2023年湖北预计接待游客逾7亿人次 实现旅游收入超7000亿元[N/OL]. 湖北日报新闻客户端，2024-01-19[2024-12-12]. https：//news. hubeidaily. net/pc/c_2177217. html.

多膏满。这也导致景区旅游呈现鲜明的季节差异性。总体上，每年5～10月为旅游旺季，且10月是其旅游旺季的中心时段。其他季节客源较少，均为淡季。如何打造四季景观，开发多元化旅游产品，成为亟待解决的现实问题。

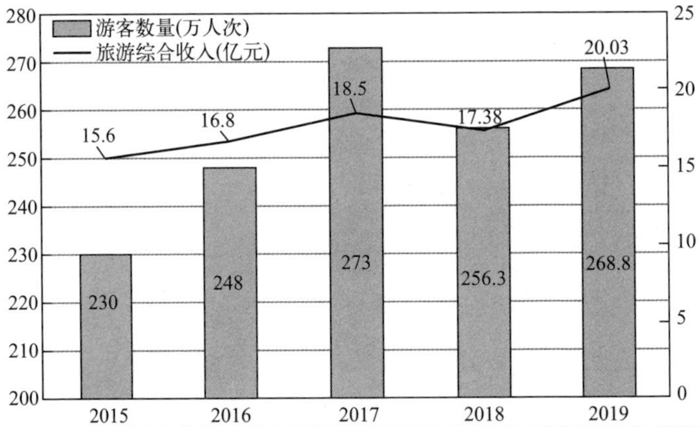

图7.2　2015—2019年梁子湖区游客接待量

第二，乡愁文化元素的挖掘不够深入，缺乏在地性和归属感。在前期调研过程中，当地政府、居民以及湖北文旅鄂州梁子岛有限公司都对景区的特色文化资源津津乐道、如数家珍，对景区发展也寄予了美好的期待。但是，课题组实地探访发现，景区文化还缺乏系统梳理和整体规划，文化景观和节点相对分散，不利于形成游客的整体印象（图7.3）。另一方面，居民和入驻商户的访谈结果显示，作为一个有着上千年历史的湖心岛，梁子岛所拥有的丰富的古石雕、古刹、古阁等古迹遗物价值目前尚未得到充分发挥；梁子岛的渔文化、三国文化、红色文化开发不够，和岛民乡愁记忆中的明清“小汉口”繁华盛景还存在较大落差。如78岁的岛民陈大爷所言：“这几年政府投入很大，岛上很多破旧的老房子都翻新了，也增加了一些渔家乐和大排档，但是，和小时候印象中的梁子岛已经越来越远了。”如何还原自然纯正的渔村环境，打造本土性、原真性的旅游吸引物，让梁子岛更像梁子岛，成为梁子岛文旅发展的重要命题。

图7.3　梁子岛景区改造前（从左至右：公山公园、望夫石、北部地质岩石、长岭码头商街）

7.2

梁子岛乡愁文化基因谱系梳理

根据第6章对乡愁文化基因的聚类分析，项目组首先确立了“物—境—场—事”的分析框架，对梁子岛的乡愁文化基因谱系进行梳理。其中，物质类遗存是梁子岛乡愁文化的主体基因，以显性基因形态存在，包括梁子岛的河流湖泊、地形地貌、动植物等；“境”主要指梁子岛乡愁的聚落类附着基因，包括建筑风貌、人文历史、传说故事等，它们是梁子岛族群记忆的重要内容；“场”涵盖了梁子岛的农田、林地、鱼塘、窑址等生产生活类空间，也是梁子岛乡愁混合基因的主要载体；传统手工艺、节庆活动、宗教信仰等传统活动作为梁子岛非物质遗存，则代表了梁子岛乡愁的变异基因（表7.4）。

表7.4　梁子岛乡愁记忆分析框架

基因分类	记忆因子	乡愁元素
主体基因	梁子岛山水自然记忆	地形地貌、水文气候、动植物等
附着基因	梁子岛历史人文记忆	建筑风貌、人文历史、传说故事等
混合基因	梁子岛空间生产记忆	农田、林地、鱼塘、窑址等生产生活场域
变异基因	梁子岛非物质文化记忆	传统手工艺、节庆活动、宗教信仰等活动

7.2.1　梁子岛乡愁主体基因：山水自然记忆

梁子岛自古因水而生，其存在和发展都与水息息相关。岛上的居民生活、农业生产以及旅游业都依赖水资源。水不仅为岛上居民提供了生活用水，还滋养了岛上的植被和农作物，维持了生态平衡。

（1）梁子岛地理环境与水资源

梁子岛位于梁子湖中，梁子岛的地质特征与其水域环境之间存在着密切的联系。受构造断裂和河谷沉溺的影响，湖周为残丘，湖底呈平底锅形，湖底构造、水深与湖岸形态不仅有别于江汉湖群其他诸湖，更在全国湖泊中独具特色（图7.4）。据专家考察，梁子岛的地质地貌形成可追溯到距今约2亿年前，属于侏罗纪河流相砂砾岩，具有较高的科普价值。岛上岩石层理清晰，显示了早期曾有径流面积较大且自东往西的曲流河，河床、河滩、河漫滩的痕迹清晰可见，是鄂东南区域比较罕见的保存较完整的地质样本。

图7.4　梁子岛景区全览图

（2）梁子岛气候特征与水资源

梁子湖水体对梁子岛的气温、湿度、风向、降水以及生态效应等形成了多方面的影响。水体的热容量效应能够调节梁子岛周边的气温。在夏季，水体吸收并储存大量的太阳辐射能，使得梁子岛及其周边地区的气温相对周边陆地更为凉爽；而在冬季，水体释放储存的热量，减缓了气温的下降速度，使得梁子岛的气候相对温和。这种温度调节作用有助于形成梁子岛四季分明、冬暖夏凉的气候特点，为其成为旅游胜地和生态保护区提供了有利条件。

总体来看，梁子岛属典型的亚热带大陆季风气候，四季分明，光照充足，气候温和，年平均气温在17℃左右，无霜期210～276天，历年来区内最低温度为-3℃，冬季一般在1℃左右，夏季一般在30～38℃，因湖水作用夏凉冬暖，积温比同纬度地区高2～5℃，素有蓬莱美誉、长寿岛美称。

（3）梁子岛生物多样性与水资源

水是生态系统的重要组成部分，对于维持生物多样性具有至关重要的作用。梁子岛周围的水域为各种水生生物提供了栖息地，形成了丰富的生物多样性。岛上鸟类资源初步统计有16目40科137种，其中国家Ⅰ级保护鸟类5种，Ⅱ级15种。鱼类105种，分属21科，主要经济鱼类30余种，其中较名贵珍稀的有武昌鱼、银鱼、鳜鱼等15个品种（图7.5）。梁子湖还曾发现了大面积的淡水桃花水母。作为最原始、最低等的无脊椎腔肠动物之一，桃花水母已存在5.5亿年以上，为世界级濒危物种，是中国一级保护动物，有“水中大熊猫”之称。同时，梁子湖也是亚洲稀有水生植物物种“蓝睡莲”的唯一生存地。这些水生生物不仅丰富了梁子岛的生态环境，还为岛上的居民和游客提供了丰富的自然观赏体验。

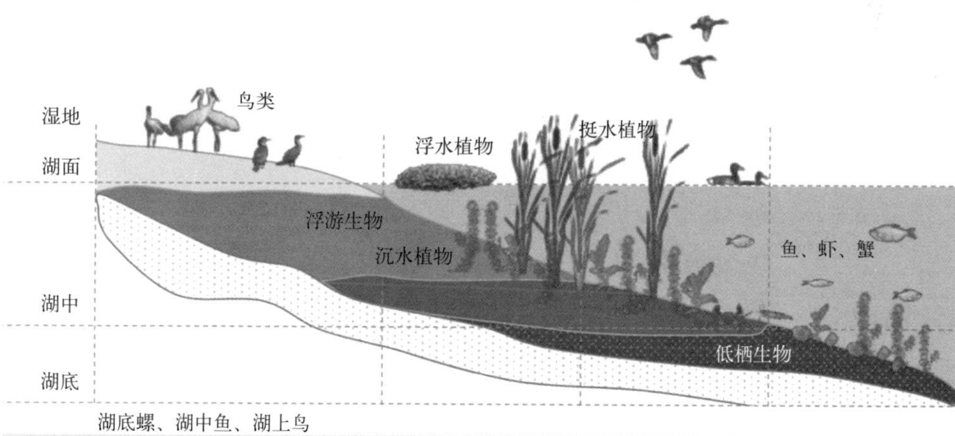

图7.5　梁子岛水生物资源分布图

7.2.2　梁子岛乡愁附着基因：历史人文记忆

在千百年的发展演变中，梁子岛成为一座多元文化包容的集合岛屿，也沉淀了岛民和游客对梁子岛的文化记忆，主要包括传统文化记忆和红色文化记忆两大方面（图7.6）。

(1)传统文化记忆

梁子岛的传统文化记忆深深植根于其悠久的历史和独特的地域文化中。这里曾是梁湖水系的水上交通枢纽和商品集散中心，岛上居民最多时达到5000余人，设有粮行、渔行、麻行、磨坊、什货铺、戏园、当铺等100多家，商业繁荣，素有“小汉口”之称。这种商业氛围和历史积淀构成了梁子岛传统文化记忆的重要部分。岛上至今保留着许多具有传统文化特色的建筑和景观，如三国周瑜点将台、始建于明朝的魁星楼、声名远扬的云停戏台、康熙年间的青石板街，以及述说着梁子岛动人传说的娘子雕像等。这些古建筑不仅是梁子岛历史文化的见证，也是岛上居民传统文化记忆的重要载体。

点将台　魁星楼　云停戏台　青石板街　娘子雕像

张家楼房　公山碉堡　革命烈士纪念碑　燎原台

图7.6　梁子岛主要历史遗址

点将台：传说三国时期蜀汉名将周瑜曾在梁子岛操练水军，并筑高台点将。位于梁子岛北端七星山山顶的三国遗迹点将台，不仅见证了周瑜的军事才能，也成了梁子岛三国文化的重要标志。登临点将台，几乎可以一览梁子岛全貌，视野开阔；可以俯瞰梁子湖的美景，感受那份荡气回肠的历史气息。

魁星楼：魁星楼位于梁子岛东山山麓，始建于明代，修缮于清乾隆年间，关于魁星楼的寓意有着许多不同的说法。一是“魁星点斗，独占鳌头”之意，高唐才子刘满江曾被皇帝御笔钦点为“魁星”，于是此楼便取名为“魁星楼”，有期盼梁子岛人才辈出的寓意。二是古代有“鳌鱼眨眼，地动天颤；鳌鱼翻身，天崩地裂”之说，所以才建造这座楼来镇压巨鳌。站在27米的高楼上远眺，梁子岛美景尽收眼底。

云停戏台：云停又称万年台，曾经是岛上最为繁华热闹的区域，常招文人骚客、过往客商来此消遣，音效素有“响遏行云”之感，梁子戏楼的名声也日渐远播。有人为其取雅名“云停”，意曰连行走的白云也驻足观看。如今旧物虽已不在，但重建的戏台仍在述说着这个小岛的风云变幻。

青石板街：是梁子岛最古老的街道之一。清朝康熙年间，这里约有200户人家，沿街经营着米店、商行、陶器店、磨坊、当铺等，后来延伸至500米。沿石板街往西走直通梁子湖湖边，西北方向是古老的河埠头，那里是沿湖各地的集贸中心，也是鄂南几县的交通要道。漫步在这条石板路上，可以感受到浓厚的历史氛围，仿佛穿越时空回到了那个商贾云集的时代。

娘子雕像：千百年前，梁子湖区域原属云梦大泽，水患频仍。高唐县的孟玉红母子为救百姓，将绣花鞋抛入水中，绣花鞋瞬间化作一座星楼，救了百姓。之后星楼落回湖面，成了一座乡亲们安居乐业的小岛。人们为了纪念孟玉红母子的救命之恩，遂将此岛叫作“娘子岛”。因“梁”“娘”谐音，后来被读作“梁子岛”。伫立在梁子岛东北角山脊的娘子雕像，在历史的传颂中凝结成了梁子岛的精神之源和信仰丰碑。

（2）红色文化记忆

梁子岛的红色文化记忆同样令人印象深刻。这里曾是抗日战争时期的重要战场，留下了许多可歌可泣的英雄事迹和革命故事。

张家楼房：张家楼房位于鄂州市梁子湖岛梁子镇梁子居委会，原为张家炉坊，始建于清代，初为私塾学堂，后为专门打造铁锅和鼎罐的作坊。1944—1946年，鄂南抗日指挥机关、鄂东军分区司令部、十四旅旅部曾驻此，建立了以梁子岛为中心的抗日根据地。从张家楼房发出的无线电波使鄂南战场成为八路军南下支队向华南挺进的桥头堡和后方基地，为樊湖地区的抗日斗争作出了巨大贡献。1984年10月，张家楼房被公布为市级文物保护单位；2008年4月，被公布为省级文物保护单位。如今，张家楼房已成为重要的红色旅游景点，吸引着无数游客前来缅怀革命先辈的英雄事迹。

公山碉堡：公山碉堡位于梁子岛公山顶部。抗战时期，为抵御日寇进攻，梁子岛百姓用石灰与青砖垒砌墙壁，用厚木板铺成楼板，建成结构坚固、四角分明的三层炮楼，在鄂南抗日军民打击日寇的斗争中发挥了积极作用，依此碉堡击毙敌军数人。历经战争烽火，公山碉堡仅存上下两层。解放后，政府对其进行修缮，并将其保护范围向四周延伸50米。2003年11月4日，公山碉堡被鄂州市人民政府公布为“市级文物保护单位”。公山碉堡的存在不仅是对那段历史的见证，也是对岛上军民英勇抗战精神的传承。

七星山革命烈士纪念碑和燎原台：1943年，日军对梁子岛居民实施了残酷屠杀，造成2000余人遇难。即便如此，梁子岛军民仍坚持抗战，展现出同仇敌忾、众志成城的决心。1944年1月25日，梁子岛之战取得胜利，许多英勇的抗日战士在此献出了宝贵的生命，每6人中就有1人为国捐躯。山间蜿蜒的阶梯旁，红色文化长廊“星火之森”主题鲜明，转角处的雕塑群铭记着抗日战争中梁子岛英雄的壮举。半山腰的燎原台，北望梁子湖，南瞰梁子岛；山顶的革命英雄纪念园宏伟壮观，纪念着无数抗日烈士的不朽英魂。它们不仅是岛上红色文化记忆的重要标志，也是激励后人铭记历史、珍惜和平的重要场所。

7.2.3 梁子岛乡愁混合基因：空间生产记忆

（1）渔村码头

在大禹治水的传说中，梁子湖水域属于广袤的“沧浪之水”。“水”是梁子文明赖以生存繁衍的基础，樊楚先民逐水而居，源水而足。曾经的梁子岛民主要以打鱼为生，大都是一家一户驾着木船下湖捕鱼。得天独厚的地理位置也造就了岛上独一无二的风味。秋天的螃蟹、冬天的腊味、野生的菱角、氽好的鱼丸、风干的武昌鱼……咸鲜百味，在味蕾上演绎千秋四季，呈现出渔村风情。

渔村的码头不似游船码头般忙碌，三三两两的岛民走到湖边洗刷，顺便聊聊家常，碰见游客了便会热情地介绍一番湖光山色。这样原始、朴素的洗濯场景，不知是多少代人的回忆。梁子岛人仿佛恪守着一种生活传统，在物欲横流的现代保留一份古朴。

（2）古镇老街

据《武昌县志》载，梁子镇康熙初始列为市，居有200户，为江夏（现武昌）、兴国（现阳新）、大冶之通衢。在铁路交通运输还没有兴起之前，地处九省通衢之中的梁子岛一度成为鄂东南的贸易集散地，是商品和货物的重要转运站。岛上居民的日常生活消费离不开外界的供给，这自然引来不少外地人登岛开铺、开店。巴掌大的梁子岛上，人口一下子激增到7000多人，旅店几十户，铺面百余家，赢得了“小汉口”的美誉（图7.7）。

（3）滨湖绿地

梁子岛上植被优良，物种群集，2.2平方千米的岛屿镶嵌在280平方千米的水面上，形成典型的水乡景观。如诗如画的湖景通透而开阔，显得与世无争。春天在湖滨公园露营野餐，夏天于东北角亲水嬉戏，秋天沿湖环岛骑行，岛上每个季节的景致都不同。对于周边的人们来说，这里属于每年都可以去几次的“城市后花园”，有着远离纷扰嘈杂的安然。

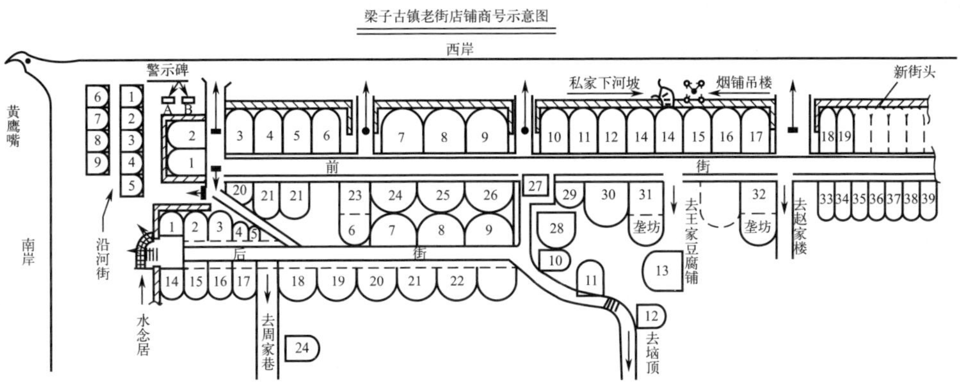

老街店铺商号对号表

制图：叶存武(金中)

说明

1.上图为一九五四年分洪前梁子古镇老街店铺商号概况示意图。制图依据本人的童年记忆，并参照叶氏宗谱的相关信息综合编制而成；

2.店铺商号名称信息提供人有杨纯一、叶祥波、陈立远等

前街店铺商号	1	杨记理发店	2	叶金臣杂货店	3	叶泰兴粮行	4	叶元顺肉铺	5	郑重远要货店
	6	叶祥泰商店	7	隆泰要货店	8	叶开泰商店	9	郑元记肉铺	10	郑昌勤鱼行
	11	陈旭东小吃店	12	陈永顺粮行	13	盛和兴酒茶楼	14	叶南卿要货店	15	陈福兴烟铺
	16	叶敬恒杂货店	17	王忠文铁铺	18	郑玉丰柴行	19	盛利民小吃店	10	盛道政餐馆
	21	叶德记油炸店	22	杨万茂渔具店	23	王永昌要货店	24	赵和记米店	25	赵长发商店
	26	万训成鱼行	27	邱德煌小吃店	28	胡春和酒茶楼	29	叶孔彰百货店	20	陈福和商店
	31	胡贤垚肉铺	32	盛万和粮行	33	胡先枝客栈	34	叶云波吏府	35	郑霞主钓铺
	36	叶德记磨坊	37	郑元记柴坊	38	王先楷粮行	39	程霞富豆腐店		
后街店铺商号	1	张顺昌粮行	2	瑞华祥杂货店	3	周开芝药铺	4	董为善药铺	5	叶化南杂货店
	6	王永昌砻坊	7	赵记餐馆	8	赵记棉絮加工店	9	四裁缝缝纫店	10	朱福隆豆腐店
	11	孟氏面店	12	王尤富面铺	13	王氏豆腐铺	14	水念居酒茶楼	15	叶佑记鱼行
	16	春茂恒布铺	17	夏敬民水果店	18	朱厚如面铺	19	赵玉记米店	10	叶万茂糕饼铺
	21	叶兴发商店	22	陈才久油炸店	23	盛其昌杂货店	24	杨仕英箍桶铺		
沿河街店铺	1	樊哲甫茶馆	2	叶发见柴行	3	陈明昆小吃店	4	叶子香柴行	5	黄氏理发店
	6	叶发富熟食店	7	杨振民鱼行	8	叶正坤牌铺	9	郑氏渔具		
图例		石垒防水台基		建筑物		青条石下河坡		红砂条石下河波		已毁建筑
	A B	警示碑：A.万恶淫为首　B.百善孝当先 碑高2m，宽0.8m，厚0.3m								

图7.7　梁子古镇老街店铺商号示意图

“一径抱幽山，居然城市间”。梁子岛东北角水域辽阔，一直延伸到湖边的休闲绿地是休闲拍照的好地方。沿着蜿蜒曲折的生态栈道散步，可以欣赏到波光浮动的湖水和郁郁葱葱的湿地风光。湿地中树木成林，草地广阔，是鸟类和其他野生动物的乐园。丰富的花草植物以及优雅舒适的活动区将现代气息和生态相结合，犹如一片湖中花园。

7.2.4　梁子岛乡愁变异基因：非物质文化记忆

梁子岛手工业历史悠久。1974年，考古专家在梁子岛公山北麓发现一处窑址，面积约4万平方米，试掘100平方米，发现窑炉1座。窑依山而建，平面呈马蹄形，炉内有经高温后形成的深色玻璃釉。采集有壶、碗、盘、罐等瓷片，施青黄或灰黄釉，也有少量黑褐釉，露胎处可见灰白色护胎釉。纹饰大多饰于执壶柄上，先在胎上压印纹样，然后施釉。

纹饰种类有斜方格纹、缨穗纹及团菊图案，有的在碗底刻有“全”“吴”字样。出土窑具有匣钵、带支钉垫圈和泥条垫圈等。这说明唐代前后梁子岛的制陶业非常兴盛。现在岛西有48口瓦窑遗址，公山西侧山坡积存下来的层层叠叠的钵盆之类废陶片，据专家考证属五代时期，距今已有1300多年。

（1）民间音乐

梁子湖有许多独具地方特色的音乐。“山有木兮木有枝，心悦君兮君不知”，令人熟知的一句情歌原是从梁子湖传唱千年。相传，大约公元前529年的一个夜晚，鄂君子皙泛舟梁湖。一名越人歌者拥楫而歌，深深打动了这位贵族王子。鄂君按照楚国的礼节，行而拥之，终成一段流传千古的知音佳话。“牌子锣”是梁子岛民间音乐的奇葩之一。曲牌有一百余种，以“玉莲环”最具代表性。“六百里梁子湖，九十九道汊。武昌鱼、大闸蟹、清水虾，红菱甜、荷花美，茭白嫩、藕簪翠，一望无际是芦苇。说不完道不尽的是家乡梁子湖的美！”樊湖硪歌也是梁子岛民歌的一个曲种，被列入湖北非物质文化遗产名录。历史上，堤防工程、湖区治理、防汛抗旱、筑堤建闸都需人工抬硪固基，硪歌是民工抬石硪筑堤固基时即兴唱（喊）出的歌号。每年九月开湖的时候，渔民都要举行盛大的祭祀活动。梁子湖的渔民能歌善舞，唱起梁子湖渔歌号子，令人击节叫好。

（2）美食文化

相传梁子湖螃蟹是龙王进贡给玉帝的贡品。梁子湖在古代时是高唐县，高唐县名士樊满江去咸阳求仕十载未归，又遇连年大旱，妻孟玉红侍奉多病婆婆，抚育幼子润湖，日子过得非常艰难。婆婆临终前馋肉，玉红割股熬汤，感天动地。龙王听说后化作一位道人，拿一把破伞要换玉红家最后一盅米，玉红看道人可怜，就同意了。龙王耳闻目睹，深为感动，遂透露了高唐县地陷天机：“衙狮流血，天崩地裂，莲鞋一双，可过此劫！”玉红一点就透，说：“一家活着有什么意义，高唐县的百姓苦很久了！”龙王摇摇头：“天意不可违！”小龙女被孟玉红大义所动，偷偷从龙宫抱出两个宝瓶交给玉红母子，说：“这是龙宫贡品，地陷成湖的当天放入水中，宝物放生日，鱼米之乡时！”高唐地陷后变成了梁子湖，玉红母子和乡亲们一起把宝物放入湖中，两样宝贝从此来到了人间，一个是螃蟹，一个是鳊鱼，也就是后来的武昌鱼。

每年腊八过后，肥美的各色鱼类就成了岛上居民的腊味原料。不同于很多地方的重色重味，梁子湖的腊味仅用简简单单的盐腌上三天两夜，待到腌制入味，取出腌好的鱼肉，用木刷将表面的浮盐全部刷洗干净后，便可晾晒风干了。腌制好的鱼和肉一条条地挂在岛上迎风的那一面，湖风会带走腊味多余的水分。清晨湖面的浓雾散去，家门前休息着的大姐们动作利索地把腊味翻面，一条条都要晒出亮油来才够味。简单的调味、干净的色泽、紧致的口感，让人独享一份清爽的湖间本味。既有剁成大块的胖头鱼，又有风干成片的武昌鱼，多种多样的鱼类给了梁子湖人发挥味觉想象的空间，腌制、晾晒、加工，山湖间的时光都浓缩在这小小的一盘腊味中。

7.3

乡愁记忆导向下梁子岛文旅融合发展总体思路

乡愁记忆导向下的梁子岛文旅融合发展，是一个旨在通过深入挖掘和展示梁子岛的历史文化、自然风光和民俗风情，打造具有乡愁记忆特色的旅游目的地，进而促进当地经济、文化和生态可持续发展的过程。

7.3.1 梁子岛文旅融合发展战略目标

(1) 上位规划衔接：以文塑旅、以旅彰文

坚持以文塑旅、以旅彰文，推进文化和旅游深度融合发展，是旅游融合发展的必然方向和根本遵循。

《“十四五”旅游业发展规划》指出，要坚持以文塑旅、以旅彰文，推动旅游业实现社会效益和经济效益有机统一；坚持旅游为民、旅游带动，以人民为中心，满足大众特色化、多层次旅游需求，创造更多就业创业机会，更好服务经济社会发展；坚持生态优先、科学利用，牢牢守住生态底线，增强生态文明意识，合理利用自然资源，加快推动绿色低碳发展。

《湖北省旅游业发展“十四五”规划》指出，梁子岛生态旅游区作为东部人文休闲旅游区，要以红色文化体验、山地休闲度假、乡村观光休闲、温泉康养旅居、工业文明展示、中医药健康休闲为特色；发挥湖北“千湖之省”的资源和品牌优势，成为湖北知名湖泊旅游品牌。

《鄂州市“十四五”文化旅游体育广电业发展规划》指出，梁子岛要坚持生态保护原则，以优质自然资源为依托，以“山水乡愁，梦里水乡”为特色，以渔文化、三国吴鄂文化为底蕴，以生态休闲度假市场为导向，构建“湖、城、山、田、村”一体的旅游产业

发展格局，打造集滨湖度假、乡村旅游、生态养生、文化休闲、康体运动等功能于一体的国际生态湖泊型休闲度假旅游目的地、国家生态文明先行示范区、国家级旅游度假区。

（2）梁子岛文旅融合发展目标

作为一个承载着千年乡愁记忆的复合文化空间，梁子岛既包含着诸多物理记忆场域，更是历史文化的摇篮和民众情感的港湾。岛上的古建筑、古碑刻、古庙宇见证了岛屿的兴衰变迁，也成了岛民心中不可磨灭的文化印记。岛上的民间故事、传说与歌谣，更是如同一串串珍珠，串联起梁子岛的文化脉络，让岛民在传承中感受到文化的力量与温暖。对于游客来说，梁子岛则是一个集自然美景、文化底蕴、悠闲度假和美食住宿于一体的旅游胜地。游客可以沿湖漫步，看水鸟翩翩起舞，感受时间的缓缓流逝，享受慢节奏的生活；可以在这里品尝美味的梁子湖螃蟹和全鱼宴，感受渔村生活；还可以实地探访张家楼房、唐五代窑址以及周瑜点将台等历史遗迹，来一场跨越时空的对话。这些记忆不仅是对过去的怀念，更满载对未来的期许。

梁子岛需要顺应百姓期盼，依托岛民和游客的乡愁记忆，围绕梁子岛自然环境和历史人文资源，打造集休闲度假、生态观光、文化体验等功能于一体的综合型滨湖休闲旅游度假胜地。

短期目标：明确各类功能分区用地范围，完成“一岛两组团，一环串六区”相关建设工作；加快基础设施和配套设施建设与更新改造，提升梁子岛综合服务接待能力；拆除违章建筑和乱搭乱盖的棚屋偏房，改造居民区房屋外形外观，恢复老街巷道感；加大宣传力度，提高梁子品牌知名度、美誉度和忠诚度。

远期目标：完善梁子岛生态保护和监测工作，加强对岛内生态环境、旅游资源和人类与生物生存环境的保护；加大对村民的旅游服务技能培训力度，提升村民对于旅游发展的参与度，提高景区服务水平；完善旅游产品体系，做精旅游项目，做大梁子岛旅游品牌，将梁子岛打造为国家级旅游度假区。

7.3.2 乡愁记忆导向下的梁子岛文旅融合发展规划

（1）梁子岛文旅融合发展规划的系统架构

基于景观生态学原理和文化空间生产的演化机理，结合国内外乡村旅游的具体实践，要实现梁子岛乡愁记忆与乡村旅游的融合发展，需要以多元文化融合共生为目标，建立系统框架。

分析梁子岛乡愁文化基因可以看出，梁子岛生态旅游区是以风光秀丽的山水资源、独特的梁子文化为突出资源特征，以红色文化、渔家烟火、武昌鱼等特色非遗文化为辅的复合景区。由此，可以立足美景、美食两大王牌资源，确立“山水相约，慢游梁子，邂逅美景，寻味美食”的总体定位。在具体实践中，要将时间、空间和功能三大维度有机结合。从山水自然记忆角度，挖掘滨湖景观、湿地景观、观鸟、特色水生物等资源禀赋，打造生态型景观，吸引有生态休闲需求的游客以及体验自然的学生；从历史人文记忆角度，依托娘子传说、望夫石传说、红色文化等资源，打造生活型景观，吸引对特色地域文化感兴趣的游客，并开展红色教育和研学活动；从空间生产记忆角度，有机利用码头、古街、渔村等场所，打造生产型空间，吸引有兴趣体验渔家文化、感受渔村生产生活的游客；从非遗文化记忆角度，创新转化武昌鱼、民谣、捕鱼节、桃花水母等要素，打造梁子IP，拓展创意市集，面向大众市场打造新型文旅消费业态，激发岛屿活力。具体框架如图7.8。

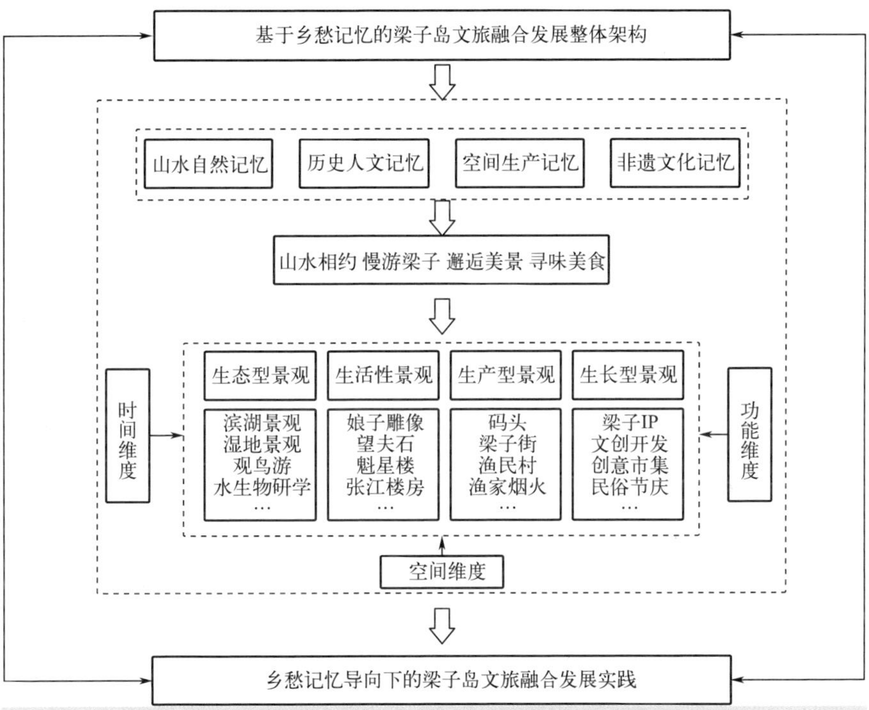

图7.8　基于乡愁记忆的梁子岛文旅融合发展整体架构

（2）基于乡愁记忆的梁子岛文化分区布局

基于以上系统架构，梁子岛乡愁文化总体呈现“一岛两组团，一环串六区”格局（图7.9）。

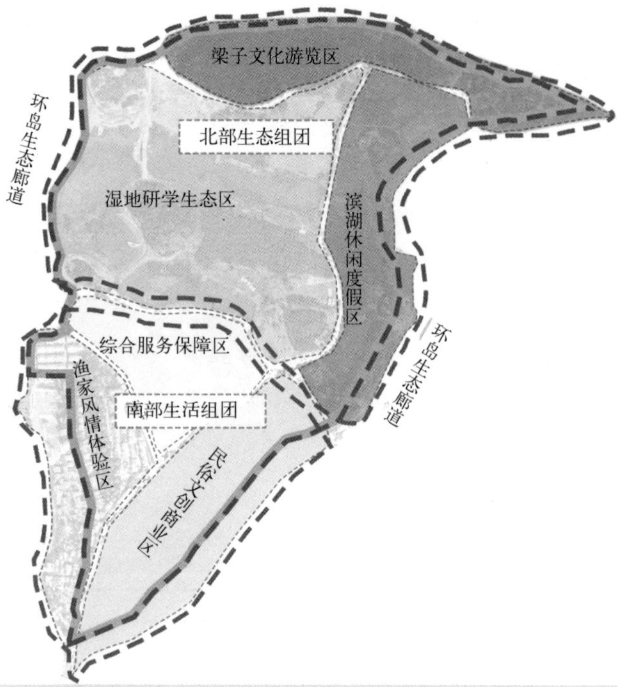

图7.9　基于乡愁记忆的梁子岛文化分区布局

“一岛”即梁子岛，“两组团”即南部生活组团、北部生态组团，“一环”即环岛生态廊道，“六大功能分区”即梁子文化游览区、湿地研学生态区、滨湖休闲度假区、综合服务保障区、渔家风情体验区、民俗文创商业区。

梁子文化游览区：包括以娘子像为核心的娘子文化园，以及以七星山、英雄革命纪念碑为核心的红色文化园。前者立足“娘子救岛”的传说，播扬仁义大爱之美，树立梁子岛的精神之源和信仰丰碑；后者以梁湖游击队为宣传方向，串联七星山、观鸟亭、革命烈士纪念碑等项目，弘扬梁子岛红色文化，唤起游客红色记忆。

湿地研学生态区：根据七星湖湿地公园、环岛生态廊道（西段）及公益林本身的特殊性和资源环境特征，湿地研学生态区主题定位为“湿地、生态、科普”；环境风格体现自然、生态；目标市场定位为具有生态休闲要求的旅游者以及体验自然的学生。

滨湖休闲度假区：围绕梦天湖、月亮湾本身的滨湖特征，以露营、婚庆、会展为主题，面向具有一定消费力度和有会展、婚庆需求的中高端消费市场，打造滨湖休闲度假区，同时有机串联魁星楼、仙人洞、拴马石、银月桥、草坪、阳光沙滩、环岛生态廊道（东段）等景观节点。

综合服务保障区：根据片区基础设施和建筑群特征，以后勤保障为功能定位，延续梁子岛原始居住风格，以满足本地居民生产生活需求，为岛上游客提供后勤保障。重点景观节点包括以服务游客休闲活动为主要目标的公山遗址公园、公山碉堡、瓦窑工坊等，以及满足岛民生活需求、传递梁子岛美食风味的梁子岛生鲜市场等。

渔家风情体验区：围绕片区人文资源和渔家风情特征，渔家风情体验区以“渔家唱晚”为主题，集合民宿集群、渔家文化等元素，为游客体验渔家文化、康养旅居提供多元选择。重点景观节点包括渔业街（主题店、民宿及居民生活街道）主体区、渔民新村、避风港码头等业态。

民俗文创商业区：围绕梁子岛的商贸文化和滨湖特性，主要面向大众游客市场，打造历史文化底蕴和现代流行审美于一体，兼具购物、IP、娱乐等多元主题的民俗文创商业区。其中核心商业区以梁子街为主体，打造梁子IP商业街，布局度假酒店、音乐酒吧、生鲜市场等多元化业态，培育商业街繁荣景象，吸引多元化游客群体；边缘商业区以张家楼房为核心，串联登岛码头、离岛码头、云停戏台、梁子岛历史长廊等景观节点，引起游客产生情感共鸣，吸引游客再次登岛度假。

具体如表7.5所示。

表7.5　基于乡愁记忆的梁子岛文化分区

分区	主题定位	目标市场定位	主要景观节点
梁子文化游览区	梁子文化、红色文化	红色教育、研学	娘子雕像、点将台、望夫石、七星山革命英雄纪念碑、环岛生态廊道（北段）、观鸟亭等
湿地研学生态区	湿地、生态、科普	具有生态休闲要求的游客以及体验自然的学生	七星湖、环湖生态廊道（西段）、七星湖湿地公园等
滨湖休闲度假区	露营、婚庆、会展	具有一定消费力度和有会展、婚庆需求的中高端消费市场	梦天湖酒店、魁星楼、仙人洞、拴马石、月亮湾、银月桥、草坪、阳光沙滩、环岛生态廊道（东段）等
综合服务保障区	后勤保障	满足居民生产生活需求，为岛上游客提供后勤保障	瓦窑工坊、梁子岛公山遗址公园、公山碉堡、梁子岛生鲜市场等
渔家风情体验区	渔家唱晚	体验渔家文化及长周期康养旅居的游客	避风港码头、渔业街、渔民新村等
民俗文创商业区	购物、IP、娱乐	面向大众游客市场	登岛码头、梁子街、离岛码头、张家楼房、梁子岛历史长廊、云停戏台等

（3）基于乡愁记忆的梁子岛景观系统规划

景观节点作为景观规划的重点核心内容，节点的吸引力、引导性以及标志性代表着片区的风貌特征。规划依托梁子岛现状独特的山水地形和景观风貌特征，构建“两核、多带、多点”的景观结构框架，以七星山纪念碑为制高点，形成多条景观轴线，与娘子塑像、遗址公园等景观形成景观轴线。“两核”是指以纪念碑、遗址公园为核心的特色景观点；“多带”是各景观节点之间形成的景观带；“多点”是指不同功能区中的景观节点，包括革命英雄纪念碑、纪念公园、娘子塑像、湿地公园、月亮湾休闲度假区、公山遗址公园、渔业街、黄莺咀、梁子街等（图7.10）。

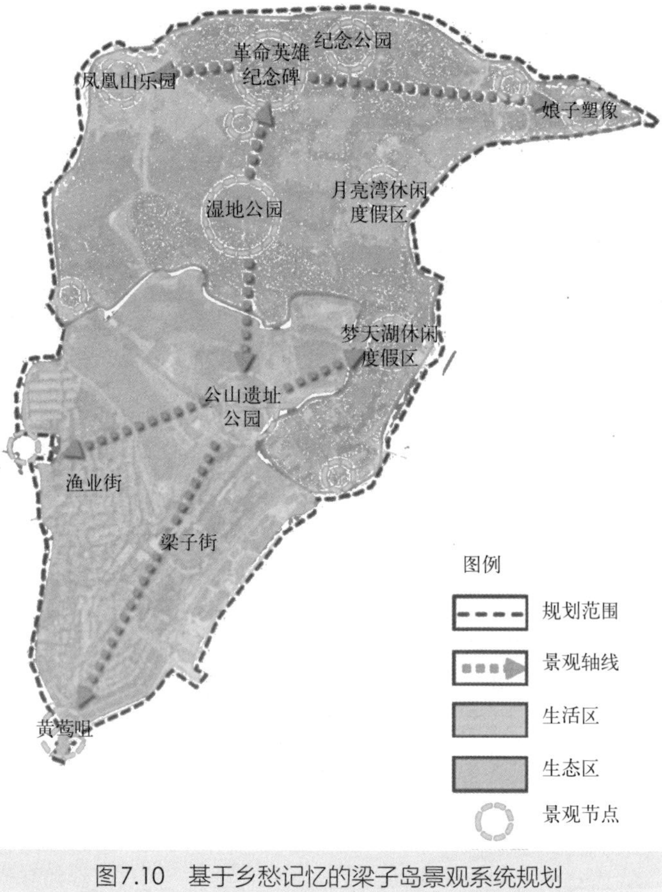

图7.10　基于乡愁记忆的梁子岛景观系统规划

7.4 基于乡愁记忆的梁子岛文旅融合场景设计

7.4.1 梁岛之火：梁子岛公山遗址公园场景设计

梁子岛公山遗址公园占地面积1.2万平方米，包括瓦窑澥窑址、梁子岛抗日碉堡、公山墓群三大文物点。瓦窑澥窑址亦称“梁子湖窑址”，是唐至五代瓷窑址，位于梁子岛公山北麓，面积约4万平方米。1974年考古试掘100平方米，发现窑炉1座，窑依山而建，平面呈马蹄形，炉内有经高温后形成的深色玻璃釉。1981年瓦窑澥窑址被列为湖北省级文物保护单位。公山碉堡为抗日战争时期纪念性建筑，位于梁子岛公山正中。抗战时期，为抵御日寇进攻，梁子岛百姓用石灰与青砖垒砌墙壁，用厚木板铺成楼板，建成结构坚固、四角分明的炮楼，在鄂南抗日军民打击日寇的斗争中发挥了积极作用。2003年公山碉堡被列为鄂州市级文物保护单位。公山墓群位于梁子岛中部区域，公山、长山脚下，呈不规则长方形。1978年考古调查发现，有墓葬暴露在外。据实地调查，在公山北部断面处也发现一处墓葬，部分暴露在外，大体南北向。根据已暴露墓葬砖初步判断为六朝—唐代时期墓葬。2003年公山墓群被列为鄂州市级文物保护单位。

通过文物遗址现状调研，结合梁子岛所处的行政区“中国三国文化之乡”湖北鄂州，项目团队将公山遗址公园的场景主题精炼为“梁岛之火”。梁岛之火，是东汉末年分三国、周瑜点将显雄姿的战争烽火；梁岛之火，是“华中第一窑”唐五代瓦窑澥窑址绵延千年不辍的瓦窑薪火；梁岛之火，是以李先念、王震、张体学等为首的鄂南樊湖抗日根据地齐心协力、保家卫国的红色薪火。

以“梁岛之火”为主题，项目团队展开了点、线、面设计。点，即三个文化节点——岛屿标志、梁岛之火雕塑、碉堡主题景观；线，即一条文化线——“梁子岛红色文化+瓦窑文化”相交织的文化线；面，即通过植物绿化造景，形成景观面（图7.11）。

（1）“梁岛之火”标志设计

通过对不同岛屿进行比对，项目团队发现梁子岛的地形具有比较高的识别度。将地形元素和代表红色烽火的五角星相融合，构建梁子岛的形象系统，可以加强游客对梁子岛的品牌形象认知（图7.12）。

图7.11　梁子岛公山遗址公园文旅融合建设规划

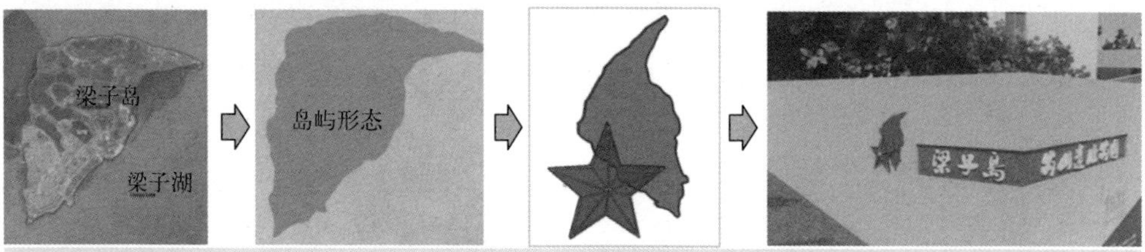

图7.12　梁子岛公山遗址公园标志设计

（2）“梁岛之火”雕塑设计

“梁岛之火”雕塑采用不锈钢设计，高4.5米，底座直径3米。这样的尺寸既保证了视觉的协调性，又展现了雕塑的威严与庄重。雕塑整体造型将三国烽火、瓦窑炉火、革命烽火幻化为三条交织缠绕的火炬；颜色采取红灰二色，灰色做底，沉着稳重；主体火炬是高扬的中国红，形成强大的视觉冲击力，彰显了梁子岛红色文化基因的深厚底蕴和感召力（图7.13）。

（3）公山碉堡主题景观设计

公山碉堡位于公山遗址公园最高处，为一座上下两层的炮楼，周围是带有一定坡度的草坪，原本杂草丛生。项目团队实地考察以后，决定以最小干预原则，在绿草坪上增植红花檵木，围合成五角星形状。红花檵木为常绿植物，新叶鲜红色，不同株系成熟时叶色、花色各不相同，叶片大小也有不同。花开时节，满树红花，极为壮观，与公山碉堡相互映衬，象征革命精神永垂不朽。同时，考虑到红色研学和主题教学需要，碉堡前预留举办爱国主义教育和党员宣誓的位置，以静穆主题控制过度的装饰（图7.14）。

图7.13　梁子岛公山遗址公园“梁岛之火”雕塑设计

图7.14　梁子岛公山遗址公园碉堡文化景观设计

（4）公山文化多面体设计

公园入口借助梯形多面体，对公山片区的文化基因进行核心展示。包括“千年古窑，公山陶韵”瓦窑咀窑址、“抗战精神，薪火相传”公山碉堡、“逐水而居，因武而昌”公山墓群的文字简介和图片宣传（图7.15）。

图7.15　梁子岛公山遗址公园入口文化多面体设计

（5）抗日文化长廊设计

从公园入口拾级而上，公山抗日故事逐一展开。从1931年九一八事变，到1938年梁子岛的南嘴伏击战，到1939年张体学挺进梁子岛开辟和建立鄂南抗日根据地，直到1945年抗日战争胜利结束，红色历史墙按照时间线记录了抗日战争中的大事件与梁子岛相关的红色事迹，阶梯的每一处转角也是抗日历史上的重要转折。此处成为探访红色遗址、传承英雄精神的重要打卡地（图7.16）。

图7.16　梁子岛公山遗址公园抗日文化长廊设计

（6）瓦窑文化墙设计

公园出口围绕瓦窑文化设计了文化墙。石墙上悬挂的陶罐和木制展示架上摆放的陶罐，都是对古代陶瓷制作的直接展示，让人一眼就能感受到这个历史遗址的核心特色。这些陶罐不仅增添了古朴的韵味，还仿佛在低语着古代陶瓷的繁荣与辉煌。背景中的树木和建筑物与整个景观和谐相融，为观众营造了一个宁静、舒适的环境。整体设计将梁子岛历史人文元素与自然交融在一起，精心布置的陶罐、展示架以及周围的自然环境，可以将观众带入一个充满历史感和文化氛围的空间。这种交融不仅让游客直观感受到古代陶瓷制作的繁荣，还能让人在欣赏美景的同时，领略到梁子岛历史的厚重与文化的深邃（图7.17）。

图7.17　梁子岛公山遗址公园瓦窑文化墙设计

7.4.2　有情世间：梁子岛北部区域文旅场景设计

梁子岛北部是文化点位比较集中的区域，重点包括七星山公园、货运码头、周瑜点将台、娘子雕像以及沿湖草坪景墙等。七星山公园是梁子岛红色记忆的重要载体，庄严肃穆的雕塑群记录了抗日战争中梁子岛可歌可泣的英雄故事。货运码头有一块天然形成的石崖，由页岩与石英岩石交替叠压形成，高高地耸立在湖边。相传古时有位叫玉姑的妇人经常在崖边远眺，等到她的丈夫归来，因此，石崖也被当地人称为“望夫台”。点将台位于梁子岛北端七星山山顶，传说三国时周瑜曾在此操练水军。时近赤壁之战，周瑜行至梁子湖，发现此处湖心一岛，是一个天然屏障和军事咽喉要塞，可作封闭练兵场所，于是筑高台，点将练兵。娘子雕像则演绎着动人的“娘子救岛”传说，是梁子岛的精神之源和信仰丰碑。

项目团队通过资料分析和调研发现，虽然以上点位分散于北部不同区域，但它们的核心文化基因，无论是梁岛渔火、革命薪火、三国烽火还是人间烟火，归结到一点，其实都是“梁岛之火”的延续。以“火”为名，将生态、活态、文化、体验融为一体，可以打造更有情感温度的文旅空间。

（1）七星山与二期廊道连接点

本节点是七星山革命圣地的出口，与二期廊道连接。调研发现，该区域空旷，多景观节点急需场地连接；下山区、马场、游乐区需设置休息区；七星山的红色文化基因未得到充分彰显；与景观廊道的生态文化基因也缺乏有效连接（图7.18）。

图7.18　梁子岛七星山与二期廊道连接点场地现状

项目团队决定以“薪火相传，和谐共生”为主题，打造集休憩、观景、嬉戏、体验于一体的景观节点。整体以红飘带为主体结构，延续红色革命精神；造型连绵错落，与湖岸线相互呼应；功能上，既可以作为景区景观，同时可供游客攀爬游玩，坐观湖景，追古思今，实现红色文化与生态景观的有机统一（图7.19）。

图7.19　梁子岛七星山与二期廊道连接点景观设计

红飘带侧面镂空雕刻水鸟、水草、水波纹、螃蟹、鱼虾、太阳花、烟火、渔火、爱情火等纹样，强化梁子岛的生态属性（图7.20）。

图7.20　梁子岛七星山与二期廊道连接点景观辅助纹样

（2）货运码头石崖“情网”装置设计

本节点地理位置特殊，与浩瀚的梁子湖遥相呼应，有天涯海角的意味，玉姑望夫的传说赋予石崖独特的内涵。作为梁子岛最远的景观端点之一，如果能够深刻洞察年轻游客需求，打造成为“网红”打卡点，可为景区引流带货（图7.21）。

图7.21　梁子岛货运码头望夫台场地现状

项目团队通过资料分析和头脑风暴，认为玉姑望夫是个凄美的爱情故事，结局有些“悲”，玉姑望夫代表的是忠贞不渝的爱。爱，需要见证；爱，需要守护；爱，更需要有所依附。结合现代年轻群体的恋爱观和审美偏好，项目团队决定将“望夫台”改为“锁情台”，打造一个艺术装置“情网”，见证爱，守护爱，锁住爱，赋予场所美好的含义与联想，为景区引流，激发游客参与兴趣，提升人气，助力品牌二次传播，成为梁子岛上又一网红打卡地。

“情网”装置采用8毫米厚304不锈钢激光切割焊接，表面汽车烤漆（含栏杆），整体约3.8米×3.6米。设计以“爱与情感”为核心主题，通过粉色爱心形状的“情网”，传递怦然心动的感觉。“情网”主体有大大小小、错落有致的小圆圈，形成了独特的网状纹理，不仅增强了视觉的层次感，还赋予了装置轻盈、动感的特质，使其在静态中展现出一种生动的魅力。拾级而上、踏入“情网”的楼梯选择了简洁的白色，从地面一直延伸至装置内部，形成了一条引导观众视线的路径，构成了走入人内心深处的具象画面。楼梯的白色与“情网”的粉色形成鲜明对比，进一步突出了装置的主题，同时也为观众提供了一个近距离感受艺术之美的平台。装置通过镂空设计巧妙地与周围的环境融为一体，平静的湖面、蓝天、白云、空中的飞鸟，共同营造出一种宁静、和谐的氛围，为游客提供了一个远离喧嚣、沉浸于艺术与自然之中的静谧空间，进一步激发游客对爱以及对人与人、人与自然关系的思考（图7.22）。

图7.22 梁子岛货运码头望夫台“情网”装置设计

（3）点将台文化氛围设计

本节点是梁子岛三国文化基因的重要载体。调研发现，由于地形结构原因，整体建筑呈现出不对称布局，需通过设计物增添平衡感；三国文化体验感较弱，内容需充实；可增强文化主题氛围（图7.23）。

图7.23　梁子岛点将台现状

项目团队首先在建筑右侧二楼平台增设烽火台一座。烽火台整体高度600厘米，这样的设计确保了其在远处的高可见性，非常便于传递信号，满足了烽火台作为古代信息传递重要工具的基本功能。火炬台部分设计为高170厘米，底部宽130厘米，顶部宽170厘米，形成了稳固的梯形支撑结构。这种设计不仅增强了火炬台的稳定性，还确保了火炬能够在各种环境下稳定燃烧。通过火炬台的剖面图，可以清晰地看到其内部结构的设计。这种精细的设计进一步增强了火炬台的稳定性，同时也考虑了火焰的燃烧效率和扩散效果，使得烽火台适用于各种需要长时间稳定燃烧的场合，有力烘托“周瑜点将”的豪迈气势（图7.24）。

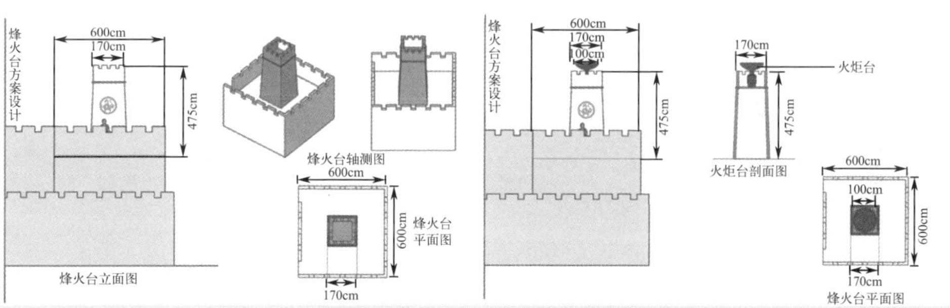

图7.24　梁子岛点将台烽火台设计

针对点将台文化氛围不浓、三国文化挖掘不足的现状，项目团队深入搜集文献资料，查找翻阅有关周瑜的诗词名篇。其中《长河吟》一诗中的“滚滚歌去英雄浪，铮铮泪打芙蓉妆。丹心枕剑寄热血，雪衣抱琴向夕阳”给项目团队留下了深刻印象。于是，设计师从中提取了“丹心枕剑，雪衣抱琴”八个字，作为点将台主楼的匾额文字；在点将台左右附楼增加青龙、白虎纹样的大鼓，以及历史上周瑜率领周吴大军的“吴”字战旗，以渲染景区文化氛围（图7.25）。

图7.25　梁子岛点将台文化氛围渲染设计

通过升级改造，景区的三国文化基因得到了进一步彰显。在“五一”“国庆”假日期间，点将台周围旌旗飘飘、战鼓擂擂、烽烟四起、人声鼎沸。登临点将台最高处，遥望碧波万顷的梁子湖，让人忍不住“遥想公瑾当年，小乔初嫁了”的三国场景，怀古思今，感慨万千，仿佛置身于那烽火连天、英雄辈出的年代，既能感受到当年赤壁之战的壮阔与激烈，又能深刻体会到三国文化的深厚底蕴与无穷魅力，令人流连忘返，久久不愿离去（图7.26）。

图7.26　梁子岛点将台“五一”期间文旅活动现场

（4）娘子雕像区域文化设计

娘子雕像的背面是一大片裸露的岩石。据地质专家科考，梁子岛地质地貌的形成可追溯到距今约2亿年前，属侏罗纪河流相砂砾岩，具有较高的科普价值。特别是对岛内东北角沿线的岩石构造进行勘察，可以发现梁子岛区域早期曾有径流面积较大且自东往西的曲流河，河床、河滩、河漫滩的痕迹清晰可见，是鄂东南区域比较罕见的保存较完整的地质样本。调研发现，由于缺乏故事讲解和科普宣传，该区域的旅游价值尚未得到充分挖掘，成为容易被遗忘的角落；另一方面，由于岩生植物缺乏整理，整体景观观赏性比较弱（图7.27）。

图7.27　梁子岛北部地质岩石区场地现状

项目团队一是增设了地质故事展示内容。借助信息可视化设计，增加俯瞰导视信息牌，最大限度地不影响岩石地貌，反映梁子岛地理形成的相关科普知识，形成实景结合的科普展览（图7.28）。

图7.28　梁子岛北部地质岩石区科普展台设计及应用

二是增加了岩生花卉。借鉴岩石花园造园手法，在岩缝穿插种植“岩间精灵”龙胆、“花中隐士”南庭芥、常青屈曲花、岩生肥皂草、红花老鹳草、石竹类植物等，营造充满野趣的美（图7.29）。

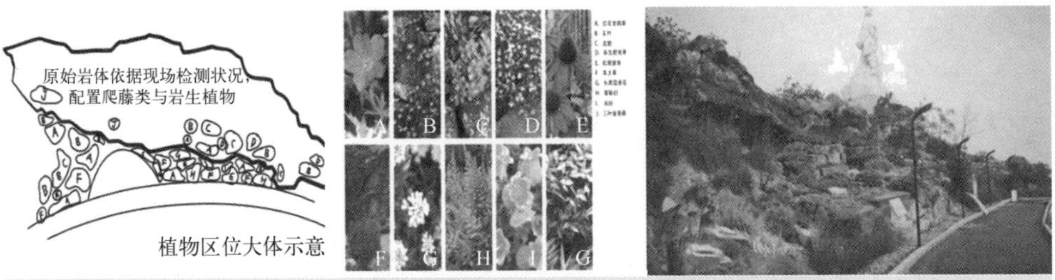

图7.29　梁子岛北部地质岩石区岩石花园设计及应用

（5）环湖草坪：梁子岛宣言墙设计

北部沿湖草坪原有一面景观墙，高约2米，长约20米，整体呈坡面，一面瞰湖，一面正对点将台。项目团队实地调研时发现，景观墙面积较大，但缺乏内容，视觉效果单一。可增添景观主题性，赋予场所精神。梁子岛文旅公司的负责人提到和岛民、商户共同签署的《梁子岛发展宣言》，引起了团队的关注。宣言原文如下：

《梁子岛发展宣言》

1. 每一个人都是一道风景，每一个人都是一座岛屿，每一个人都是梁子岛的代言人，悉心培育这方水土风物，尊重每一座岛屿的创新力量，我们相信开放与连接能给梁子岛带来恒久活力。

2. 我们不仅关注当前和自身的发展，更关注未来和环境的发展，我们尊重自然，敬畏自然，顺应四时物候，倡导健康绿色、低碳环保的生活休闲方式。

3. 我们追求更有想象力的未来，探索更多的无限可能，原有的乡村地景是我们摹画蓝图最好的底本，也是唤醒梁子岛最独特的生命密码，需要大家的合理规划利用。

4. 世间万物皆有情，花鸟鱼虫，自有天地，一声问候，一个微笑，如沐春风，我们欣赏但不打扰，让一花一木都能生生不息。

5. 我们向上向善，乐于分享，主动维护公序良俗，遵纪守法，诚实守信，文明经营，携手共筑和谐、温馨、有情、有爱、有温度的梁子之家。

6. 我们与梁子岛的约定也是我们共同的承诺，每一位“岛民”都能在这里“望得见山、看得见水、记得住乡愁”,我们一起用心守护这里的纯真和美好。

项目团队决定将该宣言作为草坪景墙的主题内容，浓墨重彩地呈现梁子岛发展理念和精神内涵。通过分段式的布局，将宣言内容分为核心理念、自然生态、社会文化、发展创新和共同愿景五个部分，使信息更加层次分明、易于理解。色彩运用和谐且富有活力的色彩搭配，如绿色、蓝色等自然色系，以及橙色、黄色等温暖色系，营造出梁子岛生机盎然的氛围。字体选用清晰易读的字体，通过字号大小以突出关键信息，增强阅读体验。设计的整体风格既符合梁子岛的自然和文化特色，又具有一定的现代感和艺术感，能够有效地吸引观众的注意力并留下深刻的印象（图7.30）。

图7.30 梁子岛发展宣言墙设计及应用

7.4.3 恋恋风尘：梁子岛长岭码头街区文旅场景设计

长岭源出湖北、湖南、江西三省的界山幕阜山支脉。相传1500多年前的南北朝元嘉元年（424年），宋文帝刘义隆亲临武昌（今鄂州）视察灾情，由九十里长港而上，踞足于“游家林”（地名），留下诗句“雨邑轻尘，山黛长迹岭”。后官方从诗句中取“长”和“岭”二字，将“游家林”更名为“长岭”。此后人烟稠密，逐渐建成街市。长岭镇街市始盛于清代乾隆年间，清代到民国时期长岭市场达到鼎盛时期，街市商铺、作坊及摊点达200余家，另有竹、石、铜、铁、锡、雕刻、家具、金银加工、纸扎、印染、理发等行业的店铺。一年四季街上人流不断，端午节、中秋节和春节期间更是人潮涌动，热闹非凡。活跃的商贸业辐射鄂、武、冶三市，素有“小汉口”之称。

市井烟火镌刻在长岭古镇的一砖一瓦里，烙印在无数梁子湖区人的记忆里，对于他们来说，那就是挥之不去的乡愁，是大家共同的精神家园。在文旅融合发展的今天，长岭码头是梁子岛景区的重要窗口和枢纽，也是维系游客与景区之间关系的重要情感节点。作为连接梁子岛与外界的重要交通枢纽，长岭码头承担着游客登岛和离岛的主要任务。游客从长岭码头上船，半小时可以抵达梁子岛，体验岛屿的美景和美食。同时，长岭码头也是展示梁子岛旅游文化和历史的重要场所。一个整洁、有序、充满特色的码头，能够吸引游客的注意力，提升他们对梁子岛旅游的兴趣和期待。同时，通过码头建筑、设施、活动等方面的展示，游客可以更加深入地了解梁子岛的文化底蕴和特色。

通过实地调研和走访，项目团队发现长岭码头街区存在以下问题：①街区设施日渐老化，不能很好地满足居民及游客需求；②现有商业业态分布零散无序，缺乏标志性的产业亮点和品牌形象；③街区界面缺乏活力和氛围，不能吸引人、留住人；④码头店面风格陈旧，与现代化的4A级景区品牌形象不匹配（图7.31）。

图7.31　梁子岛长岭码头商街场地现状

针对以上问题，项目团队确立了长岭码头街区改造的近期、中期和长期目标。近期目标是提炼标识符号，营造商街氛围；更新街道界面，提升码头风貌。中期目标是布局商街业态，激活商业活力。长期目标是聚焦区域文化，打造长岭品牌。希望通过设计改造，提炼渔港码头的文化符号元素，增强街区归属感；构建空间场域的序列感和维度，提升街区艺术感；显现码头自然生态和湾区风情，塑造码头亲切感；打造现代文旅体验与休闲设施，完善旅游体验感。最终实现“见人见景见生活，留人留物留情怀，宜人宜居宜游憩，感人感境感文脉”。

（1）提炼标识符号，营造商街氛围

商铺招牌是商街最直观的视觉元素之一。独特且富有创意的招牌设计能够成为商街的标志性景观，提升整个商街的形象和知名度。招牌上的文字、图案和色彩等元素，也能够传达出商街的文化内涵和价值观，进一步加深消费者对商街的情感连接。商铺招牌的亮度和色彩能够营造出热闹、繁华的商业氛围，激发消费者的购买欲望。特别是在夜晚，灯火辉煌的招牌能够照亮整个商街，使其更加生动和吸引人。

为了吸引游客，再现长岭古街明清“小汉口”的繁华盛景，项目团队以“长岭码头”品牌为核心，将商街的消费业态归为茶业、饮料、副食、鱼宴、蟹馆、菜场、肉铺、住宿等不同品类，为每个品类设置不同的品牌符号。在此基础上，为现有商街正在营业的店铺逐一进行店招设计（图7.32）。

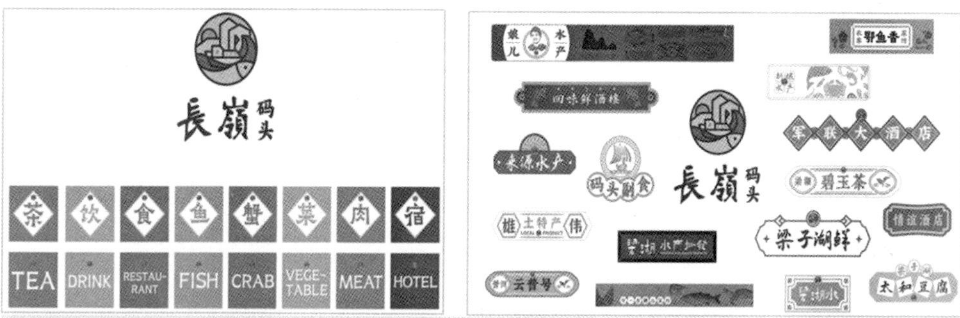

图7.32 梁子岛“长岭码头”商街店铺招牌设计

商街标志符号的运用兼顾了不同的尺寸规格和悬挂高度。其中，一级品牌符号为远距离媒体，旨在传递“长岭码头”品牌理念，其外形结构为四根造型立柱，高约12米，基座3米，顶部立牌分别雕刻螃蟹、武昌鱼、游船及象征码头烟火的灯笼。立柱矗立在长岭码头游客服务中心广场，通过造型和关键词引导，树立梁子岛的精神堡垒（图7.33）。

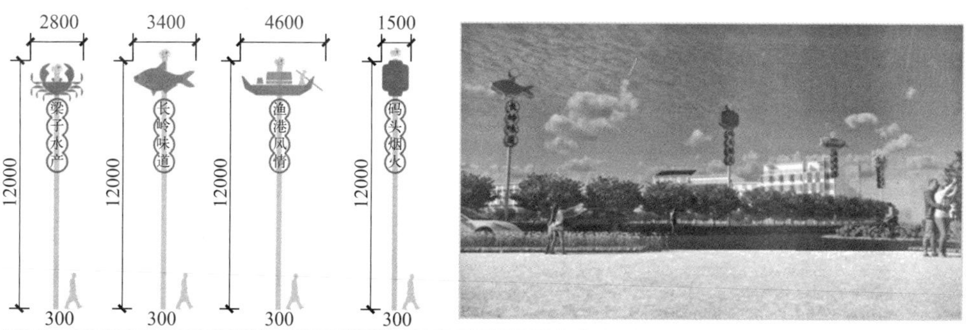

图7.33 梁子岛“长岭码头”商街一级品牌符号设计及应用

二级品牌符号为中远距离媒体，主要包括墙绘和楼顶发光字。夜幕降临时，长岭码头游客服务中心的北街尽头，硕大的“长岭码头”二字仿佛岸边的“灯塔”。灯火通明的街景，映照着墙绘上渔村生活的繁忙画面，将现代都市的繁华与传统文化的韵味完美融合，营造出一种既宁静又充满活力的意境。它让人在欣赏美景的同时，也能感受到长岭码头的独特魅力和深厚文化底蕴（图7.34）。

图7.34　梁子岛“长岭码头”商街二级品牌符号设计及应用

三级品牌符号为中近距离媒体，主要涵盖多种样式的店招系统。店招设计遵循现有商铺的空间结构，悬挂方式灵活多变，或与店铺门头平行，或垂直，或悬挂于店铺侧面，形成蒙太奇式的拼贴效应。不同形式的店面招牌，共同营造灯火辉煌的商街氛围（图7.35）。

图7.35　梁子岛“长岭码头”商街三级品牌符号设计及应用

（2）更新街道界面，提升码头风貌

长岭码头临街建筑总体以实用功能和成本导向自然生长，缺乏秩序感和统一调性。项目团队首先采用模块化工艺对建筑外立面进行了更新，比如更换破裂的瓷砖和门窗，增设镂空空调机位隔栅等。模块化更新工艺是一种高效、灵活且可持续的改造方式，它借鉴了工业设计中的模块化理念，可以将复杂的街区更新项目划分为若干相对独立且功能完整的模块。模块化设计有助于资源的节约和循环利用，减少浪费和污染；同时，由于模块具有相对独立性，可以降低施工过程中的风险和不确定性。在施工过程中，还可以根据街区的实际情况和居民需求进行灵活调整和优化，以确保项目的顺利推进和提高居民的满意度（图7.36）。

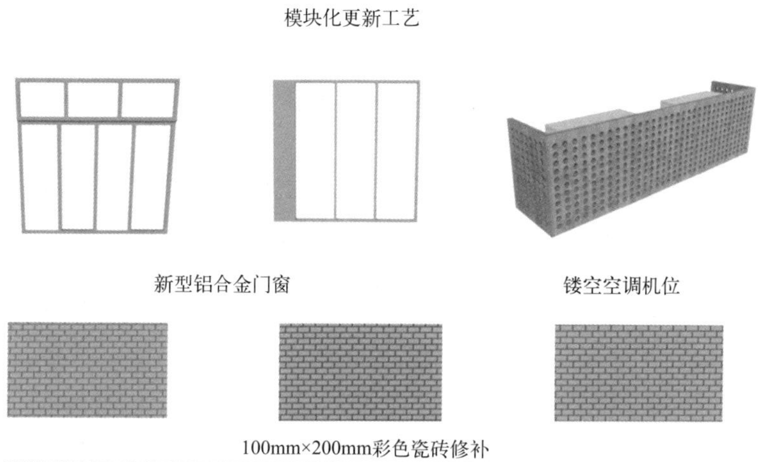

图7.36　梁子岛“长岭码头”商街改造模块化更新工艺

其次，重点对临街建筑色彩进行了统一和规范。色彩是建筑设计中的重要语言和因素。通过巧妙的色彩运用，建筑师可以创造出丰富多样的视觉效果，激发人们不同的情绪反应。例如，暖色调（如红色、黄色）通常能够营造出温暖、欢快的氛围；冷色调（如蓝色、绿色）则能够带来宁静、清新的感觉。同时，色彩还可以用来传达特定的文化信息和价值观。为了突出长岭码头的渔村特色，项目团队大胆采用了橙红、鹅黄、天蓝、玫粉、湖绿等颜色。橙红的屋顶和灰白的墙体交相呼应，蓝色的门窗和粉色的墙面相互映衬，充满童趣和活跃的感觉。各个区域以其独特的色彩加以区分，这些既美观又不失低调的色彩，不仅让长岭码头变得绚丽多彩，还像夜晚从餐厅和酒吧流淌出的欢快旋律，进一步烘托出这里浓厚的休闲气氛。同时，这些色彩鲜明、极具视觉冲击力的设计，也极大地提升了商业区域的辨识度（图7.37、图7.38）。

图7.37　梁子岛“长岭码头”南街13、14号建筑（改造前/改造后）

图7.38　梁子岛“长岭码头”南街15、16号建筑（改造前/改造后）

（3）布局商街业态，激活商业活力

长岭码头商街共有45栋临街建筑，其中北街有21栋，南街有24栋，零散分布着茶叶、餐饮、水产、便利店等业态，属于自发形成、自由生长，缺乏规模效应，不利于聚拢人气。项目团队决定围绕游客“吃、住、行、游、娱、购”出行全要素，结合居民日常生活需求，重新布局商街业态。

首先，明确商铺的主要功能分区。将商街功能大致分为四类：服务于周边社区居民的日常生活需求，服务于游客上岛及离岛的住宿需求，服务于游客餐饮及购物的消费需求，服务于商户售卖梁子岛特色水产的需求。由此，北街主打“水产一条街”，同时穿插菜市场、特产商店等业态；南街主营餐饮、夜市和住宿，面向游客营造充满渔村烟火气息的商街氛围（图7.39）。

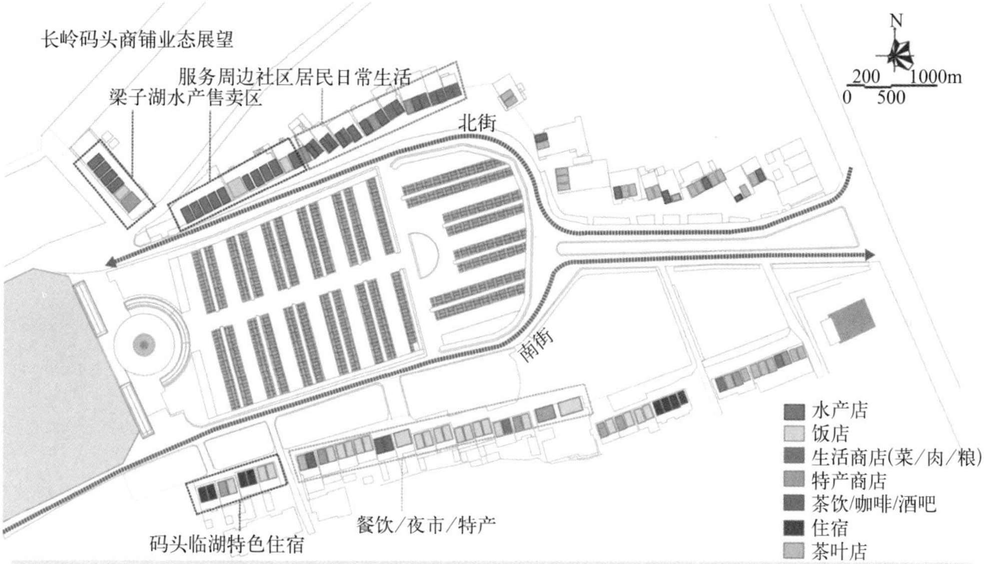

图7.39 梁子岛长岭码头商街业态布局

其次，注重商铺之间的空间关系和流动性。通过合理的规划和设计，确保商铺之间的通行便捷，游客能够轻松穿梭于各个功能区之间。同时，在户外公共空间提供必要的休闲座椅、遮阳棚等设施，方便游客停留、休憩、等候以及休闲打卡。

最后，在商铺的装修和设计上，采用与周边环境相协调的装修风格和设计元素，营造和谐、美观的商业氛围。不同的功能分区采用相对统一的设计风格和色彩，便于游客识别，也有助于形成整体规模效应。

（4）聚焦区域文化，打造长岭品牌

长岭源出湖北、湖南、江西三省的界山幕阜山支脉。经沼山北十余公里地段，中起一岭，其状劲秀，其土膏腴，林木茂盛，物丰财阜，两面皆水，中成一市即长岭街。有诗云："一岭带两湖，两湖秋水，一岭春烟。文楼月鱼，古寺钟声。横山晓日，沼峰片云。隔岸渔歌，矶石流青。山水际会，帆船集结，湾区风情集于一身。"项目团队整合长岭地域文化、地理特色、商业形态、场所精神，打造"长岭码头"品牌（图7.40）。

"长岭码头"品牌内涵包括四个维度：以梁子湖大闸蟹为代表的梁子水产、以武昌鱼为代表的长岭味道、静谧悠远的渔港风情以及喧嚣热闹的码头烟火。码头Logo设计融合了船只、港湾、街道、渔火等元素。中心部分的蓝色波浪象征着海洋的广阔与深邃，凸显出长岭码头作为海洋港口的重要地位。黄色太阳则寓意着光明与希望，代表着码头在繁忙中依然保持着活力与生机，这种设计让人一眼就能感受到码头的蓬勃生命力。环绕在中

图7.40 梁子岛“长岭码头”品牌形象设计及理念释义

心图案周围的建筑物，不仅展示了长岭码头的城市风貌，还象征着码头作为城市重要组成部分的繁荣与发展。这种设计思路将自然与城市完美地结合在一起，既体现了码头的地理特色，又展示了其作为梁子岛旅游经济枢纽的重要作用。在色彩运用方面，Logo设计采用了蓝、黄两色搭配，呼应湖泊与太阳的主题，还使得整个Logo在视觉上更加吸引人，增强了品牌的辨识度。“长岭”字体集自梁子镇晚清官员、散文家、书法家张裕钊的书法“长岭”，不仅强化了品牌识别度，还能让人感受到长岭码头深厚的文化底蕴和独特的地域特色。

7.5

基于乡愁记忆的梁子岛品牌形象设计

7.5.1 鱼鱼有约：梁子家族IP设计

梁子岛被誉为“武昌鱼”的故乡。武昌鱼之名起源于“孙权迁都”，建康仕族为反对迁都，编造了“宁饮建业水，不食武昌鱼”民谣。历史上，杜甫、孟浩然、苏轼、王安石、陆游等名人都曾留下吟咏武昌鱼的佳句。最著名的当数毛主席那句脍炙人口的“才饮长沙水，又食武昌鱼”，让武昌鱼蜚声中外，誉满全球。自20世纪60年代开始，鄂州人工养殖武昌鱼的面积达40余万亩，年产量达70余万吨。现有130家武昌鱼加工企业及个体经营户，年加工能力超200吨的企业有9家，加工武昌鱼熟制品、腌制品、熏制品三大系列20余种食品，年鱼类加工产量6万吨[1]。立足武昌鱼文化基因，项目团队打造了“梁子家族”IP。

（1）梁子家族IP造型及设计思路

“梁子家族”主要角色为爸爸梁阿爹、妈妈梁阿妈、姐姐梁伢子和弟弟梁崽子。梁阿爹穿商务工作西装，是家里的顶梁柱。梁阿妈是美食专家，擅长做各种湖鲜美味，在梁子岛想要品尝舌尖上的美味找梁阿妈绝对没错。梁伢子喜欢在游玩中学习，经常会去科技馆、博物馆等景点，想要学习一些科学小知识可以找梁伢子，她会为你解答。梁崽子是梁子家族中最小的弟弟，最擅长的是游玩，还很贪睡，呆萌可爱，喜欢和游客互动，在梁子岛时不时会看见梁崽子的身影。由于“梁子家族”每个IP形象的性格特点各不相同，组合在一起可更好地展示梁子岛景区整体的精神文化面貌，拉近梁子岛景区和游客的距离，更易于与游客建立情感联系（图7.41）。

图7.41　梁子家族IP造型及设计思路

基于武昌鱼小、身形扁的特征，在设计造型时，梁子家族IP形象的四肢都比较短小，线条设计也较为圆润，更突出萌和幼态，也更具亲和力。配色上根据梁子岛景区的文化资源，筛选分析出符合梁子岛景区特色的色彩，对提取出的颜色进行了调和并统一色彩区域，归纳、调整、提炼出一套轻松愉快的风格色彩。

[1] 农村社会事业促进科. 鄂州武昌鱼在农业文化遗产资源普查中获得省专家评审第一名[N/OL]. 鄂州市农业农村局，2024-09-20[2024-12-12].

（2）梁子家族IP表情包设计

梁子家族IP表情包设计结合了多种情绪和场景，将感动、疑惑、超震惊等不同表情，融入爸爸、妈妈、姐姐和弟弟日常生活中的多种场景，如美容、睡觉、加班等，使表情包更具实用性和贴近用户生活。蓝色和粉色作为主色调的巧妙搭配，为表情包营造出了温馨而活泼的氛围，既符合梁子岛的岛屿属性，又能吸引用户的注意力。无论是学生党还是上班族，都能在表情包中找到符合自己情感状态的表情，增强了用户的使用体验和情感共鸣（图7.42）。

图7.42 梁子家族IP表情包设计

（3）梁子家族IP场景插画设计

作为梁子家族IP，梁阿爹、梁阿妈、梁伢子和梁崽子还肩负着重要的使命——为梁子岛文旅代言。项目团队围绕IP形象，将梁子岛的红色文化景点、三国文化景点、捕鱼节民俗活动、观鸟旅游体验等进行了有机串联，设计了系列场景插画。

“梁子岛红色游”主题插画以梁阿爹、梁崽子为形象大使，呈现梁子岛公山遗址公园、七星山燎原台等红色体验场景，辅以《新青年》杂志、老式电话机、冲锋号等红色文化物件。插画整体色调以蓝色为主，辅助淡粉色，营造不死板的红色研学氛围（图7.43）。

图7.43 “梁子岛红色游”主题插画设计

“梁子岛三国游”主题插画以梁阿妈、梁阿爹为形象大使，核心画面为点将台、梁子门、云停戏台等三国文化景点，辅助元素为战鼓、箭等战争元素物件。整体色调以黄色为主，体现历史的厚重，旨在激发游客历史寻根的兴趣和价值取向（图7.44）。

图7.44 “梁子岛三国游”主题插画设计

“梁子岛捕鱼节”主题插画以梁阿爹、梁崽子为形象大使，串联娘子雕像、魁星楼等标志性景点，着力表现梁子岛捕鱼节活动期间的捕鱼、钓鱼、吃鱼等系列活动，辅以沙滩、遮阳伞、泳圈等滨海设施，以及游鱼、水草、浪花等元素。整体色调为蓝色，辅助色为代表阳光、沙滩的黄色，凸显岛屿氛围和节庆的欢乐气息（图7.45）。

图7.45 “梁子岛捕鱼节”主题插画设计

“夕阳微明薄暮天，榜歌迢递起渔船。溪头宿鹭忽惊起，飞破平湖十里烟。”“梁子岛观鸟游”主题插画着力呈现梁子岛的特色旅游项目——观鸟体验。插画以梁阿妈、梁伢子为形象大使，表现出梁子岛观鸟研学场景。整体色调以绿色为主，辅助色为橘黄色，营造日落的时间氛围。夕阳西下，沙鸥翔集，锦鳞游泳，尽显梁子岛的生态文化和资源优势（图7.46）。

图7.46 “梁子岛观鸟游”主题插画设计

7.5.2 惊鸿一瞥：梁子岛观鸟游品牌设计

观鸟产业是生态旅游的重要组成部分。欧美等国家拥有悠久的观鸟历史和丰富的观鸟资源，观鸟旅游已成为当地旅游业的重要组成部分。中国是世界上鸟种最为丰富的国家之一，迄今已发现1445种鸟类，其中，国家重点保护野生鸟类有394种。在全球8条候鸟迁徙路线中，有3条贯穿中国。这些资源为观鸟经济发展提供了强劲支撑。相关机构统计结果显示，截至2023年底，全国鸟类爱好者数量约为100万人，观鸟组织数量为143家。随着公众环保意识的提高和休闲旅游需求的增加，观鸟旅游逐渐成为热门旅游项目之一。央视《新闻联播》2023年12月报道，在越冬候鸟迁徙高峰期，江西鄱阳湖成功举办了第三届鄱阳湖国际观鸟季活动。当地精心策划，将“观鸟周”升级为“观鸟季”，通过升级改造民宿、农家乐以及设计多条特色观鸟路线等措施提升服务质量，并推出科普研学、生态体验等创新项目，极大丰富了游客的观鸟体验。据初步统计，仅两周内就吸引了游客200多万人次，预计为当地创造了超过5亿元的旅游综合收入。预计未来几年，观鸟旅游将成为旅游业的重要组成部分之一。

梁子湖是鸟类的天堂，每年的11月中旬，梁子湖就进入观鸟最佳时间。大量的候鸟开始南迁，它们纷纷选择在这片鸟类天堂中停歇，为接下来的长途迁徙积蓄力量。万顷碧波之上，一群群精灵翩然起舞，绘就千鸟翔集、和谐相融的美丽画卷。高峰期，水鸟万千，水天一色，惊起时漫天飞舞，鸟鸣声响彻空宇。据鄂州野生动物疫源疫病监测站介绍，近年来，来梁子湖的候鸟年均有10万只左右，常年栖息在这里的各类珍稀鸟类达40种，其中不乏丹顶鹤、东方白鹳、白额雁、大（小）天鹅等国家一、二级保护珍禽，以及世界濒危物种鸿雁、白眼潜鸭、青头潜鸭等，成为极具生态价值的生物多样性资源，充分彰显梁子湖湿地自然保护区生态系统、生态功能稳定向好，保护动物种群及栖息地生态环境质量全面提升[1]。

（1）梁子岛观鸟游品牌设计思路

为了突出梁子岛的生态环境优势，营造愉悦的观鸟体验，项目团队首先梳理了游客观鸟体验流程。根据品牌体验设计理论，将观鸟体验分成三个场景：观鸟入口场景、观鸟游览场景以及观鸟分享场景，逐一分析不同场景中的游客行为、接触点、情绪曲线以及游客痛点。随后，依据真实性、戏剧性、合法性三原则，寻找“观鸟游”品牌体验设计的机会点。入口场景必须具有真实性和可信度，才能在游客的了解、规划和准备的行为中产生信任，吸引游客前往梁子岛观鸟；游览场景中，要有效推动游客将旅游行为转变为实地观鸟、参与鸟类互动活动以及记录观鸟体验等，丰富生动有趣的观鸟体验；同时，要营造合理舒适的分享氛围，激励游客的分享反馈，以强化品牌黏度（图7.47）。

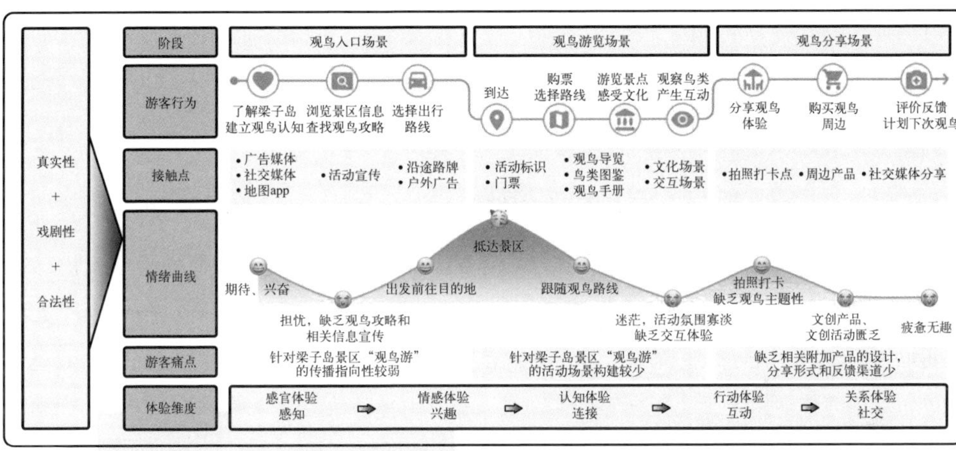

图7.47　梁子岛观鸟游游客体验旅程图

依托用户观鸟体验调研，梁子岛观鸟游品牌设计主要包括五部分：一是品牌基础系统设计，涵盖“梁子 · 观鸟”视觉图形、标准字体、标准色彩及辅助图形设计；二是“梁子 · 观鸟”主KV（Key Visual）和系列海报设计；三是入口场景的观鸟游活动运营设计，

---

[1] 高喜明. 武汉城市圈四市合作共保水生态环境 40种珍稀鸟类长年栖息梁子湖[N/OL]. 武汉市生态环境局，2022-04-12[2024-12-12]. http：//hbj.wuhan.gov.cn/hjxw/202204/t20220412_1953980. html.

包括线上的观鸟装备科普H5（HTML 5）、线下的地铁预热互动墙等；四是游览场景的导览设计，如观鸟图鉴手册、导览设计等；五是分享场景的延展设计，如打卡框景、手环、门票、周边衍生品等，为游客的观鸟体验画上句号（图7.48）。

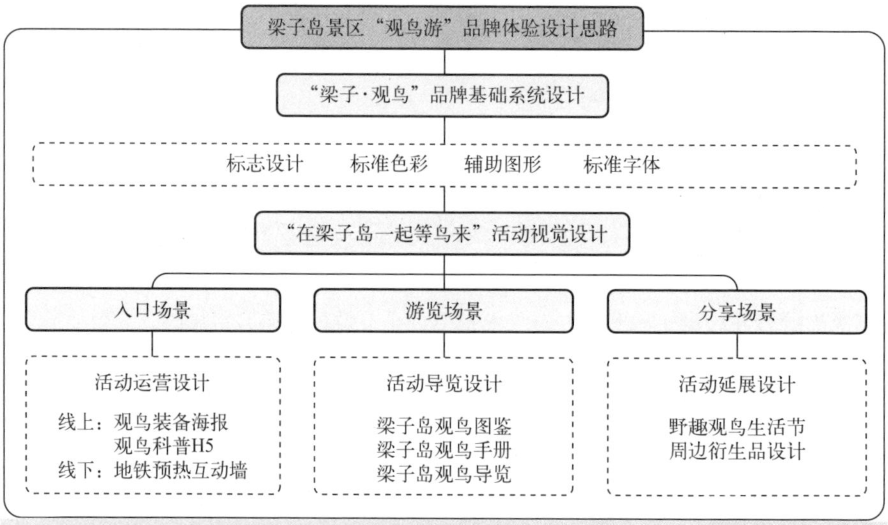

图7.48 “梁子·观鸟”品牌设计架构

（2）“梁子·观鸟”品牌标志设计

“梁子·观鸟”图形标志采用简洁明了的线条，排列出梁子湖面的平静宽广。同时，运用同构的手法将飞扬的浪花和梁子岛的首字母“L”融合，展翅的飞鸟和梁子岛的字母“Z”融合。整合的过程中，运用减缺和差叠的手法，结合正负形营造出飞鸟展翅飞过梁子岛的画面。图形标志象征着鸟儿在梁子岛自由翱翔的美好景象，形成独特的视觉冲击力和记忆点。

文字标志将“鸟”字进行图形化处理，将梁子岛的岛屿形状和鸟的脑袋结合，置换掉“鸟”字顶端的点。这一设计既保留了“鸟”字的基本形态，又巧妙地融入了梁子岛的地理特征，使得整个标志更加富有地域特色。此外，用隆起的山丘小岛置换“鸟”字底端的横线，使得“鸟”字仿佛正在山丘之上展翅高飞，进一步增强了标志的动感和生命力（图7.49）。

品牌色彩选取代表自然的青绿色作为标准色彩。青绿色作为梁子岛内最常见的色彩之一，象征着生机与活力，能够很好地表达出观鸟活动所追求的自然与和谐。在后续的海报、摊位装饰以及周边衍生品的设计中，也大量运用了青绿色，使其成为整个活动的主题色彩，让人们仿佛置身于大自然之中，感受到观鸟的乐趣。标志的中文标准字体采用阿里巴巴普惠体，英文标准字体采用DIN系列字体。

图7.49 “梁子·观鸟”品牌标志设计

“梁子·观鸟”辅助图形首先提取了文字标志中“鸟”字底端的山丘造型，进行重复排列延展。这一造型简洁而富有力量感，代表着坚定与稳重。二是提取了图形标志中浪花和鸟同构部分的片段，进行重复排列延展。这一片段既包含了浪花的灵动与自由，又融入了鸟的优雅与力量，是标志中极具特色的部分。色彩上沿用标志中的绿、黑配色，这两种颜色的搭配不仅使得辅助图形与标志在视觉上保持了高度的一致性，还赋予了图形更加丰富的内涵和寓意（图7.50）。

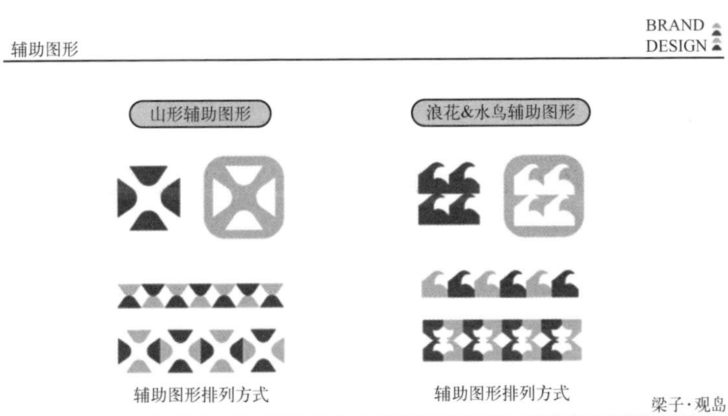

图7.50 “梁子·观鸟”辅助图形设计

（3）“梁子 · 观鸟”旅游宣传设计

“梁子 · 观鸟”旅游宣传主视觉设计以“在梁子岛一起等鸟来”为主题，在设计过程中采用了简单的扁平低多边形画风，这种风格既具有现代感，又能保持画面的亲切感。这些图形元素不仅丰富了画面的内容，还使得整个设计更具科普性，能够引导人们关注鸟类。此外，在设计中还融入梁子岛的船、公共艺术作品“梁子之光”、观鸟亭等元素。通过这些标志性的代表元素，传达出梁子岛与观鸟活动之间的紧密联系（图7.51）。

图7.51 “梁子 · 观鸟”旅游宣传主视觉设计

系列海报设计在文案和色彩上融入“四季”的概念。海报分别以“春日迟迟去观鸟”“夏日悠悠去观鸟”“秋日寥寥去观鸟”“冬日寂寂去观鸟”为主题，提取了四季的粉、绿、黄、蓝为海报的主题色。统一采用拼贴的手法和纸张的质感，以梁子岛的四季景色为画面中心，点缀不同的鸟类和岛内的建筑，以呼应梁子岛景区“观鸟游”的主题（图7.52）。

图7.52 “梁子 · 观鸟”旅游宣传海报设计

（4）“梁子·观鸟”入口场景活动运营设计

“梁子·观鸟”入口场景设计分为线上、线下两种。线上以观鸟科普海报为主视觉预热。海报以简洁明快的风格，展示了望远镜、鸟类识别手册等观鸟装备，同时配以生动的鸟类插图，让人一眼就能感受到观鸟的魅力。同时，项目团队设计了一款观鸟科普H5作为线上场景的入口。这款H5通过互动答题的形式，让参与者在轻松愉快的氛围中了解观鸟知识，为观鸟活动做好知识储备（图7.53）。

图7.53 “梁子·观鸟”科普海报及H5设计

线下选取地铁场景为载体，充分利用地铁人流量大、覆盖面广的特点，进行观鸟活动的宣传推广。通过设置领取防鸟撞贴的互动装置，丰富线下入口的场景体验。此外，通过在地铁车厢内投放观鸟活动的宣传海报和手册等方式，也可以吸引更多的人了解并参与到活动中来（图7.54）。

图7.54 “梁子·观鸟”地铁互动展示墙设计

（5）“梁子·观鸟”游览场景导览设计

一是“梁子·观鸟”常见鸟类图鉴。图鉴采用朋友圈格式排版，收录了景区内常见的鸟类品种，每个鸟类品种都配有详细的文字和图片说明（图7.55）。游客可以在观鸟过程中根据自己的观察和发现找到对应的鸟类并记录在观鸟手册中，形成自己的观鸟笔记。

图7.55 “梁子·观鸟”鸟类图鉴设计

二是“梁子·观鸟”记录手册。进入景区后将以科普鸟类知识为中心，设计与活动相关的观鸟手册可以帮助参与者更加直观地了解鸟类的外貌特征和生活习性。观鸟手册的正面配有梁子岛的观鸟资源介绍和鸟类图鉴，背面附有观鸟记录区域和观鸟活动相关的注意事项（图7.56）。

图7.56 “梁子·观鸟”记录手册设计

三是“梁子·观鸟”导览设计。项目团队设计了一套观鸟导览指示牌，以便为游客提供清晰的导览和指引（图7.57）。这套导视系统包括指路牌、路标和鸟类简介牌，它们将分布在梁子岛景区观鸟区域的各个角落，为游客提供便捷的导航服务。通过这些具体导览设计提升游客的观鸟体验。

图7.57 “梁子·观鸟”导览设计

（6）“梁子·观鸟”分享场景延展设计

一是“梁子·观鸟”野趣观鸟节框景物料设计。观鸟活动结束后，为了打造一个充满乐趣与互动的聚集打卡分享场景，项目团队引入市集的形式，让游客在轻松愉快的氛围中交流心得、分享经验。在设计呈现上需要制作相关的拱门、摊位车、门票、手环、手举牌等物料设施（图7.58）。场景元素都围绕观鸟主题进行装饰，营造出浓厚的氛围。游客可以在市集上购买或交换观鸟相关的物品，也可以与其他鸟友交流心得，分享自己的观鸟故事。

图7.58 “梁子·观鸟”野趣观鸟节物料设计

二是“梁子·观鸟”周边衍生品设计。梁子岛景区的观鸟游活动为游客提供了一个亲近自然、感受生态和谐的美好体验。为了更好地丰富游客的旅游体验，项目团队围绕梁子岛景区观鸟游设计一系列独具特色的周边衍生品，将前期的鸟类元素、品牌标志、主视觉应用于帆布包、保温杯、贴纸等产品（图7.59）。这些产品既具有纪念意义，又能为景区带来更多的经济效益和文化价值。

帆布包　　保温杯　　纸杯　　贴纸

图7.59 “梁子·观鸟”周边衍生品设计

7.5.3 童心童趣：梁子岛创意市集品牌形象设计

随着家庭收入水平的提升和消费观念的转变，越来越多的家庭开始注重亲子旅游的品质和体验。据相关统计，亲子游市场已经成为旅游市场的重要组成部分，其市场份额逐年攀升。预计未来几年，随着二孩、三孩政策的全面放开以及家庭对高品质休闲和教育体验需求的增加，亲子旅游市场将继续保持快速增长的态势。“童心童趣”创意市集活动目的是在六一儿童节期间，将科普教育、游戏娱乐与梁子岛的生态资源、历史传说、非遗文化等文旅资源有效连接，达到提升景区知名度、增强亲子关系的效果。

“童心童趣”创意市集口号为“趣在这里”。活动分别设立：“童心文创”，售卖与儿童相关的创意商品，如手工艺品、玩具、书籍、文具、童装等，并邀请本地艺术家和手工艺人现场展示制作过程，让孩子们亲手制作属于自己的小礼物，如彩绘陶瓷、编织手链、制作风铃等；“童趣游戏区”，设置一系列适合儿童参与的趣味游戏，如跳房子、扔沙包、套圈圈、迷宫探险等，设置小奖品鼓励孩子们积极参与；“童心剧场”，邀请儿童剧团或组织景区内的小朋友进行才艺展示，如童话剧表演、舞蹈、魔术、故事讲述等，同时设置“小小主持人”选拔活动，让孩子们有机会展示自己的主持才能；“童趣美食”，汇集各种适合儿童口味的特色小吃和零食，如棉花糖、糖葫芦、爆米花、冰激凌等，同时开展“亲子烘焙工坊”，让家长和孩子一起动手制作简单的烘焙食品，如小饼干、蛋糕等。鼓励家长分享照片至社交媒体，评选出最具创意和童趣的照片并给予奖励。围绕活动主题，项目团队设计了相关的海报、活动物料以及周边产品。

（1）“童心童趣”创意市集海报设计

“童心童趣”创意市集宣传海报选择与主题紧密相关的场景和元素，运用鲜艳的色彩和生动的插画风格，以吸引游客关注。图7.60左侧海报选择了孩子们在花丛中嬉戏的场景，这个场景本身就充满了童真和乐趣，很容易吸引孩子们的注意力。同时，鲜艳的色彩如绿色、粉色和黄色被大量运用，使得整个海报看起来生机勃勃，充满活力。中间的海报展示了市集上的各种创意商品和活动，如手绘明信片、创意玩具、手工艺品等，突出了市集的特色。右侧海报选择了孩子们在地球仪上玩耍的场景，这个场景不仅寓意着孩子们对世界的探索和好奇，还成功地传达了节日的欢乐氛围和与家人共度美好时光的重要性。这种设计方式能够触动受众的情感，引发他们的共鸣。

图7.60 “童心童趣”宣传海报设计

“童心童趣”创意市集主视觉海报巧妙地运用了鲜艳的绿色、黄色、红色和蓝色，这些色彩相互映衬，形成强烈的视觉冲击，更营造出一种欢乐、活泼的氛围，与梁子岛创意市集的主题完美契合。海报中央的三个卡通人物手持书本、玩具，分别代表着知识和娱乐，象征着孩子们的纯真与快乐。这些卡通人物的设计既富有童趣，又展现了创意市集的独特魅力。背景中的花朵和音符图案为整个海报增添了无限的趣味性和动感。花朵象征着美好与希望，而音符则代表着音乐与欢乐。这两者的结合，使得整个画面更加生动活泼，仿佛能够听到孩子们欢声笑语的音乐声。

文字设计也是海报图案设计的重要组成部分。标题“童心童趣，梁子岛创意市集”采用了大号、粗体的字体，使得主题一目了然，同时也增强了视觉冲击力。而海报下方的“梁子岛・六一儿童节”字样则清晰地标明了活动的主题和时间，方便孩子们和家长了解并参与（图7.61）。

图7.61 “童心童趣”主视觉海报设计

（2）“童心童趣”创意市集活动物料设计

项目团队分别为“童心童趣”创意市集活动设计了工作证、门票、手环、花车以及活动工作车形象等。相关物料设计延续了主视觉海报的风格特征和创意元素，整体以活泼、明快的色调为主，营造出一种轻松愉快的节日氛围。卡通形象设计不仅增添了活动物料的趣味性，还使得整个设计更具亲和力，让儿童在观赏时感受到亲切和温暖。同时，梁子岛创意市集的标识明确了活动的具体地点和背景，增加了活动的吸引力和真实感，营造出一个充满欢乐、创意和童趣的儿童节氛围（图7.62）。

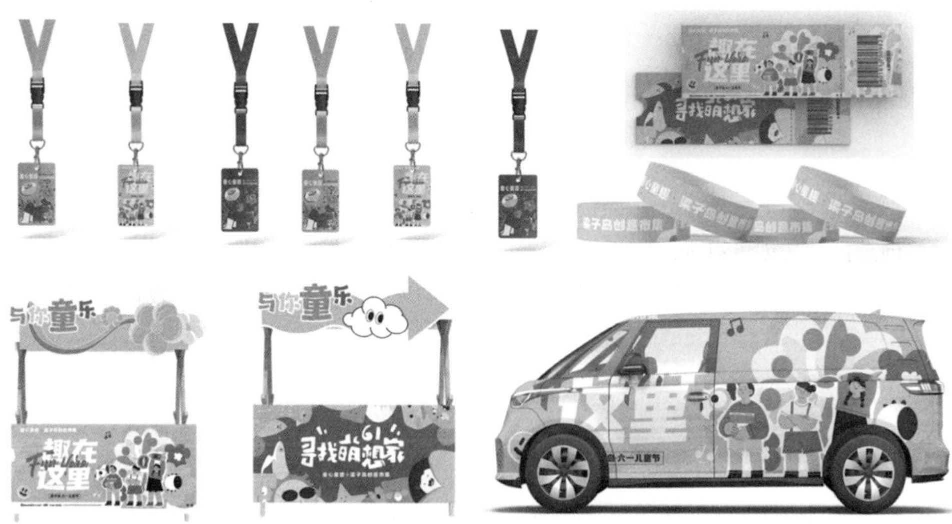

图7.62 “童心童趣”活动物料设计

（3）“童心童趣”创意市集活动集章卡设计

在文旅体验过程中，集章卡具有多重作用。它不仅可以提供旅游信息，方便游客了解景点，也可以作为纪念品或收藏品，增加旅游体验价值。为了鼓励游客参与“童心童趣”创意市集活动，提升旅游互动性，项目团队设计了创意市集的集章卡（图7.63）。集章卡设计风格与系列宣传品保持一致，融合了多种与梁子岛相关的动植物、岛屿风景等卡通图案，强化梁子岛的在地性。卡片特别设置了填写信息、扫描二维码等互动环节，这种设计不仅增加了卡片的趣味性，还鼓励儿童积极参与，提升了卡片的互动体验。卡片不仅具有装饰性，还兼具实用性。它可以作为收藏品、礼物或纪念品等，满足了不同场景下的使用需求，增加了其收藏和使用价值。为了凸显梁子岛的生态文化，卡片采用环保材料制作，这一选择不仅符合现代社会的环保理念，还为儿童营造了安全、健康的旅游环境。

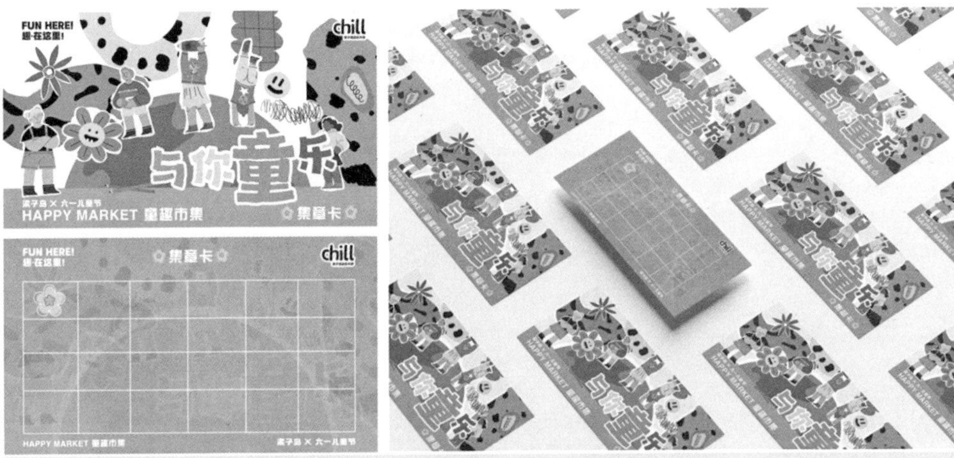

图7.63 “童心童趣”活动集章卡设计

（4）“童心童趣”创意市集拼图文创设计

创意拼图文创可以为游客提供一种新颖有趣的互动方式，通过拼图的过程，游客可以更加深入地了解景区的文化和特色，从而丰富和提升旅游体验。一些以教育为主题的创意拼图文创产品，如历史、文化、科学等方面的拼图，可以在娱乐的同时向游客传递知识，提升公众的文化素养和科学认知。

基于拼图文创的独特价值，项目团队设计了两款拼图文创，主题分别为“趣在这里”和“寻找萌想家”（图7.64）。“趣在这里”拼图以绿色为主调，象征着生机与活力，与儿童的朝气蓬勃相呼应；“寻找萌想家”采用了蓝色调，给人以宁静与梦幻的感觉，寓意着孩子们的梦想与希望。“童心童趣，梁子岛创意市集”这一主题贯穿始终，“寻找萌想家”鼓励孩子们在活动中不仅仅享受游玩的乐趣，更要学会寻找自己内心的梦想与归属感，构建一个属于自己的精神家园。拼图文创以独特的方式诠释了梁子岛创意市集六一儿童节活动的主题，也为孩子们狂欢之后再次回味市集活动提供了机会和空间，让梁子岛之旅的欢乐体验得以延续。

图7.64 “童心童趣”拼图设计

8

乡愁文旅：反思与展望

在快速发展的现代社会中，乡愁成为一种特殊的文化情怀，连接着人们的过去与现在、城市与乡村。乡愁文旅作为一种新兴的旅游方式，正是基于这种情怀而发展起来的。然而，要想让乡愁文旅吸引更多游客并持续发展，我们需要深入探讨以下几个问题。

8.1

问题之一：什么样的乡愁记忆值得留

留住乡愁，首先需要正确评估乡愁的价值。什么样的乡愁记忆需要保留，什么样的乡愁记忆值得纳入文旅融合发展进程，回答这些问题需要建立系统的评估体系，对乡村的自然风貌、历史遗存、民俗活动、社会网络维系等不同指标的潜在价值进行梳理，同时，还需要为每个指标分配相应的权重，以反映其在乡愁记忆中的重要程度。

8.1.1 乡愁记忆的类别

项目团队依据《旅游资源分类、调查与评价》（GB/T 18972—2017），将乡愁记忆按照旅游资源基本属性分为自然、人文两大类（表8.1）。

表8.1 乡愁记忆主要类型

类型	主要内容
自然类	地文景观、水域景观、生物景观、天象与气候景观
人文类	建筑与设施、历史遗迹、地域物产、人文活动

（1）自然类乡愁记忆

我国国土辽阔，自然资源种类多样。自然类乡愁记忆分为四大类：地文景观、水域景观、生物景观、天象与气候景观。其中，地文景观包括山丘、台地、沟谷、滩地等自然景观综合体，地层剖面、褶曲、生物化石等地质和构造形迹，沟壑、洞穴、石窟、岩石圈等地表形态。水域景观包括江河、湖泊、瀑布、古河道、泉、积雪地、冰川、海面等。生物景观包括植被景观，如林地、草地、花卉、植物群落等，以及野生动物栖息地，如水生动物、陆地动物、鸟类、蝶类栖息的地方。天象与气候景观主要包括日、月、星辰、极光、地表光、云、雾、雾凇、雨凇等天象，风区、雨区、热区、寒区、旱区，以及植物发芽、展叶、开花、结果、落叶、变色等气候变幻（表8.2）。

表8.2 自然类乡愁记忆

主类	亚类	简要说明
地文景观	自然景观综合体	如山丘、台地、沟谷、滩地等
	地质与构造形迹	由地层运动而形成的地表断裂、褶曲、扭曲，以及生物遗体、遗骸等
	地表形态	台丘、峰柱、垄岗、沟壑、洞穴、象形山石、灾变遗迹等
	自然标记与现象	奇特自然现象、特殊地理特征等
水域景观	河系	如游憩河段、瀑布、古河道段落
	湖沼	如游憩湖区、潭池、湿地等
	地下水	如泉、埋藏水体等
	冰雪地	如积雪地、现代冰川等
	海面	如游憩海域、涌潮与击浪现象、小型岛礁等
生物景观	植被景观	如林地、丛树、草地、花卉地等
	野生动物栖息地	如水生动物、陆地动物、鸟类、蝶类的栖息地
天象与气候景观	天象景观	如太空景象、地表光现象、云雾多发区等
	天气与气候现象	极端与特殊气候显示地，以及开花、结果等物候景象

（2）人文类乡愁记忆

人文类乡愁记忆主要包括四类：建筑与设施、历史遗迹、地域物产和人文活动（表8.3）。

表8.3 人文类乡愁记忆

主类	亚类	简要说明
建筑与设施	人文景观综合体	如社会与商贸活动场所、军事遗址与古战场、教学科研实验场所、建设工程与生产地、文化活动场所、康体游乐休闲度假地、宗教与祭祀活动场所、交通运输场站、纪念地与纪念活动场所等
	实用建筑与核心设施	如特色街区、屋舍、独立厅、独立场、桥梁、渠道、运河段落、港口、渡口、码头、洞窟、陵墓、农田、牧场、林场、养殖场、特色店铺、市场等
	港口、景观与小品建筑	如形象标志物、观景点、亭台楼阁、书画作、雕塑、碑碣、牌坊牌楼、影壁、门廊、廊道、塔形建筑、景观步道、花草坪、水井、喷泉、堆石等
历史遗迹	物质类文化遗存	具有地方风格和历史色彩的历史建筑遗存；历史上各时代重要实物、艺术品、文献、手稿、图书资料、代表性实物等，分为珍贵文物和一般文物；民间对社会生活进行形象的概括而创作的文学艺术作品
	非物质类文化遗存	社会文化中长期形成的风尚、礼节、习惯及禁忌等；具有地方和民族特色的衣饰；民间各种传统表演方式；当地传统留存的医药制品和治疗方式；当地定期举行的体育比赛活动
地域物产	农业产品	种植业产品及制品、林业产品与制品、畜牧业产品与制品、水产品及制品、养殖业产品与制品
	工业产品	日用工业品、旅游装备产品
	手工工艺品	文房用品、织品、染织、家具、陶瓷、金石雕刻、雕塑制品、金石器、纸艺与灯艺、画作
人文活动	人事活动记录	当地历史和现代名人；当地发生过的历史和现代事件
	岁时节令	宗教信徒举办的礼仪活动，以及节日或规定日子里在寺庙附近或既定地点举行的聚会；当地与农业生产息息相关的传统节日；当地定期或不定期的文化、商贸、体育活动等

8.1.2　评价指标赋权方法的选择

实施评价的关键环节就是设置指标的权重。权重是评价过程中对被评价对象不同层面重要程度的定量分配。它是一个相对概念，不仅体现了某一因素或指标所占的百分比，更强调该因素或指标的相对重要程度，即贡献度或重要性。权重直接影响最终评价结果的指向，因此需要运用科学的权重设置方法。目前国际上广泛认可且较为常用的权重评价方法有德尔菲法和层次分析法。

（1）德尔菲法

德尔菲是“Delphi”的中文译名，是20世纪50年代由美国兰德公司与道格拉斯公司合作研究出的收集专家意见的方法，随后广泛应用于商业、军事、教育、卫生保健等领域。德尔菲法本质上是一种反馈匿名函询法，大致流程是：在对所要预测的问题征得专家的意见之后，进行整理、归纳、统计，再匿名反馈给各专家，再次征求意见，再集中，再反馈，直至得到一致的意见。其过程可简单概括为：匿名征求专家意见，让专家对单个指标的重要程度进行评价（并没有指标的互相对比）。通过统计专家的意见，将不重要的指标剔除出去，至少做两轮专家打分。

（2）层次分析法

层次分析法（Analytic Hierarchy Process，AHP）在20世纪70年代中期由美国运筹学家托马斯·塞蒂（Thomas L.Saaty）正式提出。它将定量分析与定性分析相结合，通过决策者的经验判断各衡量目标之间能否实现的标准之间的相对重要程度，并合理地给出每个决策方案的每个标准的权数，利用权数求出各方案的优劣次序，比较有效地应用于那些难以用定量方法解决的课题。应用过程中，最明显的特点是要构建判断矩阵，让专家进行两两的重要性对比打分，做一轮专家打分即可。

项目团队借鉴国际通用方法，将德尔菲法和层次分析法两个方法相结合，展开乡愁资源评价体系的探索。首先用德尔菲法对指标体系进行筛选，确定指标体系以后，再用层次分析法确定权重。

8.1.3　评价指标体系的建立

参照《旅游资源分类、调查与评价》的“旅游资源评价赋分标准”，包含“观赏游憩使用价值”“历史文化科学艺术价值”“珍稀奇特程度”“规模、丰度与几率”“完整性”5项评价因子，在咨询专家意见的基础上筛选出适合乡村文旅融合发展的“乡愁记忆”价值评价的指标和因子，包含3大类（A1资源要素价值、A2资源影响力价值、A3资源开发利用价值），6个项目（B1文化艺术价值、B2游憩价值、B3规模和丰度、B4稀缺性、B5可持续性、B6可开发性），25个评价因子（C1文化性、C2历史性、C3教育性、C4审美性、C5可观赏、C6可使用、C7休闲娱乐性、C8人性化、C9规模体量、C10种类数量、C11分布密度均衡、C12存在频率、C13珍稀性、C14奇特性、C15知名度、C16资源形态、C17保存状态、C18传承情况、C19生态和环境友好、C20区位优势、C21交通条件、C22产业基础、C23基础设施建设、C24投资意愿、C25开发前景）。具体如表8.4所示。

表8.4 “乡愁记忆”价值评价指标体系

<table>
<tr><th>综合评价层</th><th>项目评价层</th><th>因子评价层</th><th>指标释义</th></tr>
<tr><td rowspan="8">A1资源要素价值</td><td rowspan="4">B1文化艺术价值</td><td>C1文化性</td><td>资源的文化价值</td></tr>
<tr><td>C2历史性</td><td>资源的历史价值</td></tr>
<tr><td>C3教育性</td><td>资源的教育价值</td></tr>
<tr><td>C4审美性</td><td>资源的审美价值</td></tr>
<tr><td rowspan="4">B2游憩价值</td><td>C5可观赏</td><td>资源的观赏价值</td></tr>
<tr><td>C6可使用</td><td>资源的吸引力</td></tr>
<tr><td>C7休闲娱乐性</td><td>资源提供的休闲娱乐体验</td></tr>
<tr><td>C8人性化</td><td>资源能满足受众需求</td></tr>
<tr><td rowspan="7">A2资源影响力价值</td><td rowspan="4">B3规模和丰度</td><td>C9规模体量</td><td>资源规模体量大</td></tr>
<tr><td>C10种类数量</td><td>资源种类的数量</td></tr>
<tr><td>C11分布密度均衡</td><td>资源的分布间隔</td></tr>
<tr><td>C12存在频率</td><td>周期性发生或稳定</td></tr>
<tr><td rowspan="3">B4稀缺性</td><td>C13珍稀性</td><td>资源珍稀程度</td></tr>
<tr><td>C14奇特性</td><td>资源奇特性</td></tr>
<tr><td>C15知名度</td><td>资源的知名度或影响力</td></tr>
</table>

续表

综合评价层	项目评价层	因子评价层	指标释义
A3资源开发利用价值	B5可持续性	C16资源形态	形态结构是否完整
		C17保存状态	资源的保存完好情况
		C18传承情况	资源的继承与发扬情况
		C19生态和环境友好	与环境的协调性
	B6可开发性	C20区位优势	资源的区域位置
		C21交通条件	区域交通通达程度
		C22产业基础	区域产业水平和特征
		C23基础设施建设	服务设施体系
		C24投资意愿	市场投资热度
		C25开发前景	区位开发的支持率

（1）建立判断矩阵

首先对各因素的重要性按照1～9标度法进行分级，请专家对指标体系中指标层的重要程度进行两两比较，引入判断矩阵，以此计算出各指标因素的权重，如表8.5所示。

表8.5 “乡愁记忆”价值判断矩阵标度

标度	含义
1	表示两个指标相比，具有同样重要性
3	表示两个指标相比，前者比后者稍微重要
5	表示两个指标相比，前者比后者明显重要
7	表示两个指标相比，前者比后者强烈重要
9	表示两个指标相比，前者比后者极端重要
2，4，6，8	上述相邻判断的中间值
倒数	倒数若因素i与因素j的重要性之比为$B(i, j)$那么因素j与因素i的重要性之比为$B=1/B(i, j)$（$B(i, j)>1$，当$i=j$时，$B=1$）

本文采用方根法计算权重向量，具体计算过程如下。

首先计算判断矩阵每一行元素的乘积 M_i：

$$M_i = \prod_{j=1}^{n} a_{ij} (i = 1, 2, ..., n)$$

然后将 M_i 开n次方得到 $\overline{W_i}$：

$$\overline{W_i} = \sqrt[n]{M_i} (i = 1, 2, ..., n)$$

最后将向量 $\overline{W_i}$ 规范化得到 W：

$$W_i = \frac{\overline{W_i}}{\sum_{i=1}^{n} \overline{W_i}} \quad W = (W_1, W_2, ..., W_n)^T$$

（2）计算一级指标的最大特征值和最大特征相量

通过层次分析法得到的权重结果还需要进行一致性检验。如果不清楚构建者的思维逻辑是否正确，其得到的权重结果可能出现错误，一个错误的判断矩阵甚至会导致领导决策出现问题。因此需要使用一致性指标（CI）来进行逻辑性检验，以确保权重设定不存在逻辑混乱的现象。CI越大，说明判断矩阵逻辑性越差；CI越小，说明判断矩阵逻辑性越好。此外，通过观察一致性比率（CR）来确定矩阵是否具有一致性。只有当CR的值小于0.1时，判断矩阵才能够符合一致性。具体计算公式如下。

$$CR = \frac{CI}{RI}$$

其中，

$$CI = \frac{\lambda_{max} - n}{n - 1}$$

$$\lambda_{max} = \frac{1}{n} \sum_{i=1}^{n} \frac{(AW)_i}{W_i}$$

随机一致性指标RI是经过随机抽样、取值最后算出的，同阶随机判断矩阵的一致性指标的一组平均值。对于不同的1～12阶矩阵的RI取值如下：

n	1	2	3	4	5	6	7	8	9	10	11	12
RI	0	0	0.58	0.9	1.12	1.24	1.32	1.41	1.45	1.49	1.51	1.53

通常情况下，CR越小，判断矩阵的一致性越好，当$CR\leqslant 0.1$时，判断矩阵的一致性是可以被接受的；反之，需要对判断矩阵的数值进行修正，直至满足一致性为止。

① 求特征值和指标权重步骤

首先计算判断矩阵每一行元素的乘积 M_i：

$$M_i=\prod_{j=1}^{n}a_{ij}(i=1,2,\ldots,n)$$

$$\begin{bmatrix}1 & 3 & 2 & 4 & 3 & 3\\ 1/3 & 1 & 2 & 2 & 3 & 2\\ 1/2 & 1/2 & 1 & 2 & 3 & 2\\ 1/4 & 1/2 & 1/2 & 1 & 1/2 & 2\\ 1/3 & 1/3 & 1/3 & 2 & 1 & 1/3\\ 1/3 & 1/2 & 1/2 & 1/2 & 3 & 1\end{bmatrix}\xrightarrow{\text{行元素的相乘}}\begin{bmatrix}216.000\\ 8.000\\ 3.000\\ 0.063\\ 0.025\\ 0.125\end{bmatrix}$$

然后将 M_i 开n次方得到 $\overline{W_i}$：

$$\overline{W_i}=\sqrt[n]{M_i}(i=1,2,\ldots,n)$$

$$\begin{bmatrix}216.000\\ 8.000\\ 3.000\\ 0.063\\ 0.025\\ 0.125\end{bmatrix}\xrightarrow{\text{开6次方根}}\begin{bmatrix}2.449\\ 1.414\\ 1.201\\ 0.630\\ 0.540\\ 0.707\end{bmatrix}$$

最后将向量 $\overline{W_i}$ 规范化得到 W：

$$W_i=\frac{\overline{W_i}}{\sum_{i=1}^{n}\overline{W_i}}W=(W_1,W_2,\ldots,W_n)^T$$

$$\begin{bmatrix}2.449\\ 1.414\\ 1.201\\ 0.630\\ 0.540\\ 0.707\end{bmatrix}\xrightarrow{\text{归一化}}\begin{bmatrix}0.353\\ 0.204\\ 0.173\\ 0.091\\ 0.078\\ 0.102\end{bmatrix}\longrightarrow W$$

② 计算特征值

$$\begin{bmatrix} 1-\lambda & 3 & 2 & 4 & 3 & 3 \\ 1/3 & 1-\lambda & 2 & 2 & 3 & 2 \\ 1/2 & 1/2 & 1-\lambda & 2 & 3 & 2 \\ 1/4 & 1/2 & 1/2 & 1-\lambda & 1/2 & 2 \\ 1/3 & 1/3 & 1/3 & 2 & 1-\lambda & 1/3 \\ 1/3 & 1/2 & 1/2 & 1/2 & 3 & 1-\lambda \end{bmatrix} = 0$$

$$\lambda_{\max} = 6.532$$

③ 计算一致性指标CI

$$CI = \frac{\lambda_{\max} - n}{n-1} = \frac{6.532-6}{6-1} = 0.106$$

④ 计算一致性比例CR

因为n为6，根据上表可知RI=1.24。

$$CR = \frac{CI}{RI} = \frac{0.106}{1.24} = 0.086$$

显然CR=0.086<0.1，认为一级判断矩阵的一致性是可以接受的。

为了保证数据分析的科学性，选取文旅专家、传播学者、政府文化管理人员、乡村旅游从业人员共22人，以调查问卷和电子邮件的方式分别进行调查，由此得出乡愁资源评估指标体系各指标的相对重要程度，在此基础上取平均值，得出该指标最终得分。各指标体系的总体判断矩阵和分项判断矩阵如下（表8.6）。

表8.6 “乡愁记忆”各指标体系的总体判断矩阵和分项判断矩阵

	C1 文化性	C2 历史性	C3 教育性	C4 审美性	权重	最大特征根	CI	CR
C1文化性	1	2	2	2	0.386	4.215	0.072	0.080
C2历史性	1/2	1	3	2	0.302			
C3教育性	1/2	1/3	1	2	0.175			
C4审美性	1/2	1/2	1/2	1	0.137			

续表

	C5可观赏	C6可使用	C7休闲娱乐性	C8人性化	权重	最大特征根	*CI*	*CR*
C5可观赏	1	1/2	1/3	2	0.159	4.081	0.027	0.030
C6可使用	2	1	1/3	2	0.225			
C7休闲娱乐性	3	3	1	4	0.512			
C8人性化	1/2	1/2	1/4	1	0.105			

	C9规模体量	C10种类数量	C11分布密度均衡	C12存在频率	权重	最大特征根	*CI*	*CR*
C9规模体量	1	3	3	3	0.487	4.215	0.072	0.080
C10种类数量	1/3	1	2	2	0.230			
C11分布密度均衡	1/3	1/2	1	1/3	0.104			
C12存在频率	1/3	1/2	3	1	0.180			

	C13珍稀性	C14奇特性	C15知名度	权重	最大特征根	*CI*	*CR*
C13珍稀性	1	2	2	0.493	3.054	0.027	0.046
C14奇特性	1/2	1	1/2	0.196			
C15知名度	1/2	2	1	0.311			

	C16资源形态	C17保存状态	C18传承情况	C19生态和环境友好	权重	最大特征根	*CI*	*CR*
C16资源形态	1	4	2	4	0.498	4.207	0.069	0.077
C17保存状态	1/4	1	2	3	0.232			
C18传承情况	1/2	1/2	1	2	0.176			
C19生态和环境友好	1/4	1/3	1/2	1	0.095			

续表

	C20区位优势	C21交通条件	C22产业基础	C23基础设施建设	C24投资意愿	C25开发前景	权重	最大特征根	*CI*	*CR*
C20区位优势	1	3	2	3	2	4	0.320	6.531	0.106	0.086
C21交通条件	1/3	1	2	3	4	4	0.249			
C22产业基础	1/2	1/2	1	2	4	2	0.176			
C23基础设施建设	1/3	1/3	1/2	1	3	3	0.124			
C24投资意愿	1/2	1/4	1/4	1/3	1	1/2	0.058			
C25开发前景	1/4	1/4	1/2	1/3	2	1	0.073			
	B1文化艺术价值	**B2游憩价值**	**B3规模和丰度**	**B43稀缺性**	**B5可持续性**	**B6可开发性**	**权重**	**最大特征根**	***CI***	***CR***
B1文化艺术价值	1	3	2	4	3	3	0.353	6.532	0.106	0.086
B2游憩价值	1/3	1	2	2	3	2	0.204			
B3规模和丰度	1/2	1/2	1	2	3	2	0.173			
B43稀缺性	1/4	1/2	1/2	1	1/2	2	0.091			
B5可持续性	1/3	1/3	1/3	2	1	1/3	0.078			
B6可开发性	1/3	1/2	1/2	1/2	3	1	0.102			

（3）结论分析

从6个项目指标和25个因子指标的权重值以及排序结果看，在乡愁资源的评估体系中文化艺术价值属性是排在第一位的，权重达到35.3%；游憩价值属性排在第二位，权重为20.4%；规模和丰度属性排在第三位，权重为17.3%；可开发性属性排在第四位，权重为10.2%。

在25个因子指标中，排在前五位的分别是休闲娱乐性、资源形态、珍稀性、规模体量、文化性。而投资意愿、开发前景、生态和环境友好、分布密度均衡、人性化等市场因素虽然对乡愁价值判断起着一定影响作用，但并非核心主导因素（表8.7）。

表8.7 “乡愁记忆”各指标体系综合权重

综合评价层	项目评价层	项目评价层权重	因子评价层	因子评价层权重	综合权重
A1资源要素价值	B1文化艺术价值	0.353	C1文化性	0.386	0.136
			C2历史性	0.302	0.107
			C3教育性	0.175	0.062
			C4审美性	0.137	0.048
	B2游憩价值	0.204	C5可观赏	0.159	0.032
			C6可使用	0.225	0.046
			C7休闲娱乐性	0.512	0.104
			C8人性化	0.105	0.021
A2资源影响力价值	B3规模和丰度	0.173	C9规模体量	0.487	0.084
			C10种类数量	0.230	0.040
			C11分布密度均衡	0.104	0.018
			C12存在频率	0.180	0.031
	B4稀缺性	0.091	C13珍稀性	0.493	0.045
			C14奇特性	0.196	0.018
			C15知名度	0.311	0.028
A3资源开发利用价值	B5可持续性	0.078	C16资源形态	0.498	0.039
			C17保存状态	0.232	0.018
			C18传承情况	0.176	0.014
			C19生态和环境友好	0.095	0.007
	B6可开发性	0.102	C20区位优势	0.320	0.033
			C21交通条件	0.249	0.025
			C22产业基础	0.176	0.018
			C23基础设施建设	0.124	0.013
			C24投资意愿	0.058	0.006
			C25开发前景	0.073	0.007

为了筛选和保留这些有价值的乡愁记忆，需要进行深入的文化调研和历史挖掘。通过走访当地老人、查阅历史资料、观察乡村生活等方式，可以更准确地把握乡村的文化脉络和历史底蕴，从而确定哪些记忆是真正值得保留和传承的。根据评估结果，提出相应的改进建议和保护措施。对于价值较高的乡村，可以加强保护和传承工作，如修缮历史建筑、举办民俗活动等；对于价值较低的乡村，可以提出相应的提升建议，如加强宣传教育、完善基础设施等。

8.2 问题之二：如何激发村民的主体性

8.2.1 发展乡愁旅游，村民是主体

乡愁旅游的核心是乡村文化和乡土情感的体验，而村民作为乡村文化的传承者和乡土情感的载体，他们的参与和投入对于乡愁旅游的成功至关重要。

首先，村民是乡村文化的活化石。他们世代生活在这片土地上，承载着丰富的历史记忆和传统文化。他们的生活方式、习俗、语言等都是乡村文化的重要组成部分，通过他们的展示和解读，游客才能更深入地体验和了解乡村文化的魅力。

其次，村民是乡愁旅游的服务主体。在乡愁旅游中，游客追求的不仅仅是景观的观赏，更重要的是一种情感的体验和心灵的回归。村民的热情好客、淳朴善良以及他们对家乡的热爱和自豪，能让游客感受到浓浓的乡愁情怀，从而提升游客的满意度和忠诚度。

此外，村民是乡愁旅游发展的受益者。通过参与乡村旅游的开发和运营，村民可以获得更多的就业机会和收入来源，提高他们的生活水平。同时，乡愁旅游的发展还能带动乡村基础设施的完善和公共服务水平的提升，进一步改善村民的生活环境。

因此，在发展乡愁旅游的过程中，应充分尊重村民的主体地位，发挥他们的积极性和创造力。通过加强培训和教育，提升村民的专业技能和服务意识；通过合理的利益分配机制，确保村民能够从中获得实惠；通过搭建交流平台，促进村民与游客之间的互动和交流。只有这样，乡愁旅游才能真正成为乡村振兴的有力抓手，让村民在共享发展成果的同时，更好地传承和弘扬乡村文化。

8.2.2 强化村民存在感和参与性的多元路径

强化村民在乡愁文旅融合发展中的存在感和参与性需要从多个方面入手。

一是明确村民的主体地位。强调村民是乡愁文旅融合发展的核心力量，他们的生活方式、传统习俗和乡土文化都是吸引游客的重要资源。在制定文旅发展规划和策略时充分听取村民的意见和建议，确保他们的利益得到保障。

二是提升村民的参与能力。通过定期举办培训、研讨会等活动，提高村民对文旅融合发展的认知和理解，培养他们的参与意识和能力。鼓励村民学习传统手工艺、农耕文化等知识技能，以便更好地在文旅融合中发挥自己的特长。

三是创造多样化的参与机会。设立村民参与的文旅项目，如民宿经营、传统手工艺制作、农耕文化体验等，让村民直接参与到文旅服务中。鼓励村民参与文旅活动的组织和策划，如传统节庆活动、乡村音乐会等，提升他们的存在感和归属感。

四是建立合理的利益分配机制。确保村民能够从文旅融合发展中获得实际利益，如提高收入、改善生活环境等，从而激发他们的参与热情。通过合作社、股份制等模式，让村民以土地、房屋、劳动力等要素入股，共享文旅融合发展的成果。

五是加强村民与游客的互动。搭建村民与游客的交流平台，如乡村导游服务、农耕文化体验区等，让游客更深入地了解乡村文化和村民生活。鼓励村民主动与游客互动，分享自己的故事和乡村趣事，增强游客的乡愁体验。

8.2.3 梁子岛“岛民夜校”：村民参与的代表模式

梁子岛“岛民夜校”是由湖北文旅梁子湖公司联合地方政府、旅游协会和岛民共同打造的交流平台。2017年，梁子岛4A级景区被摘牌，岛上旅游业发展陷入困境，商户和居民收入大幅减少，生活受到了很大的影响，岛民普遍陷入对未来发展的迷茫和无助中。如何重振岛民信心，激发旅游活力，必须寻求新的模式和契机。2022年9月，湖北文旅梁子湖公司联合梁子镇文旅办、梁子居委会、梁子岛旅游管理协会，共同发起“岛民夜校”项目。湖北文旅梁子湖公司提供场地和设施等硬件支持；地方政府提供政策支持；旅游协会发挥专业优势提供课程策划和组织工作。以“共谋、共建、共享”为逻辑起点，“岛民夜校”定期邀请行业专家、业界名人、经营能手等向岛民和商户分享解读国家政策、拓宽行业视野、传授先进经验、宣扬爱岛意识，吸引了大量岛民参与，形成了独具梁子岛特色的夜校模式。

（1）梁子岛“岛民夜校”的课程设置

“岛民夜校”课程丰富多样，涵盖梁子岛旅游发展与复兴计划、旅游业务与技能培训、商业街区更新与设计指导等多方面。

一是梁子岛旅游发展与复兴计划。介绍梁子岛的发展理念、政府和企业对景区建设的思路和规划，强调政府、企业和岛民之间的共商、共建和共享机制；回顾梁子岛景区近年来的巨大变化，提出改造升级景区、示范引领街区、复兴商业和人文的工作理念，为岛民擘画梁子岛未来发展的美好蓝图。

二是旅游业务与技能培训。包括非标度假产品的市场营销、乡村旅游产品的打造与运营等。针对非传统度假产品的市场推广策略和方法进行培训，帮助岛民了解市场需求，提升产品的市场竞争力；结合乡村特色，探讨如何打造和运营具有吸引力的乡村旅游产品，包括产品设计、服务提升和营销策略等。

三是商业街区更新与设计指导。关注商业街区的规划和设计，提供门面改造、街道布局、环境美化等方面的指导和建议，以提升商业街区的整体形象和吸引力。

四是旅游服务与管理培训。关注旅游服务质量的提升和创新旅游业态的发展，包括提高游客满意度、优化服务流程、开发新的旅游项目等，帮助岛民提升游客体验，提高品牌美誉度和影响力。

夜校鼓励“岛民点餐、企业配菜”，满足岛民的个性化学习需求；同时，提供外出学习考察观摩的机会，并不定期邀请岛民代表上台分享外出学习考察的收获和体会。这些灵活多元的方式，不仅为岛民提供了实用的知识和技能培训，还促进了岛民之间的交流与合作。这种分享也有助于激发其他岛民的积极性和创造力。

（2）梁子岛“岛民夜校”的效果评估

自2022年9月27日晚“岛民夜校”第1期开讲，截至2024年6月，岛民夜校已累计推出8期（表8.8）。参与人数从起初的10余人逐渐增加到单场近200人。岛民对公司的态度发生了明显变化，从最初的排斥到后来的支持，双方关系发生了质变。在夜校的推动下，梁子岛旅游景区逐渐焕发出新的活力。商业街更新方案顺利实施，新的旅游项目和产品不断涌现，为游客提供了更加丰富的旅游体验。

夜校的成功举办不仅提升了岛民的专业技能和综合素质，还激发了岛民的创业热情。通过分享成功创业案例、探讨创业机会等方式，夜校鼓励岛民发挥自身优势，积极投身创业实践。这种创业氛围的营造，让越来越多的岛民开始考虑并尝试自主创业。以岛上商户于丹（化名）为例，她在参加夜校课程后，对门面改造提升有了更深的理解。受此启发，她决定投入百万元对自家的民宿进行改造升级。这一举动不仅提升了民宿的档次和吸引力，还为她带来了更多的客源和收入。于丹的成功经验也激励了其他岛民积极参与夜校课程。经营蟹都渔馆的夏老板一直在寻找提升餐馆业绩的方法。通过夜校学习，他了解到了新的经营理念和管理方法，尝试开通抖音号、小红书号，将餐馆的代表菜品拍成短视频，吸引游客前来试吃打卡，成功提升了餐馆的业绩和口碑。

岛民夜校的创办让岛民更加深入地了解到文旅融合发展的重要性，并使他们意识到自己在其中所扮演的角色和责任。这种认同感与归属感的增强，使得岛民更加积极地投入梁子岛文旅融合发展的各项工作中，为推动其向前发展贡献了自己的力量，也为乡愁文旅发展如何激发村民的主体能动性提供了借鉴范本。

表8.8　梁子岛“岛民夜校”开班汇总表

期号	时间	主题	内容	主讲人
第1期	2022.09.27	“共同缔造梁子岛商业规范经营新场景”	岛民商户共同学习《梁子岛景区商业规范经营实施方案》《景区综合执法和市场秩序管理细则》《景区卫生和交通管理制度》等内容	湖北文旅梁子湖公司相关负责人
第2期	2022.10.27	“品牌提升与新媒体推广”	餐饮品牌打造与提升，零基础入门抖音课程	王建军（省级酒店星评员）、李伟红（文旅营销专家）
第3期	2022.12.01	“乡村旅游产品的打造与运营”	乡村文旅项目的服务业标准和经营逻辑，乡村振兴微景观改造，民宿的设计和营销运营	胡哲（华中科技大学教师）、彭邦云（湖北省村镇建设协会理事）、蔡晓锋（武汉市民宿协会理事）
第4期	2023.01.10	“非标度假产品的市场营销策略”	以卓尔桃花驿小镇悦驿度假酒店的营销案例做分享，带岛民和商户了解内容社交时代的营销新玩法	肖淼（卓尔桃花驿小镇项目市场营销总监）
第5期	2023.03.09	“旅游商业街区的更新和设计”	梁子岛商业居民区的城市设计和街区更新方案，国内旅游商业街区更新模式的案例分享	李伟（文旅建筑研究和实践专家）、程璐（文旅规划策划专家）
第6期	2023.05.18	“梁子岛的复兴计划与共同缔造”	梁子岛景区建设发展的思路和理念，梁子岛景区的焕新策略与复兴计划	蔡和林（梁子湖区委书记）、郑大为（湖北文旅梁子湖公司总经理）

续表

期号	时间	主题	内容	主讲人
第7期	2023.07.13	“4A复牌再启程，梁子焕新谱华章”	恩施考察交流分享，国家4A级旅游景区牌匾移交，消防安全培训，餐饮示范街奖补办法宣贯	夏兵（老岛民代表）、万莉（商户代表）、宋博（梁子镇党委副书记）、石志华（鄂州市消防支队防火处处长）、周银兰（梁子岛旅游管理协会会长）等
第8期	2024.06.06	“团结岛民力量，发动全员营销，迎接四海宾朋”	景区2024年经营情况及下一步经营思路，“一部手机游梁子岛”小程序展示，新媒体账号操作技能培训	贺知权（鄂州集团企管运营部总经理）、汪晨（景区公司副总经理）、郭闯（来客传媒负责人）等

8.3 问题之三：如何实现乡愁记忆的游客感知

发展乡愁文旅，不仅要充分发挥村民的主体性，还要强化游客对乡愁记忆的感知体验。如何实现乡愁记忆与游客感知的匹配，是一个具有挑战性的问题。

8.3.1 游客感知：衡量乡愁文旅发展的关键指标

（1）游客感知体验的指标维度

游客感知体验是指游客在旅游过程中对各个环节和方面的综合评价。这些评价指标涉及感官、情感、认知等多个层面，从而共同构成游客对旅游目的地的整体印象。具体包括以下内容（表8.9）。

表8.9　游客感知体验的指标维度

评价要素	核心评价指标	指标解析
感官体验	视觉体验	自然景观的美感、建筑风格的独特性、环境整洁度等
	听觉体验	自然环境声音（鸟鸣、水流声等）、人文环境声音（音乐或解说）等
	味觉与嗅觉体验	当地特色美食的口感、环境气味等
情感体验	满意度	游客对旅游服务、设施、环境等的满意程度
	归属感	游客在旅游过程中是否感受到宾至如归的体验
	情感联结	旅游经历是否能触动游客的情感，产生深刻的记忆
认知与行为意向	对旅游目的地的认知	游客对目的地历史、文化、风俗习惯等的了解和认识
	行为意向	游客是否愿意再次访问、推荐给他人或进行口碑传播等
	价值感知	游客对旅游经历的整体价值评估，包括性价比、时间成本等

（2）游客感知体验对乡愁文旅发展的重要意义

游客感知体验对于旅游目的地管理和服务提升具有重要意义。

首先，游客感知体验是评价旅游服务质量的重要依据。游客在旅游过程中对景点、服务、环境等方面的感受和认知，直接反映了旅游服务的质量和水平。通过游客的感知反馈，旅游企业和管理部门可以及时了解服务中存在的问题和不足，进而进行针对性的改进和优化。

其次，游客感知体验的好坏直接影响着游客的满意度和忠诚度。当游客在旅游过程中获得良好的感知体验时，他们会对旅游目的地或产品产生积极的评价和满意，进而成为忠诚的游客。相反，如果游客的感知体验不佳，他们可能会对旅游目的地或产品产生消极的评价和不满，甚至选择不再光顾。

再次，在竞争激烈的旅游市场中，游客感知体验是吸引游客的重要因素。只有提供独特且优质的旅游体验，才能赢得游客的青睐和市场份额。同时，游客的感知体验也是旅游业创新的重要驱动力。通过深入了解游客的需求和偏好，旅游业可以不断推出符合市场需求的旅游产品和服务，从而保持持续的竞争力。

在文旅融合发展的大背景下，强化游客感知体验也是促进文化传播与地区形象塑造的重要途径。当游客在旅游过程中深刻感受到当地的文化魅力时，他们更有可能将这些文化传播给更多的人。它不仅是衡量旅游服务质量的关键指标，更是影响游客满意度和忠诚度、推动旅游业持续发展以及促进文化传播与地区形象塑造的重要因素。

8.3.2 场景理论：强化游客感知体验的有力理论工具

实现乡愁记忆与游客感知的匹配，是一个具有挑战性的现实课题。如前所述，乡愁是一种深层次的情感体验，每个人的乡愁记忆都是独特的，因此想找到一种普遍性的表达方式并不容易。另一方面，在开发乡愁文旅项目时，如何在保持乡村原始风情的同时，不过度商业化，保持其真实性，也需要科学审视，权衡考量。过度商业化可能会破坏乡村的原始氛围，从而影响游客对乡愁的感知。同时，乡村游客涵盖不同年龄、不同文化、不同背景，这导致每个人对乡愁的界定和感知可能存在较大差异。如何找到一种能够引起大多数游客共鸣的乡愁表达方式实属不易。解决这些问题，场景理论或许可以成为一个有效的理论工具。

（1）场景理论概述

场景理论最初发端于电影研究。以芝加哥大学教授特里·克拉克（Terry Clark）为代表的新芝加哥学派将其引入社会学领域，发现对“区域、空间以及网络要素”等生活娱乐设施（Urban Amenities）进行不同组合，可以形成不同的“场景”，其中最关键的“是文化分析尤其是美学的加入”❶。

具体而言，场景包含五大要素：空间（即社区和邻里场所）、设施、人群、活动、价值观（即蕴含在以上四个要素中的符号意义和文化价值）。不同的要素通过特定的方式组合在一起，可以“使身处其中的个体感觉到合法的自我表达、不拘一格的个体呈现、真实的本土风格以及非理性的自我认同……”❷。由此，场景理论研究的基本框架包含了真实性、戏剧性、合法性3个主维度和15个次维度，可以据此来对场景进行测量和辨认（表8.10）。

---

❶ 特里·N. 克拉克，李鹭. 场景理论的概念与分析：多国研究对中国的启示[J]. 东岳论丛，2017，38（01）：16-24.

❷ 范玉刚. 雄安新区的文化空间建构和价值传达[J]. 河北大学学报（哲学社会科学版），2017，42（4）：8.

表8.10　场景理论的三大维度

主维度	真实性	戏剧性	合法性
次维度	本土的	爱炫的	传统的
	族群的	迷人的	领袖魅力
	国家的	睦邻的	功利主义
	企业的	越轨的	平等主义
	理性的	礼节的	自我表达

（2）场景理论乡愁文旅发展的借鉴意义

借鉴场景理论，遵循真实性、戏剧性、合法性三大原则，将乡愁记忆有机融入乡村文旅发展的空间、设施、人群、活动、价值观传播等要素，可以为强化游客对乡愁记忆的感知提供有利指导。

从场景五要素出发，第一，从“空间”要素出发，选择具有代表性和特色的地点作为旅游项目的空间背景。例如，可以选择历史悠久的古村落或风景优美的田园作为项目地点，让游客在特定的空间中感受乡村的氛围和魅力。第二，在“设施”方面，提供与乡村场景相匹配的设施，具体包括传统的乡村建筑、农具展示，以及具有乡村特色的住宿和餐饮设施。通过设施的呈现，让游客更加深入地体验乡村生活。第三，从“人群”要素角度，注重当地村民的参与和互动，可以邀请村民作为导游或表演者，与游客分享他们的故事和乡村文化。同时，也可以鼓励游客参与到乡村活动中，与当地村民共同体验乡村生活。第四，从“活动”要素角度，设计丰富多彩的乡村活动，如农耕体验、手工艺制作、乡村节庆等。这些活动应该具有真实性和戏剧性，能够让游客亲身参与并感受到乡村的乐趣和魅力。第五，从“价值观”角度，在旅游项目中传递乡村的价值观，如淳朴、自然、和谐等。通过讲解、展示和体验等方式，让游客了解并认同这些价值观，从而加深对乡村文化的理解和感知。

在旅游项目的设计和实施过程中，需要遵循场景理论的三大原则：真实性、戏剧性和合法性。首先，确保旅游项目中的场景和元素都是真实存在的，不夸大或虚构。例如，在展示乡村文化时，应该尊重历史事实，不随意篡改或捏造内容。同时，也要保持乡村环境的原始状态，避免过度商业化和人为破坏。其次，通过创意和策划，将乡村元素以戏剧化的方式呈现给游客。可以利用故事化、情节化的设计手法，打造具有吸引力和感染力的场景。例如，通过表演、灯光秀等方式展示乡村的历史传说和民俗风情，让游客更加投入和沉浸其中。同时，在旅游项目的开发过程中遵循相关法律法规和政策要求，确保项目的合法性和合规性，尊重并保护乡村的文化遗产和环境资源，也要与当地居民进行充分沟通和协商，确保他们的利益得到保障和支持。

在快速更迭的时代背景下，乡愁不仅仅是对故乡的思念，更是一种文化符号和精神寄托。目前，乡愁文旅已经暴露出了一些问题和不足。部分乡愁文旅项目存在同质化竞争的问题，缺乏创新和特色；乡村地区的基础设施相对薄弱，交通、住宿、餐饮等方面仍需改善；乡愁文旅发展需要大量专业人才的支持，包括规划、营销、管理等方面。

未来，我们需要以更加开放和创新的思维来推进乡愁文旅的发展，进一步挖掘乡村的历史、民俗、艺术等文化资源，促进城乡文化的深度融合；进一步强化文化与科技的融合，借助虚拟现实（VR）、增强现实（AR）等，创新展示乡村文化，使游客更加沉浸式体验乡愁；建立更合理完善的利益分配机制，确保村民能够分享到文旅发展带来的红利，让更多人能够在旅途中找到心灵的归宿和文化的根脉。

乡愁文旅，一直在路上。这不仅是一个过程，更是一种状态，一种对传统文化和乡土情感的持续挖掘与传承。在这条路上，我们将不断遇到新的挑战，也将收获更多的文化瑰宝和人文情怀。

附录A　旅游资源基本类型释义

<table>
<tr><th colspan="4">旅游资源基本类型释义</th></tr>
<tr><th>主类</th><th>亚类</th><th>基本类型</th><th>简要说明</th></tr>
<tr><td rowspan="14">A
地文
景观</td><td rowspan="4">AA
自然景观
综合体</td><td>AAA 山丘型景观</td><td>山地丘陵内可供观光游览的整体景观或个别景观</td></tr>
<tr><td>AAB 台地型景观</td><td>山地边缘或山间台状可供观光游览的整体景观或个别景观</td></tr>
<tr><td>AAC 沟谷型景观</td><td>沟谷内可供观光游览的整体景观或个体景观</td></tr>
<tr><td>AAD 滩地型景观</td><td>缓平滩地内可供观光游览的整体景观或个别景观</td></tr>
<tr><td rowspan="4">AB
地质与构
造形迹</td><td>ABA 断裂景观</td><td>地层断裂在地表面形成的景观</td></tr>
<tr><td>ABB 褶曲景观</td><td>地层在各种内力作用下形成的扭曲变形</td></tr>
<tr><td>ABC 地层剖面</td><td>地层中具有科学意义的典型剖面</td></tr>
<tr><td>ABD 生物化石点</td><td>保存在地层中的地质时期的生物遗体、遗骸及活动遗迹的发掘地点</td></tr>
<tr><td rowspan="6">AC
地表形态</td><td>ACA 台丘状地景</td><td>台地和丘陵形状的地貌景观</td></tr>
<tr><td>ACB 峰柱状地景</td><td>在山地、丘陵或平地上突起的峰状石体</td></tr>
<tr><td>ACC 垄岗状地景</td><td>构造形迹的控制下长期受溶蚀作用形成的岩溶地貌</td></tr>
<tr><td>ACD 沟壑与洞穴</td><td>由内营力塑造或外营力侵蚀形成的沟谷、劣地，以及位于基岩内和岩石表面的天然洞穴</td></tr>
<tr><td>ACE 奇特与象形山石</td><td>形状奇异、拟人状物的山体或石体</td></tr>
<tr><td>ACF 岩土圈灾变遗迹</td><td>岩石圈自然灾害变动所留下的表面痕迹</td></tr>
</table>

续表

<table>
<tr><th>主类</th><th>亚类</th><th>基本类型</th><th>简要说明</th></tr>
<tr><td rowspan="3">A
地文景观</td><td rowspan="3">AD
自然标记与自然现象</td><td>ADA 奇异自然现象</td><td>发生在地表一般还没有合理解释的自然界奇特现象</td></tr>
<tr><td>ADB 自然标志地</td><td>标志特殊地理、自然区域的地点</td></tr>
<tr><td>ADC 垂直自然带</td><td>山地自然景观及其自然要素（主要是地貌、气候、植被、土壤）随海拔呈递变规律的现象</td></tr>
<tr><td rowspan="13">B
水域景观</td><td rowspan="3">BA
河系</td><td>BAA 游憩河段</td><td>可供观光游览的河流段落</td></tr>
<tr><td>BAB 瀑布</td><td>河水在流经断层、凹陷等地区时垂直从高空跌落的跌水</td></tr>
<tr><td>BAC 古河道段落</td><td>已经消失的历史河道现存段落</td></tr>
<tr><td rowspan="3">BB
湖沼</td><td>BBA 游憩湖区</td><td>湖泊水体的观光游览区与段落</td></tr>
<tr><td>BBB 潭池</td><td>四周有岸的小片水域</td></tr>
<tr><td>BBC 湿地</td><td>天然或人工形成的沼泽地等带有静止或流动水体的成片浅水区</td></tr>
<tr><td rowspan="2">BC
地下水</td><td>BCA 泉</td><td>地下水的天然露头</td></tr>
<tr><td>BCB 埋藏水体</td><td>埋藏于地下的温度适宜、具有矿物元素的地下热水、热汽</td></tr>
<tr><td rowspan="2">BD
冰雪地</td><td>BDA 积雪地</td><td>长时间不融化的降雪堆积面</td></tr>
<tr><td>BDB 现代冰川</td><td>现代冰川存留区域</td></tr>
<tr><td rowspan="3">BE
海面</td><td>BEA 游憩海域</td><td>可供观光游憩的海上区域</td></tr>
<tr><td>BEB 涌潮与击浪现象</td><td>海水大潮时潮水涌进景象，以及海浪推进时的击岸现象</td></tr>
<tr><td>BEC 小型岛礁</td><td>出现在江海中的小型明礁或暗礁</td></tr>
<tr><td rowspan="2">C
生物景观</td><td rowspan="2">CA
植被景观</td><td>CAA 林地</td><td>生长在一起的大片树木组成的植物群体</td></tr>
<tr><td>CAB 独树与丛树</td><td>单株或生长在一起的小片树林组成的植物群体</td></tr>
</table>

续表

主类	亚类	基本类型	简要说明
C 生物 景观	CA 植被景观	CAC 草地	以多年生草本植物或小半灌木组成的植物群落构成的地区
		CCD 花卉地	一种或多种花卉组成的群体
	CB 野生动物 栖息地	CBA 水生动物栖息地	一种或多种水生动物常年或季节性栖息的地方
		CBB 陆地动物栖息地	一种或多种陆地野生哺乳动物、两栖动物、爬行动物等常年或季节性栖息的地方
		CBC 鸟类栖息地	一种或多种鸟类常年或季节性栖息的地方
		CBD 蝶类栖息地	一种或多种蝶类常年或季节性栖息的地方
D 天象 与气 候景 观	DA 天象景观	DAA 太空景象观赏地	观察各种日、月、星辰、极光等太空现象的地方
		DAB 地表光现象	发生在地面上的天然或人工光现象
	DB 天气与 气候现象	DBA 云雾多发区	云雾及雾凇、雨凇出现频率较高的地方
		DBB 极端与特殊气候显示地	易出现极端与特殊气候的地区或地点，如风区、雨区、热区、寒区、旱区等典型地点
		DBC 物候景象	各种植物的发芽、展叶、开花、结实、叶变色、落叶等季变现象
E 建筑 与设施	EA 人文景观 综合体	EAA 社会与商贸活动场所	进行社会交往活动、商业贸易活动的场所
		EAB 军事遗址与古战场	古时用于战事的场所、建筑物和设施遗存
		EAC 教学科研实验场所	各类学校和教育单位、开展科学研究的机构和从事工程技术试验场所的观光、研究、实习的地方
		EAD 建设工程与生产地	经济开发工程和实体单位，如工厂、矿区、农田、牧场、林场、茶园、养殖场、加工企业以及各类生产部门的生产区域和生产线

续表

主类	亚类	基本类型	简要说明
E 建筑与设施	EA 人文景观综合体	EAE 文化活动场所	进行文化活动、展览、科学技术普及的场所
		EAF 康体游乐休闲度假地	具有康乐、健身、休闲、疗养、度假条件的地方
		EAG 宗教与祭祀活动场所	进行宗教、祭祀、礼仪活动场所的地方
		EAH 交通运输场站	用于运输通行的地面场站等
		EAI 纪念地与纪念活动场所	为纪念故人或开展各种宗教祭祀、礼仪活动的馆室或场地
	EB 实用建筑与核心设施	EBA 特色街区	反映某一时代建筑风貌，或经营专门特色商品和商业服务的街道
		EBB 特性屋舍	具有观赏游览功能的房屋
		EBC 独立厅、室、馆	具有观赏游览功能的景观建筑
		EBD 独立场、所	具有观赏游览功能的文化、体育场馆等空间场所
		EBE 桥梁	跨越河流、山谷、障碍物或其他交通线而修建的架空通道
		EBF 渠道、运河段落	正在运行的人工开凿的水道段落
		EBG 堤坝段落	防水、挡水的构筑物段落
		EBH 港口、渡口与码头	位于江、河、湖、海沿岸进行航运、过渡、商贸、渔业活动的地方
		EBI 洞窟	由水的溶蚀、侵蚀和风蚀作用形成的可进入的地下空洞
		EBJ 陵墓	帝王、诸侯陵寝及领袖先烈的坟墓
		EBK 景观农田	具有一定观赏游览功能的农田
		EBL 景观牧场	具有一定观赏游览功能的牧场
		EBM 景观林场	具有一定观赏游览功能的林场

续表

主类	亚类	基本类型	简要说明
E 建筑与设施	EB 实用建筑与核心设施	EBN 景观养殖场	具有一定观赏、游览功能的养殖场
		EBO 特色店铺	具有一定观光游览功能的店铺
		EBP 特色市场	具有一定观光游览功能的市场
	EC 景观与小品建筑	ECA 形象标志物	能反映某处旅游形象的标志物
		ECB 观景点	用于景观观赏的场所
		ECC 亭、台、楼、阁	供游客休息、乘凉或观景用的建筑
		ECD 书画作	具有一定知名度的书画作品
		ECE 雕塑	用于美化或纪念而雕刻塑造、具有一定寓意、象征或象形的观赏物和纪念物
		ECF 碑碣、碑林、经幢	雕刻记录文字、经文的群体刻石或多角形石柱
		ECG 牌坊牌楼、影壁	为表彰功勋、科第、德政以及忠孝节义所立的建筑物，以及中国传统建筑中用于遮挡视线的墙壁
		ECH 门廊、廊道	门头廓形装饰物，不同于两侧基质的狭长地带
		ECI塔形建筑	具有纪念、镇物、标明风水和某些实用目的的直立建筑物
		ECJ景观步道、甬路	用于观光游览行走而砌成的小路
		ECK 花草坪	天然或人造的种满花草的地面
		ECL 水井	用于生活、灌溉用的取水设施
		ECM 喷泉	人造的由地下喷射水至地面的喷水设备
		ECN 堆石	由石头堆砌或填筑形成的景观
F 历史遗迹	FA 物质类文化遗存	FAA 建筑遗迹	具有地方风格和历史色彩的历史建筑遗存
		FAB 可移动文物	历史上各时代重要实物、艺术品、文献、手稿、图书资料、代表性实物等，分为珍贵文物和一般文物

续表

主类	亚类	基本类型	简要说明
F 历史遗迹	FB 非物质类文化遗存	FBA 民间文学艺术	民间对社会生活进行形象的概括而创作的文学艺术作品
		FBB 地方习俗	社会文化中长期形成的风尚、礼节、习惯及禁忌等
		FBC 传统服饰装饰	具有地方和民族特色的衣饰
		FBD 传统演艺	民间各种传统表演方式
		FBE 传统医药	当地传统留存的医药制品和治疗方式
		FBF传统体育赛事	当地定期举行的体育比赛活动
G 旅游购品	GA 农业产品	GAA 种植业产品及制品	具有跨地区声望的当地生产的种植业产品及制品
		GAB 林业产品与制品	具有跨地区声望的当地生产的林业产品及制品
		GAC 畜牧业产品与制品	具有跨地区声望的当地生产的畜牧产品及制品
		GAD 水产品及制品	具有跨地区声望的当地生产的水产品及制品
		GAE 养殖业产品与制品	具有跨地区声望的养殖业产品及制品
	GB 工业产品	GBA 日用工业品	具有跨地区声望的当地生产的日用工业品
		GBB 旅游装备产品	具有跨地区声望的当地生产的户外旅游装备和物品
	GC 手工工艺品	GCA 文房用品	文房书斋的主要文具
		GCB 织品、染织	纺织及用染色印花织物
		GCC 家具	生活、工作或社会实践中供人们坐、卧或支撑与贮存物品的器具
		GCD 陶瓷	由瓷石、高岭土、石英石、莫来石等烧制而成，外表施有玻璃质釉或彩绘的物器

续表

主类	亚类	基本类型	简要说明
G 旅游 购品	GC 手工 工艺品	GCE 金石雕刻、雕塑制品	用金属、石料或木头等材料雕刻的工艺品
		GCF 金石器	用金属、石料制成的具有观赏价值的器物
		GCG 纸艺与灯艺	以纸材质和灯饰材料为主要材料制成的平面或立体的艺术品
		GCH 画作	具有一定观赏价值的手工画成作品
H 人文 活动	HA 人事活动 记录	HAA 地方人物	当地历史和现代名人
		HAB 地方事件	当地发生过的历史和现代事件
	HB岁时 节令	HBA 宗教活动与庙会	宗教信徒举办的礼仪活动，以及节日或规定日子里在寺庙附近或既定地点举行的聚会
		HBB 农时节日	当地与农业生产息息相关的传统节日
		HBC 现代节庆	当地定期或不定期的文化、商贸、体育活动等
8	23	110	

注：如果发现本分类没有包括的基本类型时，使用者可自行增加。增加的基本类型可归入相应亚类，置于最后，最多可增加2个。编号方式为：增加第1个基本类型时，该亚类2位汉语拼音字母+Z；增加第2个基本类型时，该亚类2位汉语拼音字母+Y。

附录B 旅游资源评价赋分标准

<table>
<tr><th colspan="4">旅游资源评价赋分标准</th></tr>
<tr><th>评价项目</th><th>评价因子</th><th>评价依据</th><th>赋值</th></tr>
<tr><td rowspan="13">资源要素价值（85分）</td><td rowspan="4">观赏游憩使用价值（30分）</td><td>全部或其中一项具有极高的观赏价值、游憩价值、使用价值</td><td>32～22</td></tr>
<tr><td>全部或其中一项具有很高的观赏价值、游憩价值、使用价值</td><td>21～13</td></tr>
<tr><td>全部或其中一项具有较高的观赏价值、游憩价值、使用价值</td><td>12～6</td></tr>
<tr><td>全部或其中一项具有一般观赏价值、游憩价值、使用价值</td><td>5～1</td></tr>
<tr><td rowspan="4">历史文化科学艺术价值（25分）</td><td>同时或其中一项具有世界意义的历史价值、文化价值、科学价值、艺术价值</td><td>25～20</td></tr>
<tr><td>同时或其中一项具有全国意义的历史价值、文化价值、科学价值、艺术价值</td><td>19～13</td></tr>
<tr><td>同时或其中一项具有省级意义的历史价值、文化价值、科学价值、艺术价值</td><td>12～6</td></tr>
<tr><td>历史价值、或文化价值、或科学价值、或艺术价值具有地区意义</td><td>5～1</td></tr>
<tr><td rowspan="4">珍稀奇特程度（15分）</td><td>有大量珍稀物种，或景观异常奇特，或此类现象在其他地区罕见</td><td>15～13</td></tr>
<tr><td>有较多珍稀物种，或景观奇特，或此类现象在其他地区很少见</td><td>12～9</td></tr>
<tr><td>有少量珍稀物种，或景观突出，或此类现象在其他地区少见</td><td>8～4</td></tr>
<tr><td>有个别珍稀物种，或景观比较突出，或此类现象在其他地区较多见</td><td>3～1</td></tr>
<tr><td>规模、丰度与几率（10分）</td><td>独立型旅游资源单体规模、体量巨大；集合型旅游资源单体结构完美、疏密度优良；自然景象和人文活动周期性发生或频率极高</td><td>10～8</td></tr>
</table>

续表

评价项目	评价因子	评价依据	赋值
资源要素价值（85分）	规模、丰度与几率（10分）	独立型旅游资源单体规模、体量较大；集合型旅游资源单体结构很和谐、疏密度良好；自然景象和人文活动周期性发生或频率很高	7～5
		独立型旅游资源单体规模、体量中等；集合型旅游资源单体结构和谐、疏密度较好；自然景象和人文活动周期性发生或频率较高	4～3
		独立型旅游资源单体规模、体量较小；集合型旅游资源单体结构较和谐、疏密度一般；自然景象和人文活动周期性发生或频率较小	2～1
	完整性（5分）	形态与结构保持完整	5～4
		形态与结构有少量变化，但不明显	3
		形态与结构有明显变化	2
		形态与结构有重大变化	1
资源影响力（15分）	知名度和影响力（10分）	在世界范围内知名，或构成世界承认的名牌	10～8
		在全国范围内知名，或构成全国性的名牌	7～5
		在本省范围内知名，或构成省内的名牌	4～3
		在本地区范围内知名，或构成本地区名牌	2～1
	适游期或使用范围（5分）	适宜游览的日期每年超过300天，或适宜于所有游客使用和参与	5～4
		适宜游览的日期每年超过250天，或适宜于80%左右游客使用和参与	3
		适宜游览的日期每年超过150天，或适宜于60%左右游客使用和参与	2
		适宜游览的日期每年超过100天，或适宜于40%左右游客使用和参与	1
附加值	环境保护与环境安全	已受到严重污染，或存在严重安全隐患	-5
		已受到中度污染，或存在明显安全隐患	-4
		已受到轻度污染，或存在一定安全隐患	-3
		已有工程保护措施，环境安全得到保证	3

注：“资源要素价值”项目中含“观赏游憩使用价值”“历史文化科学艺术价值”“珍稀奇特程度”“规模、丰度与几率”“完整性”等5项评价因子。“资源影响力”项目中含“知名度和影响力”“适游期或使用范围”等2项评价因子。“附加值”含“环境保护与环境安全”1项评价因子。

附录C 旅游资源评价等级与图例

旅游资源评价等级与图例			
旅游资源等级	得分区间	图例	使用说明
五级旅游资源	≥90分	★	1.图例大小根据图面大小而定，形状不变； 2.自然旅游资源（表A.1中主类A、B、C、D）使用蓝色图例；人文旅游资源（表A.1中主类E、F、G、H）使用红色图例
四级旅游资源	75～89分	■	
三级旅游资源	60～74分	◆	
二级旅游资源	45～59分	▲	
一级旅游资源	30～44分	●	

注：五级旅游资源称为“特品级旅游资源”；五级、四级、三级旅游资源通称为“优良级旅游资源”；二级、一级旅游资源通称为“普通级旅游资源”。

参考文献

[1] 安东尼·吉登斯.现代性的后果[M].田禾，译.南京：译林出版社，2000.

[2] 莱达·阿斯曼.回忆空间：文化记忆的形式与变迁[M].潘璐，译.北京：北京大学出版社，2016.

[3] 曹诗图，孙天胜，周德清.旅游审美是诗意的对话——兼论中西哲学思想中的审美观[J].旅游论坛，2011，4（2）：115-118.

[4] 陈凤先，夏训峰.浅析“产业共生”[J].工业技术经济，2007，（1）：54-56.

[5] 陈向明.扎根理论的思路和方法[J].教育研究与实验，1999（4）：58-63，73.

[6] 陈永林，张爱明，柴超前，等.客家聚落水井的文化地理学诠释——以赣县白鹭村为例[J].赣南师范大学学报，2017，38（4）：33-39.

[7] 成志芬，周尚意，张宝秀.“乡愁”研究的文化地理学视角[J].北京联合大学学报（人文社会科学版），2015，13（4）：64-70.

[8] 邓寿鹏.技术创新与政策环境[J].中外管理导报，1989（3）：17-22.

[9] 杜威.艺术即经验[M].赵红，译.北京：新华出版社，2005.

[10] 厄里.游客凝视[M].杨慧，等译.桂林：广西师范大学出版社，2009.

[11] 傅才武，程玉梅.文旅融合在乡村振兴中的作用机制与政策路径：一个宏观框架[J].华中师范大学学报（人文社会科学版），2021，60（6）：69-77.

[12] 冯德连.中小企业与大企业共生模式的分析[J].财经研究，2000，4（6）：35-42.

[13] 范玉刚.雄安新区的文化空间建构和价值传达[J].河北大学学报（哲学社会科学版），2017，42（4）：8.

[14] 范玉刚.乡村文化复兴视野中的乡愁美学生成[J].南京社会科学，2020（1）：12-19.

[15] 樊友猛，谢彦君.记忆、展示与凝视：乡村文化遗产保护与旅游发展协同研究[J].旅游科学，2015，29（1）：11-24，87.

[16] 冯生尧，谢瑶妮. 扎根理论：一种新颖的质化研究方法[J]. 现代教育论丛，2001（6）：51-53.

[17] 胡海晓，王艳贞. 基于乡愁文化的中国特色社会主义文化自信探究[J]. 产业与科技论坛，2022，21（3）：7-8.

[18] 黄振华，陈梓清. 记得住乡愁：乡村振兴的路径选择——基于云南大理的实践与思考[J]. 党政研究，2022（2）：93-100.

[19] 洪黎民. 共生概念发展的历史、现状及展望[J]. 中国微生态学杂志，1996，4（4）：50-54.

[20] 江凌. 论5G时代数字技术场景中的沉浸式艺术[J]. 山东大学学报（哲学社会科学版），2019（6）：47-57.

[21] 蒋婷婷，谢富纪，张言，等. 基于软创新理论的文化创意产业创新系统研究[J]. 中国科技论坛，2014（9）：34-39.

[22] 李春景，曾国屏. 基于知识密集型服务活动的服务创新系统研究[J]. 自然辩证法研究，2006（7）：102-106.

[23] 李华胤. 理解中国现代乡愁：理论与方法[M]. 南京：江苏人民出版社，2023.

[24] 李江波，陈劲，周正达，等. 创新经济学大师弗里曼的学术思想与贡献研究[J]. 科学学研究，2023，41（4）：603-614，633.

[25] 李丽娜. 西班牙乡村旅游的发展及启示[J]. 老区建设，2008（17）：63-64.

[26] 柳冠中. 共生美学观——对当代设计与艺术哲学的初探[J]. 装饰，1986（4）：36-38.

[27] 柳鸣九. 萨特研究[M]. 北京：中国社会科学出版社，1981.

[28] 刘沛林，刘春腊，邓运员，等. 客家传统聚落景观基因识别及其地学视角的解析[J]. 人文地理，2009，24（6）：40-43.

[29] 刘苏. 段义孚《恋地情结》理念论思想探析[J]. 人文地理，2017，32（3）：44-52.

[30] 陆国庆. 产业创新：超越传统创新理论的新范式[J]. 江汉论坛，2003（2）：10-13.

[31] 陆邵明. 乡愁的时空意象及其对城镇人文复兴的启示[J]. 现代城市研究，2016（8）：2-10.

[32] 路易斯·芒福德. 城市发展史（起源演变和前景）[M]. 宋俊岭，倪文

彦，译. 北京：中国建筑工业出版社，2005.

[33] 罗兰·罗伯森. 全球化社会理论和全球文化[M]. 梁光严，译. 上海：上海人民出版社，2000.

[34] 马克思，恩格斯. 马克思恩格斯全集（第42卷）[M]. 北京：人民出版社，1979.

[35] 马凌，陈浩然，朱竑. 后城市景观中的乡愁与地方批判：基于“珠江夜游”艺术展的图像分析[J]. 地理研究，2021，40（6）：1637-1651.

[36] 宋瑞，张琴悦. 服务业创新视角下的定制旅游研究——一个拓展性分析框架的提出与应用[J]. 杭州师范大学学报（社会科学版），2023，45（4）：97-110.

[37] 唐岳驹. 熊彼特和他的“创新理论”[J]. 世界经济，1981（9）：76-77.

[38] 特里·N. 克拉克，李鹭. 场景理论的概念与分析：多国研究对中国的启示[J]. 东岳论丛，2017，38（1）：16-24.

[39] 王兵. 从中外乡村旅游的现状对比看我国乡村旅游的未来[J]. 旅游学刊，1999（2）：38-42，79.

[40] 王存奎，孙先伟. 民俗信仰与社会控制[J]. 民俗研究，2005（4）：5-15.

[41] 王东. 中华文明的文化基因与现代传承（专题讨论） 中华文明的五次辉煌与文化基因中的五大核心理念[J]. 河北学刊，2003（5）：130-134，147.

[42] 王凌，徐敏. 产业创新理论研究综述[C]//Hong Kong Education Society. Proceedings of 2013 International Conference on Management Innovation and Business Innovation（ICMIBI 2013 V16）. Singapore Management and Sports Science Institute，2013：6.

[43] 王新歌，陈田，林明水，等. 国内外乡愁相关研究进展及启示[J]. 人文地理，2018，33（5）：1-11.

[44] 王一川. 断零体验、乡愁与现代中国的身份认同[J]. 甘肃社会科学，2002（1）：7-10.

[45] 王怡涵，何得桂. 在乡村振兴中“留住乡愁”：价值、困境与路径[J]. 理论月刊，2022（10）：56-64.

[46] 吴文智，庄志民. 体验经济时代下旅游产品的设计与创新——以古村

落旅游产品体验化开发为例[J]. 旅游学刊，2003（6）：66-70.
[47] 习近平. 论坚持全面深化改革[M]. 北京：中央文献出版社，2018.
[48] 夏振鹏，王国莲，秦存强. 乡愁视角下民宿旅游驱动乡村振兴的内在逻辑与实现路径[J]. 科学发展，2022（11）：106-113.
[49] 徐汉晖. 空间、地方感与恋地情结的文学抒写[J]. 湖北社会科学，2017（11）：119-125.
[50] 言文. 西方企业管理新理念[J]. 企业管理，1999（1）：50-51.
[51] 殷德生. 制度创新的一般理论：逻辑、模型与扩展[J]. 经济评论，2003（6）：33-36.
[52] 喻昕，许正良. 网络直播平台中弹幕用户信息参与行为研究——基于沉浸理论的视角[J]. 情报科学，2017，35（10）：147-151.
[53] 翟辉. “斑块·边界·基质·廊道”与城市的断想[J]. 华中建筑，2001（3）：59-60.
[54] 张勇，冯健. 村落终结：快速城镇化进程中村庄的空心化与乡村性演化[J]. 城市发展研究，2017，24（9）：98-108.
[55] 赵传海. 论文化基因及其社会功能[J]. 河南社会科学，2008（2）：50-52.
[56] 赵李娜. 中国乡愁文化的历史脉络与现实依归[J]. 云南师范大学学报（哲学社会科学版），2019，51（3）：149-156.
[57] 周兵. “乡愁”文化与新型城镇化[J]. 学术探索，2015（4）：85-91.
[58] 周尚意，成志芬. 关于“乡愁”的空间道德和地方道德评价[J]. 人文地理，2015，30（6）：1-6.
[59] 邹慧萍，汪应洛. 建立灵活快速反应的旅游服务系统[J]. 管理工程学报，1996（2）：109-116.